Ma sœur,
la plus grande star
du monde...

Christopher Ciccone
Avec Wendy Leigh

Ma sœur,
la plus grande star
du monde…

Traduit de l'américain par Pascal Loubet

éditions du
Toucan

© 2008 by Christopher Ciccone and Cabochon Diamond Production,
LLC
© Simon Splotlight Entertainment//New York, NY 10020

ISBN : 978-2-81000-215-3
Tirage N°1
© 2008 TF1 Entreprises/Éditions du Toucan
pour la traduction française

Pour mon père, Silvio, et pour Joan
Qui a toujours été une mère pour moi.

Introduction

Pour connaître Madonna,
savoir qui elle est, il faut connaître Christopher.
On ne comprend l'un sans l'autre.
Elle est son côté obscur autant qu'il est le sien.

Rupert Everett, *Tapis rouges et autres peaux de bananes*

Pour certains lecteurs, mon côté obscur m'a poussé à écrire ce livre, pour d'autres, c'est ma sœur qui m'y a poussé. On pourrait également penser que mon point de vue est le seul révélateur de la personnalité de Madonna, au contraire de ceux qui pensent qu'elle peut « marcher sur l'eau ».

Il existe plusieurs manières d'appréhender cette histoire : nos souvenirs d'enfance, la célébration d'une icône de bientôt cinquante ans… mais aussi une réponse pour moi à cette éternelle question « qu'est-ce que ça fait d'être le frère de Madonna ? »

J'imaginais en commençant ce livre pouvoir apprendre plus sur moi-même et me dissocier définitivement de ma sœur. En fait, cela a été une libération. Avec le recul, j'ai enfin compris et accepté ce qui sera toujours une réalité : je suis né de ma mère mais je mourrai comme le frère de Madonna.

9

Ma sœur, la plus grande star du monde…

Je ne me cache plus la vérité car quoi qu'il en soit et quoi qu'il arrive, je suis et je reste sincèrement fier d'être le frère de Madonna et qu'elle soit ma sœur à tout jamais.

Prologue

Hôtel Lanesborough, Londres, Grande-Bretagne, 8 h 30, 25 septembre 1993.

Le réveil sonne avec une discrétion toute britannique. Je me lève, jette un coup d'œil à travers les épaisses tentures de soie violettes, et le soleil étincelle devant moi. Nous avons de la chance, il fait beau. Après tout, nous sommes en Angleterre, patrie de la pluie et du brouillard. La tournée *The Girlie Show*, que j'ai conçue et mise en scène, commence ce soir, et nous ne souhaitons pas que la foule des spectateurs se fasse doucher avant l'ouverture des portes.

Nous. Le *nous* royal. Madonna et moi. Ma sœur et moi : elle dort encore à poings fermés dans le lit à baldaquin en acajou de la suite voisine de la mienne. Ce *nous* royal, il va si bien à cette femme qui est aussi la reine des emmerdeuses. Buckingham, le palais de la reine d'Angleterre, se trouve de l'autre côté de la rue, et pour moi comme pour des millions de fans,

11

c'est elle la vraie reine : Madonna Louise Veronica Ciccone, ma sœur aînée de vingt-sept mois, qui, onze ans tout juste après la sortie de son premier album, est désormais aussi l'une des femmes les plus célèbres du monde.

Je mange une orange. J'évite le traditionnel petit déjeuner anglais, même si j'adore cela. Sinon, je risquerais probablement de me sentir mal quand Madonna et moi partirons faire les dix kilomètres de jogging inscrits au programme de 11 heures. Hier, comme demain – chaque jour c'est prévu pendant toute la durée de la tournée.

Planification : c'est le deuxième prénom de ma sœur. Levée à 9 heures, couchée à 23, et dans l'intervalle, un emploi du temps aussi strictement minuté qu'un plan de bataille. Avec sa manie de faire des listes, de gérer sa vie selon un planning, Madonna aurait pu sans difficulté diriger une prison, une tour de contrôle, ou être un général d'infanterie.

Malheureusement pour elle, ce qui lui est absolument impossible à planifier, c'est son sommeil. Elle est insomniaque et dort rarement plus de trois heures par nuit.

Je me suis aperçu de son insomnie lorsque nous habitions ensemble *downtown* à Manhattan au début de sa carrière. Chaque fois que je me réveillais au milieu de la nuit, c'était pour la trouver au salon, posée sur un futon blanc qui était toujours sale malgré tous nos efforts pour récurer le sol. Elle portait généralement un tee-shirt pour homme trop grand, un sweat blanc imprimé western et suçotait des Hot Tamales, ses bonbons préférés à la cannelle, en lisant de la poésie – souvent Anne Sexton, dont les vers ont parfois inspiré les paroles de ses chansons, ou le journal d'Anaïs Nin, qui, avec Jeanne d'Arc, est l'une de ses héroïnes. Tout était bon pour l'aider à passer ces longues nuits moites et étouffantes de Manhattan durant lesquelles elle ne s'accordait aucun répit et contemplait les visions enchantées d'un avenir étincelant. La soif excessive de gloire et de célébrité, voyez-vous, ne fait pas bon ménage avec le sommeil.

Cependant, ce matin, je suis certain que ma sœur dort profondément. Lorsqu'elle est en tournée, son énergie débordante l'oblige parfois à prendre des somnifères. Mais qui le lui reprocherait ? À présent, c'est une superstar, une légende, l'une des femmes les plus célèbres du monde et dans exactement onze heures et trente minutes, soixante-quinze mille fans vont hurler devant elle, se jeter à ses pieds et l'idolâtrer. Jouer, se donner en spectacle, tenir le coup ou simplement demeurer Madonna, c'est une pression impossible à mesurer et même moi – si proche d'elle, la reine du monde – je n'ai pas la moindre idée de ce que c'est d'être à sa place. Qu'est-ce que cela signifie d'être l'objet de tant de convoitises et d'un tel culte, d'être poursuivie par une multitude de fans qui l'adorent et d'autres qui la détestent au point d'attendre qu'elle s'étale de tout son long ?

9 heures : le moment est venu de réveiller ma sœur. Je déverrouille la porte entre nos deux suites. Trop tard. Des renâclements – un bruit pas trop plaisant – s'échappent de sa luxueuse salle de bains de marbre. Elle est en plein dans son rituel matinal, qui consiste à avaler une longue goulée d'eau chaude salée, s'en gargariser et la faire passer dans le nez avant de la recracher. On n'imagine pas plus abrasif. Mais, selon elle, c'est essentiel pour entretenir sa voix.

Je patiente cinq minutes en regardant CNN. Puis j'ouvre de nouveau la porte. Ma sœur, vêtue d'un tee-shirt blanc et d'un pantalon de survêtement Adidas noir, est étalée sur le couvre-lit en satin bleu ciel et boit un café noir sucré en grignotant un toast de pain au levain.

J'en prends un morceau et je lui donne un baiser.

— Ça va, Madonna ?

— Oui, mais, de nouveau, je n'ai pas trop dormi.

Comme notre père, du genre peu bavard, nous ne nous perdons pas en grands discours, étant donné que nous connaissons par cœur nos regards et nos gestes et que nous les décodons immanquablement. Par exemple, quand ma sœur pose les mains sur ses hanches, façon poissonnière, je sais que l'orage est proche. Quand elle tripote le vernis généralement rouge de ses ongles, je sais qu'elle est inquiète. Et quand elle cache son pouce dans son poing – une habitude d'enfant à moi, qu'elle s'est peut-être appropriée parce qu'elle trouve ses doigts trop boudinés et cherche toujours à les cacher – c'est qu'elle a besoin de réconfort. Et, pendant ces dix dernières années, jour et nuit, j'ai été heureux de lui apporter un peu de ce réconfort.

Le profil de mon poste n'est peut-être pas très courant, bien qu'on puisse me considérer parfois comme le majordome de ma sœur, mais surtout, c'est ma capacité à rassurer ma sœur lorsqu'elle est inquiète ou en proie au doute qui m'a permis de durer aussi longtemps. Tous ceux qui ont eu la chance de pénétrer dans le royaume de Madonna ont été exilés sans autre forme de procès. J'ai connu les deux univers, le seul membre de la famille à avoir jamais travaillé pour elle aussi longtemps comme assistant/habilleur/consolateur, et le seul à cette date à être encore en relation avec elle. Il m'arrive parfois de me présenter comme son « humble serviteur » lorsque j'ai envie de la faire enrager.

À 11 heures pile, nous traversons Hyde Park en petites foulées, suivis par une meute de paparazzi miteux qui espèrent tous pouvoir immortaliser la Material Girl sans maquillage. Madonna rabaisse sa casquette de base-ball pour se dissimuler le visage. Et nous continuons notre jogging sans leur prêter attention.

À 13 heures, Madonna, dans sa limousine Mercedes noire et moi, dans ma berline avec chauffeur, sommes amenés au stade de Wembley, dans le nord-ouest de Londres, à une heure de route d'ici. Nous ne faisons jamais le trajet ensemble, car nous voulons l'un comme l'autre avoir la possibilité d'aller et venir à notre guise.

Une foule de fans s'agglutine déjà autour des portes du stade, les uns dans l'espoir d'acheter un billet à la dernière minute, les autres dans celui d'apercevoir Madonna qui arrive. Mais il n'y a pas de risque. Les vitres sont teintées et, quand les voitures s'arrêtent devant l'entrée des artistes, nous nous engouffrons directement dans les loges.

Comme toujours, le tourneur s'est acquitté des moindres requêtes de Madonna, qui toutes figurent dans une annexe à son contrat. Sa loge doit être entièrement peinte en blanc, car, selon elle, c'est le blanc qui la met le mieux à son avantage. En conséquence, elle exige que les serviettes et la literie soient également de couleur blanche. Freud se ferait probablement une joie d'analyser sa prédilection pour la couleur qui symbolise la virginité. Tous ses amis, membres de la famille et admirateurs connaissent cette préférence pour le blanc, et de grands bouquets de gardénias, tubéreuses blanches et lys – ses fleurs préférées – remplissent la pièce. L'odeur est entêtante. Il y a également quatre boîtes de Hot Tamales et des sachets de thé au citron et à la menthe. Des bouteilles d'Évian – toujours à température ambiante, jamais froides – sont à portée de main, dans la loge et sur scène, là où je sais qu'elle en aura besoin. Tout produit à base de viande ainsi que l'alcool sont interdits dans la loge, si bien que même lorsqu'un tourneur obséquieux fait livrer quelques bouteilles de champagne Cristal Roederer, à la fin du show, elles sont données, sans avoir été ouvertes, tout comme les fleurs.

Heureusement, comme il fait frais dehors, pour une fois, l'atmosphère dans la pièce n'est pas étouffante. Même sous des latitudes tropicales, et quelle que soit la chaleur, Madonna refuse catégoriquement d'utiliser la climatisation. Selon elle, il ne fait jamais assez chaud, mais toujours trop froid, et l'air climatisé est mauvais pour sa voix. Même en plein été, dans la chaleur suffocante de Miami, New York ou Los Angeles, elle laisse ses fenêtres grandes ouvertes et la climatisation éteinte.

Ici, comme dans toutes les loges qu'elle occupe, elle a accroché le crucifix de feue notre mère au-dessus du miroir. La photo de notre mère, prise quelques années avant son décès, est également toujours exposée. Celle-ci avait seulement trente ans lorsqu'elle est morte. Pourtant, aucun d'entre nous – que ce soit notre père, nos frères et sœurs, moi-même et certainement pas Madonna – ne prononce son prénom dans les conversations, sauf en de rares occasions. Ce n'est pas le genre des Ciccone. Bien que nous soyons italiens du côté de mon père et canadiens français du côté de ma mère, nous sommes nés dans le Michigan et, au fond, nous restons typiquement du Midwest.

Je monte sur la scène, où je traque les défauts du parquet afin que personne – ni les danseurs ni (Dieu nous en garde) Madonna elle-même – ne trébuche, je m'assure que tous les monte-charges fonctionnent, que les lumières sont parfaitement réglées pour le lever de rideau et que tous les accessoires sont en place.

Madonna passe une heure dans sa loge à faire des exercices de respiration, des gammes et des étirements, dans une sorte de mélange entre Anna Pavlova et Mohammed Ali au sommet de sa gloire.

Ensuite, je me soumets à une interview en ville avec l'un des journaux les moins sordides de Londres, car ma sœur refuse désormais de les recevoir et m'y envoie donc à sa place. Je suis poli, aimable, et j'espère que l'entrevue aura un impact positif sur les chroniques du lendemain, que nous lirons ensemble durant le petit déjeuner.

Si Madonna reçoit une critique négative, comme lors du *Virgin Tour* où deux journalistes l'ont descendue en lui reprochant d'avoir grossi, je sais qu'elle secouera la tête, fera semblant de s'en moquer, puis déchirera le journal et le jettera à la poubelle. Mais dix minutes plus tard, elle demandera : « Christopher, tu crois vraiment qu'ils ont raison ? Tu trouves que j'ai grossi ? » Je lui réponds qu'ils se trompent, qu'évidemment elle n'a pas grossi – même si c'est faux – et elle est heureuse.

Je suis soulagé de ne pas avoir d'autres médias à rencontrer durant notre séjour londonien, car je préfère rester dans l'ombre. Madonna ne passera pas non plus à la télévision. C'est l'un des plus intéressants paradoxes de sa personnalité à facettes multiples : alors que cela ne lui pose absolument aucun problème de mimer un rapport sexuel devant les milliers de spectateurs de la tournée *Blond Ambition,* ou de démontrer sa technique de fellation sur une bouteille, comme dans la fameuse scène du documentaire *In Bed with Madonna,* dès qu'elle doit passer à la télévision cela la rend folle.

En fait, j'ai eu de la peine pour elle lorsque j'ai vu ses mains trembler pendant son interprétation à la télévision de la chanson « *Sooner or later (I Always Get My Man)* » de Steven Sondheim, extraite de *Dick Tracy,* lors des Academy Awards de 1991. Il n'y avait pas le moindre fan hurlant et elle qui a toujours détesté ne pas pouvoir bouger quand elle chante, elle était obligée de rester immobile.

Si elle avait chanté devant un parterre d'admirateurs, elle n'aurait absolument pas été mal à l'aise. Mais cette fois, c'était devant une salle remplie d'acteurs et actrices reconnus, un monde auquel elle n'appartient pas vraiment, qui ne la respecte pas en tant qu'actrice mais dont elle souhaite à tout prix gagner le respect. D'où ses nerfs à fleur de peau.

La même chose s'était produite en 1994 alors qu'elle passait au *Late Show* de David Letterman et s'était retrouvée à dire « putain » treize fois parce qu'elle était morte de peur et qu'elle ne trouvait pas ses mots. Pourtant, quand j'abordai le sujet, elle refusa d'avouer qu'elle avait le trac à la télévision et se contenta de déclarer : « C'est exactement ce que j'avais envie de dire », avec la moue de défi d'une gamine de quatre ans prise la main dans le pot de confitures. Tel est son caractère : elle minimise ses angoisses, elle les déguise. Et elle joue la carte de l'offensive.

De retour au stade de Wembley à 15 heures, Madonna et moi montons sur scène pour les balances. Elle chante une minute et demie de chaque chanson, puis elle répète certaines des chorégraphies les plus compliquées pendant une heure. Quand elle quitte enfin la scène, je remarque qu'elle est loin d'être fatiguée ; l'adrénaline court déjà dans ses veines. Ses yeux bleus étincellent, sa peau est lumineuse, elle a les joues rosies – tant à cause de l'excitation que grâce à la poudre de riz rose portoricaine Majal qu'elle m'envoie régulièrement lui acheter à Manhattan au coin de la Sixième Avenue et de la Quinzième Rue.

Après quoi, nous déjeunons ensemble à 16 heures – soupe aux carottes, hamburgers végétariens, salade – tous préparés par son cuisinier végétarien qui voyage avec nous. Pendant le déjeuner, nous disséquons la répétition en costumes de la veille : l'humeur des musiciens et des danseurs, qui fait la tête, qui il faut réconforter et cajoler pour qu'il s'acquitte au mieux de sa mission, qui il faut caresser dans le sens du poil – avec pour objectif de faire du show de ce soir un spectacle inoubliable.

Lors des premières, et durant la majeure partie de la tournée, c'est mon travail, mais Madonna me l'a déjà facilité. À chaque tournée – grâce à un mélange de charme, de séduction et de sollicitude maternelle –, elle se met en quatre pour gagner la confiance, la loyauté et l'amitié des danseurs. Pour qu'ils soient le plus proche possible d'elle – mais pas trop proches quand même.

Tous ceux qui travaillent pour elle passent inévitablement par les mêmes étapes. Un : désillusion devant la froideur du monde extérieur. Deux : ravissement face au rayonnement chaleureux et à l'attention de Madonna. Trois : progression vers ces chauds rayons dans le but de s'approcher d'elle. Quatre : atterrissage à l'endroit le plus glacial de tous : la place la plus proche d'elle. Voilà ce qui arrive quand on est trop près ! Si vous parvenez à ce stade, elle trouvera que vous en savez trop ; vous devenez indésirable, entraînant chez elle la fermeture immédiate. Cinq : exit le soleil, la proximité. Terminé Madonna.

À chaque tournée, j'ai vu les danseurs se laisser ensorceler par Madonna. Se rapprocher progressivement d'elle en croyant accéder au paradis, au saint des saints des intimes et des amis platoniques. Pour finalement, à la fin de la tournée, se retrouver jetés une fois de plus dans un monde glacial et ne plus jamais la revoir, sauf à la télévision, dans un film ou sur scène – mais seulement depuis la salle.

Cependant, lors de chaque tournée, invariablement, un danseur passait plus de temps avec elle, bénéficiait de ses faveurs et se montrait plus intime – et c'était toujours un danseur hétéro. Sur le *Virgin Tour*, le rôle a échu à Lyndon B. Johnson. Sur la tournée *Who's That Girl ?*, c'était Shabadu. Sur *Blond Ambition*, Oliver Crumes. Et, pour le *Girlie Show*, Michael Gregory.

Les dés étaient jetés durant les auditions, quand Madonna passait en revue les rangs des danseurs, un peu comme on raconte que Catherine la Grande inspectait les rangées d'amants potentiels. Dans le cas de Michael, nous avons fait passer des auditions à New York et à West

Hollywood. Nous avons pris des Polaroid des dix candidats finaux et enregistré leurs prestations sur vidéo. Puis Madonna et moi sommes rentrés pour visionner les cassettes et les Polaroid.

De tous les danseurs, Michael était le moins doué et le candidat ayant le moins de personnalité. Pourtant, Madonna l'a défendu et a insisté pour l'engager. J'ai jugé que ce n'était pas la peine d'essayer d'avoir le dernier mot et il a été pris.

Ici, à Londres, pour le *Girlie Show*, il est à présent son hétéro élu, le garçon vers lequel elle se replie quand elle s'ennuie avec tous les gays de la tournée – moi y compris – et envers qui elle se montrera maternelle, tendre, presque affectueuse. La question n'est pas de savoir si Madonna et son hétéro font l'amour durant la tournée ; plutôt, il lui sert d'assurance contre la solitude sur les routes.

À 16 h 30, ayant deux heures de temps libre, son chiropracteur la soigne, elle se fait masser, puis elle reste allongée sur la table de massage à essayer de dormir, sans y parvenir.

À 18 h 30, elle enfile une partie du costume qu'elle portera pour la première chanson : un soutien-gorge et un short noirs à paillettes, de longs gants noirs, et les fidèles bas résilles qui ne la quittent jamais (même sous les pantalons, jeans ou collants) parce que, selon elle, ils protègent les muscles de ses jambes. Son esprit marche à cent à l'heure, pourtant, pendant qu'on la coiffe et qu'on la maquille, elle reste d'une immobilité remarquable, en bon soldat toujours discipliné.

À 19 h 30, l'heure est venue pour Daniel Hubert, son nouvel habilleur, de l'aider à enfiler son costume. Bien que Madonna m'ait désormais élevé au rang de metteur en scène, elle essaie encore de me convaincre de rester son habilleur, mais j'ai refusé. Après avoir d'abord trépigné, elle a fini par capituler. Du coup, elle s'apprête à se déshabiller entièrement devant Daniel Hubert. Dans ses moments, elle se sent complètement vulnérable et ce sentiment empire à mesure que se déroule le spectacle. Car si Madonna est connue pour son absence d'inhibitions, pour avoir posé nue devant des étudiants des Beaux-Arts, défilé seins nus pour Jean-Paul Gaultier – en privé, elle est beaucoup trop timide et prude pour permettre qu'un inconnu la voie nue de près. Je sais, c'est totalement à l'opposé de son image d'icône sexuelle, mais c'est vrai.

J'ai briefé Daniel depuis longtemps : il connaît les exigences de la fonction d'habilleur de Madonna et les stratégies pour y survivre sans devenir fou. Il comprend donc parfaitement que la meilleure tactique consiste à se taire – quelles que soient les injures dont Madonna va à coup sûr l'agonir – et à ne parler que pour répondre à l'éternelle question : « Comment tu me trouves ? ». À laquelle il est de son devoir de répondre immanquablement : « Sublime, Madonna. Sublime. »

Ainsi, armé de mes conseils, il l'aide à revêtir le reste du costume – des bottes lacées hautes en cuir verni et un loup – puis il lui tend la cravache qu'elle va brandir durant la première chanson, « Erotica ».

À 19 h 50, Madonna, les danseurs, les musiciens et moi formons tous un cercle en nous tenant par la main. Madonna prononce une prière : « Mon Dieu, voici la première de notre tournée à Londres. Veille sur mes danseurs et mes musiciens. Je sais que tout le monde a le trac, moi y compris. Nous avons travaillé dur et longtemps pour en arriver là. Aide-nous à donner un magnifique concert. Je vous aime tous. Allez-y, je vous dis merde. Défoncez-vous. Amen. »

Le show peut commencer.

Précédés par le service de sécurité, Madonna, moi et les deux choristes, Niki Harris et Donna De Lory, commençons alors, main dans la main, le long trajet jusqu'à la scène, par le passage souterrain et les coulisses, en chantant le « For Once in My Life » de Stevie Wonder, tandis que le manager de Madonna, le coquet Freddy DeMann, avec sa fine moustache, nous suit en mâchant férocement un chewing-gum.

Quand nous arrivons dans les coulisses, Niki et Donna prennent place avec les musiciens. Madonna et moi continuons dans le passage qui mène sous la scène, d'où elle surgira au lever de rideau.

Madonna et moi attendons seuls en nous tenant la main. Elle ne tremble pas. Elle est extrêmement calme, certaine qu'elle connaît le moindre pas et les moindres paroles par cœur. Elle est remplie d'assurance, de maîtrise de soi, elle doute à peine d'elle-même, certaine qu'une fois sur scène et devant le public, elle sera à sa place et fera ce pour quoi elle est la plus douée.

Je l'embrasse sur la joue.

— Tu es fabuleuse, lui dis-je. Tu vas être géniale, je le sens. Tu n'as aucune raison de t'inquiéter. Tout va se passer à la perfection.

Elle hoche la tête sans un mot, écarquillant soudain les yeux comme une petite fille. Avant qu'elle ne prenne sa place sur la scène, par habitude, je tends la main et elle y crache son bonbon Ricola.

Puis elle me fait un grand sourire extatique et un peu angoissé qui signifie : « On y va », elle respire un bon coup, redresse les épaules et se prépare à affronter le public.

Les lumières s'allument et un tonnerre de cris déferle sur nous. Une énorme décharge électrique jaillit des soixante-quinze mille spectateurs jusque sur la scène et s'abat sur nous comme un raz-de-marée, nous remplissant d'énergie.

Une musique de cirque résonne dans le stade. Sur la scène, devant le rideau de velours rouge, la danseuse Carrie Ann Inaba, vêtue seulement d'un string rouge, glisse le long d'une perche de treize mètres de haut, tandis qu'un clown en costume de satin bleu – le leitmotiv de la tournée – la regarde depuis la scène.

Je suis maintenant dans la fosse d'orchestre, cet espace de deux mètres entre les sièges du premier rang et la scène. Alors que Carrie Ann s'apprête à toucher le sol avant de disparaître sous la scène, le rideau se lève pour révéler Madonna sur une scène nimbée de fumée, en train de chanter « Erotica ». Ses cheveux blonds coupés court scintillent sous les projecteurs et elle fait claquer son fouet.

Elle danse d'une manière élégante, fluide, qui rend hommage à notre formation commune. Son corps est une œuvre d'art, grâce aux deux heures et demie quotidiennes de gym qu'elle pratique lorsqu'elle n'est pas en tournée. Ses cours de yoga contribuent également au dessin parfait de son physique tonique et à sa posture royale. Dans un cours de yoga, évidemment, elle laisse libre cours à son instinct de compétition. Que ce soit dans les domaines du yoga, de l'amitié ou de la Kabbale, il faut toujours que ma sœur soit la meilleure, la plus accomplie, la seule femme capable d'enrouler ses jambes vingt-cinq fois autour de sa tête et de se tenir sur un seul doigt.

L'esprit de compétition de Madonna, c'est bien sûr en partie ce qui lui a permis de devenir… Madonna. Ce trait de caractère ainsi que son intelligence, sa capacité d'apprentissage, sa mémoire phénoménale, son charme sans égal et ce talent scénique qui – alors que j'assiste à ce *Girlie Show* – me coupe le souffle. Je m'émerveille devant la relation qu'elle tisse avec le public, la vivacité et la précision de sa performance, la grâce de sa gestuelle, l'intelligence de ses mimiques : c'est exactement comme durant les répétitions.

Pour la chanson suivante, « Vogue », Daniel a agrémenté le costume d'une coiffe pailletée, entre Erté et Zizi Jeanmaire. La passion que Madonna et moi partageons pour les icônes du passé a considérablement influencé le contenu et l'ambiance du *Girlie Show*, et en particulier la scène du *Virgin Tour* dans laquelle elle parodie Marlene Dietrich.

Pendant tout le temps où nous avons vécu et traîné ensemble à *downtown* Manhattan et lorsque j'habitais avec elle à Los Angeles – au départ dans la maison qu'elle partageait avec son premier mari, Sean Penn, puis plus tard dans celle qu'elle partagea de temps en temps avec Warren Beatty – nous restions très tard à regarder ensemble de vieux films. Ceux de Dietrich, en particulier *L'Ange bleu* et *Morocco*, étaient nos préférés, mais nous adorions aussi Louise Brooks dans *Loulou*, Joan Crawford dans *Le Roman de Mildred Pierce*, Claudette Colbert dans *New York-Miami* et Judy Holliday dans *Comment l'esprit vient aux femmes*.

C'est avec ces films que les rêves de devenir une grande star de cinéma ont germé dans la tête de Madonna. Je lui souhaite d'y parvenir, mais je pense dans mon for intérieur que le seul rôle qu'elle soit véritablement capable de jouer est le sien, celui de Madonna. Un rôle qu'elle a créé et entretenu. Et quel rôle ! Mélangez Shirley Temple et Betty Page, Elizabeth Ire et Lucille Ball, Bette Davis et Doris Day, et vous aurez une idée de l'artiste connue sous le nom de Madonna.

Pour le moment, c'est un bref interlude entre des chansons durant le *Girlie Show* et Madonna quitte la scène. Je me précipite en coulisses jusqu'à sa loge. Si elle était calme avant le début du spectacle, durant l'entracte, elle est toujours extrêmement nerveuse et sursaute pour un rien. Pendant qu'elle retouche son maquillage et se vaporise du Gardenia Passion d'Annick Goutal, son parfum préféré, je lui donne une version encore plus renforcée de mes habituelles paroles d'encouragement :

—Tu as été fantastique. Ta voix porte, et ton jeu de scène était sublime.

Elle cesse de trembler et boit une gorgée d'Évian.

Avant de retourner sur scène d'un pas décidé.

Ce que je dis à ma sœur est en partie sincère et en partie un peu exagéré. Il est vrai que son jeu de scène est sublime. Cependant, sa voix, c'est une autre affaire. Son refus de prendre des leçons de chant est la conséquence de l'extrême confiance en soi qu'elle arbore depuis toujours. Cette assurance a compensé son manque de formation. C'est une femme de scène – certaines ont de plus belles voix, mais elle est la preuve vivante que la discipline, la vision, l'ambition, la détermination, l'acharnement et, évidemment, la confiance en soi, sont les éléments indispensables à l'émergence d'une superstar. Cette confiance légendaire semble également être une caractéristique familiale dont j'ai hérité : j'adore me mettre à l'épreuve et je relève toujours les défis. Bien que j'aie été un créateur, un artiste et que je sois désormais un metteur en scène, je me suis dérobé à toute formation dans ces disciplines. En outre, comme ma sœur, je suis le plus souvent rebelle à l'autorité, préférant me lancer à l'aveugle dans une carrière et apprendre au fur et à mesure.

Jusqu'à maintenant, cette stratégie nous a bien réussi, mais, à présent, Madonna commence à se rendre compte qu'à cause de ce manque de leçons de chant régulières, sa voix est désormais trop faible pour ce qu'elle en exige. Comme solution intermédiaire, elle a engagé Donna, l'une de ses choristes, comme sa voix ressemble à la sienne et la soutient. En revanche, Niki est là pour apporter le côté *soul*. La plupart du temps, entre Donna et Niki, c'est à celle qui pourra la mieux chanter en harmonie. Celle-là recueillera forcément le plus de bienveillance.

Niki a une meilleure voix que Madonna. Elle est mieux formée, et Madonna s'efforce de la tenir à distance, parce que Niki est tout à fait capable de noyer sa voix, comme cela arrive souvent. Quand c'est le cas, parfois, Madonna ordonne qu'on coupe le micro de sa choriste.

Une fois ou deux, elle a songé à renvoyer Niki. Encore qu'elle ne le ferait pas elle-même. Voici un défaut caractéristique de cette femme à la cuirasse de dominatrice : alors qu'elle ne se prive pas de beugler des ordres à ses sous-fifres durant les répétitions, en revanche, lors des tournées et, en particulier, quand elle se trouve devant une caméra comme dans *In Bed with Madonna,* elle est totalement terrifiée par les conflits. Elle les évite à tout prix, ne peut se résigner à dire en face à quelqu'un qu'il est viré et délègue généralement cette tâche à l'un de ses sbires, moi le plus souvent.

Voilà que Madonna entonne « Holiday » où, transformée par sa perruque afro blonde et son costume pailleté, elle est l'image même de la *disco-queen* des seventies qui virevolte sur la scène, joyeuse, euphorique, totalement détendue et heureuse. Pour la première fois de la soirée, je croise son regard et lui adresse un clin d'œil, qu'elle me rend. Quelques instants plus tard, elle me lance rapidement un sourire triomphant, en signe de reconnaissance tacite. Notre travail a payé et le *Girlie Show* est un succès. Je lui rends son sourire, transporté par notre complicité. Elle termine le show par « Everybody » – son premier hit et la première chanson qu'elle ait jamais coécrite : le public s'enfièvre et le sol du stade tremble sous les pas des spectateurs qui dansent.

Madonna quitte la scène. Quelques minutes plus tard, un personnage vêtu du costume de Pierrot en satin bleu, avec un masque de clown triste, fait son apparition. Cette fois – et nul ne le sait jusqu'à l'instant où elle retire le masque – c'est Madonna qui tient le rôle.

Enfants, nous allions rarement au cirque, mais adultes, Madonna et moi adorions aller voir le cirque du Soleil de Battery Park, à Manhattan. Nous aimions cette troupe pour sa fantaisie, son approche novatrice et bizarre. Ils ont fini par devenir une source d'inspiration majeure à notre travail ensemble, en particulier sur le *Girlie Show*. Il y a cependant quelque chose d'ironique dans le fait que ma sœur se déguise en clown, car c'est la personne la moins douée au monde pour raconter des blagues. Je frémis chaque fois qu'elle essaie, que ce soit en privé ou en public, parce qu'elle rate systématiquement la fin.

Je crois savoir que cette incapacité à être vraiment drôle trouve ses racines dans le décès prématuré de notre mère, durant notre enfance. Même en plein cœur du dynamique *Girlie Show*, au milieu de l'adoration de la foule, au milieu de cette nuit enivrante, le clown triste dévoile une vérité profonde sur ma sœur. Comme moi, au fond d'elle-même, parce que nous avons perdu notre mère si jeunes, aussi haut que puisse jamais s'élever Madonna, aussi célèbre, riche et adorée qu'elle devienne, son âme sera toujours rongée par une tristesse secrète. Il suffit d'écouter certaines des paroles qu'elle a écrites durant ses vingt-cinq ans de carrière, des chansons comme « Oh Father » ou « Live to Tell », pour ne citer que celles-là.

La scène du clown est maintenant terminée. Madonna enlève son masque d'un geste théâtral, tire sa révérence et quitte la scène. Alors que je l'attends dans les coulisses, j'essaie d'oublier les applaudissements assourdissants. Elle se précipite sur moi, je l'enroule dans une grande serviette blanche, la prends par les épaules et l'emmène rapidement. Elle ruisselle de sueur, elle est à bout de souffle. Je vois d'après son expression qu'elle sait que le show s'est bien passé. Quelques secondes plus tard, elle est dans la limousine avec son assistante, Liz, l'attachée de presse, et son manager Freddy, et passe en revue le spectacle, tandis que dans le stade, « Be a Clown » retentit dans les enceintes et que le public réclame toujours plus de Madonna.

À l'hôtel, la suite de Madonna est remplie d'autres fleurs blanches. Elle se démaquille, prend une douche, puis nous descendons et elle retrouve l'équipe technique, les danseurs et les musiciens, pour une petite soirée privée au champagne au Library Bar.

Un soir de première à Londres comme celui-ci, elle aurait très bien pu fêter l'événement avec tout ce que l'Angleterre compte de riche et célèbre, qui se seraient empressés d'accourir pour lui rendre hommage. À part lorsque nous jouons à Detroit ou à Los Angeles, elle quitte toujours le stade juste après le deuxième rappel, puis passe la soirée avec son équipe, les danseurs et les musiciens, auxquels elle concède une partie de la responsabilité de son succès.

Bien qu'une des phrases favorites de Madonna soit « Nous ne sommes pas dans une démocratie », qu'elle est incapable de rire d'elle-même, je suis impressionné qu'elle soit si solidaire à ce moment-là au point de fêter les soirs de première avec son équipe plutôt qu'avec d'autres célébrités. En même temps, au fond de moi, tapie dans un recoin obscur où j'évite de trop me plonger, une petite voix que je tente d'ignorer me dit que si ma sœur ne goûte guère la fréquentation de célébrités, c'est qu'en leur présence, elle ne serait plus la reine des abeilles, la Grande Star. En outre, aucune des célébrités – ses pairs – ne s'esclafferait de ses blagues pas drôles. Ils ne prêteraient aucune attention à ses états d'âme et n'en feraient pas le centre de leur univers, comme le font invariablement tous les membres de son entourage.

Elle ne reste pas longtemps à la fête, au bout d'une demi-heure elle me demande de la raccompagner à sa suite.

Dans l'ascenseur, je suis soudain submergé par une vague d'euphorie. Mon opinion concernant ses talents de scène est à son zénith. Sur un plan personnel, en tant que frère, mon affection pour elle est sans borne et jamais nous n'avons été aussi proches.

— Tu as été géniale, ce soir, Madonna, dis-je. Vraiment géniale.

Nous nous serrons l'un contre l'autre.

— Je t'aime, Christopher, vraiment, dit-elle. Et je suis fière de toi.

— Et moi de toi. Et merci de m'avoir donné cette chance. Je t'adore.

Je vérifie qu'elle a assez de thé au citron dans sa chambre et que son humidificateur fonctionne. Puis je me retire dans ma suite.

Ce soir, nous flottons sur un nuage, elle et moi. Rien ni personne ne peut nous atteindre, pas même notre faiblesse humaine. Nous vivons pour le spectacle, pour le show. L'amour, la complicité, la créativité.

Ce soir, je sais sans l'ombre d'un doute que nous sommes à l'unisson, synchro : Judy Garland et Mickey Rooney en plein numéro, toi et moi contre le monde entier, ensemble, maintenant et pour l'éternité. J'entrevois notre avenir glorieux, tant sur le plan personnel que professionnel ; il brille devant moi, immaculé et infini.

Mes propres paroles résonnent dans ma tête : *Merci de m'avoir donné cette chance. Je t'adore.*

On dit que les dieux, désireux d'anéantir quelqu'un, le rendent d'abord fou d'orgueil. On dit également que ce qu'ils donnent, ils peuvent aussi le reprendre. Ce soir-là représente le sommet de ma vie, mais, par la suite, ces deux expressions ne viseront plus un dieu, mais une déesse : ma sœur, Madonna.

Ma sœur, la plus grande star du monde…

Elle va devenir folle par orgueil : la gloire, les veules flatteries de ses admirateurs, l'adoration stupide des masses. Et ce qu'elle m'a donné – la joie de créer avec elle, d'être avec elle, de l'aimer et d'en être aimé –, elle va finir par le reprendre.

1

*Le merveilleux avantage de vivre dans une grande famille,
c'est que l'on apprend dès son plus jeune âge
l'injustice intrinsèque de l'existence.*

Nancy Mitford

J'ai onze ans et je ne suis que l'un des huit gamins Ciccone qui s'apprêtent à dîner avec notre père et notre belle-mère, Joan, dans la cuisine jaune paille de notre maison d'Oklahoma Avenue, à Rochester, dans le Michigan. Nous sommes tassés autour de la table de chêne sombre – que Joan vient de poncer et restaurer et qui sent encore le vernis – et nous sommes heureux, parce que ce soir nous allons manger du poulet.

Mes quatre sœurs portent toutes des robes en velours bordeaux à col de dentelle que Joan a cousues en déclinant le même patron de chez Butterick. Madonna déteste la sienne, mais Joan lui a dit de « se taire et de la mettre ». En temps normal, Madonna aurait couru se plaindre à notre père, qui aurait probablement cédé et l'aurait laissé mettre autre chose, mais, ce soir, il était à une réunion des Knights de Columbus, une organisation catholique de bienfaisance, et est rentré juste à l'heure du dîner.

Comme toujours – pas parce que nous sommes pauvres, mais parce que Joan est frugale –, elle n'a préparé que deux poulets que nous serons dix à partager. J'ai l'impression d'avoir passé la moitié de ma vie à me battre pour avoir le blanc, que j'adore mais que je n'ai jamais, parce que je ne suis pas assez vif et que tout le monde me passe devant. Ce soir, pourtant, je suis bien décidé à l'avoir.

Mais, avant que je puisse me lancer dans l'action, c'est à moi de dire les grâces.

Nous nous levons et nous nous tenons la main.

Je prends une profonde inspiration.

— Notre Père, je vous remercie pour cette belle journée. Je vous remercie pour mes frères et sœurs.

Marty, mon frère aîné, qui vient d'être surpris à fumer dans le sous-sol et qui s'est fait corriger par mon père, ricane.

Ma petite sœur Melanie – née avec une mèche albinos qui se prolonge jusque dans son sourcil et ses cils gauches – pense que je suis sincère et me fait un tendre sourire bienheureux.

Mon frère aîné Anthony, qui redescend d'un mauvais trip au peyotl et serre encore contre lui *Voir*, le livre de Carlos Castaneda, ferme les yeux.

Ma sœur Paula, celle qui est toujours la cinquième roue du chariot, fait la grimace.

Ma demi-sœur Jennifer gargouille : c'est encore un nourrisson.

Mon demi-frère Mario, dans sa chaise de bébé, joue avec son hochet.

Mon père et ma belle-mère échangent un bref regard approbateur.

Ma sœur aînée Madonna laisse bruyamment échapper un long bâillement.

Je lui jette un regard noir et je poursuis.

— Je vous remercie pour grand-mère Elsie et grand-mère Michelina, pour notre père et pour Joan. Je vous remercie,

Seigneur, pour le pain que vous nous donnez ce soir, et si seulement je pouvais avoir un morceau de blanc...

Tout le monde éclate de rire, même Madonna.

Je me lance. Je ne réussis pas à avoir le blanc. Je m'y suis pris trop tard parce que je ris encore de mon petit trait d'esprit. Ironie du sort, sans doute. Mais, au moins, je ne reste pas sur ma faim – car ma sœur Madonna a beau s'être dépeinte comme une Cendrillon et insinué que Joan était notre méchante marâtre, jamais elle ne nous a maltraités ni laissés sans manger.

En revanche, elle n'est pas non plus du genre à nous régaler de plats coûteux. Elle réserve toujours les mets délicats – olives grecques, salami italien ou biscuits raffinés – pour ses invités, alors que la grande friandise des enfants, c'est le granola. Quand Joan n'est pas là, même si nous sommes repus, simplement pour le geste, nous nous faufilons dans la cuisine et nous chapardons l'un des biscuits, gourmandise réservée aux invités.

Un samedi matin – j'ai alors quinze ans – elle nous convoque tous dans ce qu'elle appelle la « Salle de Réception ». Elle a passé ces derniers mois à la redécorer, nous en interdisant l'accès. Je me dis qu'elle s'apprête à nous dévoiler ses derniers exploits. Alors que mes frères et sœurs ne se battent pas vraiment pour admirer la salle à manger rénovée, moi, au moins, je suis un peu curieux de voir le résultat. J'espère simplement que Joan ne s'attend pas à ce que j'applaudisse à ses efforts, car les compliments hypocrites ne font pas partie de mon répertoire. Cela viendra plus tard, lors des nombreuses occasions où j'assisterai aux projections des films de ma sœur et où j'éviterai de la vexer.

En conséquence, j'ai du mal à dissimuler ma réaction quand nous entrons en file indienne dans la salle à manger : moquette vert bouteille, lambris de bois teinté intercalés de carreaux de faïence que Joan qualifie de « patinés » – l'un de ses termes favoris. Je sais que nous sommes dans les années soixante-dix, mais malgré tout, mon instinct de décorateur a déjà commencé à poindre et je suis loin d'être bouleversé.

Pourtant, Joan ne nous a pas convoqués dans cette pièce pour que nous admirions ses prouesses de décoratrice, mais parce que l'un d'entre nous va avoir de gros ennuis. En mode *Judge Dredd*, elle annonce que le gâteau des anges à la génoise qu'elle vient d'acheter pour le café avec ses amies a disparu, et elle exige que le coupable se dénonce.

— Vous resterez là toute la journée jusqu'à ce que l'un de vous avoue, décrète-t-elle.

Personne ne pipe mot. Elle met un album d'Andy Williams sur le tourne-disque. Je m'interroge : *Torture musicale ?* Je reste les yeux fixés sur le paysage oriental – une scène automnale de jonques voguant sur une rivière – que notre père a rapporté de son dernier voyage à Los Angeles et je la repeins mentalement.

Au bout d'une heure, Joan quitte les lieux. Nous restons assis autour de la table en silence, penauds, nous dévisageant les uns les autres, essayant secrètement de deviner l'identité du coupable. Bien que je ne l'accuse pas ouvertement, je soupçonne Madonna du crime, simplement parce que je sais que, même si la génoise est trop fade à son goût, le nom de gâteau des anges doit lui plaire. Sans compter qu'en le chipant, elle ferait une encoche de plus sur la crosse du fusil que, figurativement, elle braque en permanence sur Joan. Une demi-heure plus tard, Joan revient et annonce que le voisin est venu lui confier qu'il a aperçu le voleur par la fenêtre de la cuisine. Et qu'en plus, il l'a reconnu : c'est moi.

Je suis innocent, mais je n'ai aucun moyen de le prouver. En plus, mes copains m'attendent dans notre cabane de jardin. Ils viennent de recevoir le dernier *Playboy* par courrier, et je meurs d'envie de quitter la maison pour aller y jeter un coup d'œil. J'avoue donc avoir volé le gâteau. Je suis dûment puni pour mon crime : interdit de sortie pendant une semaine et privé de télé. Des années plus tard, Paula avouera enfin avoir dérobé le gâteau, mais trop tard, puisque j'aurai déjà été puni depuis longtemps. C'est évidemment ma faute : j'ai avoué un crime que je n'ai pas commis. C'est aussi le début d'un comportement qui tendra à se répéter et qui, j'imagine, augure de l'avenir.

Comme Joan a épousé notre père, l'un des plus agréables rituels qu'elle a institués est de nous permettre de choisir à chacun notre gâteau d'anniversaire. Madonna choisit toujours un gâteau aux fraises. Et moi, un gâteau au glaçage rose.

Peu après l'incident de la génoise, je suis dans l'incertitude : Joan me préparera-t-elle mon gâteau préféré ? À mon soulagement, maintenant que j'ai été puni pour un vol que je n'ai pas commis et que j'ai payé le prix de mon crime, Joan m'a pardonné. Et j'ai finalement droit à mon gâteau rose.

La pâtisserie était le point fort de Joan. Mais d'un point de vue général, c'est à l'époque une cuisinière désastreuse. Quand elle prépare du riz à l'espagnole, elle oublie de mettre le riz, et souvent, elle nous sert un énorme plat tout préparé qu'elle vient de décongeler, en nous annonçant avec un sourire satisfait qu'elle vient de le cuisiner elle-même.

— Tout juste sorti du congélateur ! marmonnons-nous en prenant bien garde que notre père ne nous entende pas, car nous ne voulons pas le fâcher. Il exige que nous traitions Joan avec le plus grand respect et tient à ce que nous l'appelions Maman. Nous avons tous un mal de chien à la respecter et nous nous étranglons presque quand il nous faut obéir à notre père et l'appeler Maman.

Ma mère naturelle, qui s'appelait Madonna, est morte quand j'avais tout juste trois ans. Je n'ai d'elle qu'un seul souvenir net. Je suis en train de courir sur la pelouse de notre petite maison de plain-pied située du mauvais côté du chemin de fer lorsque je marche sur une abeille. Alors que je pleure à chaudes larmes, ma mère me prend délicatement sur ses genoux et apaise la douleur à l'aide d'un glaçon. Je me sens en sécurité, protégé et aimé. Toute ma vie est consacrée à retrouver cette sensation, sans jamais y parvenir.

La triste vérité, c'est que j'étais trop jeune à la mort de ma mère pour avoir pu la connaître vraiment. Durant mon enfance, la seule manière dont elle a existé pour moi, c'est à travers les photos. Sur l'un de mes nombreux clichés préférés, elle chevauche un bison : elle déborde de vie, de charme, c'est une véritable star. À l'époque, chaque fois que je voyais cette photo, je refusais de croire qu'elle était morte et que je ne la reverrais jamais. Tout comme je n'ai jamais pu imaginer qu'elle puisse posséder une telle joie de vive et, en même temps, être animée d'une piété extrême.

Je n'ai appris l'intense dévotion religieuse de ma mère qu'il y a vingt ans, quand mon père nous a envoyé à tous un paquet des lettres d'amour qu'elle lui écrivait lorsqu'il était dans l'aviation et qu'ils n'étaient pas encore mariés.

Je n'ai lu qu'une seule de ces lettres romantiques écrites par ma mère. Quand je l'ai eue terminée, je n'ai pu me résoudre à en lire d'autres, car je ne suis pas très religieux et que j'ai du mal à comprendre l'extrême dévotion de ma mère. Certes, ces lettres sont charmantes et affectueuses, mais je les trouve un peu fanatiques. Toutes ces histoires de Dieu qui protège la vie de mon père, Dieu par-ci et Dieu par-là. Je me trouvais incapable de lire les autres, car j'avais une tout autre image mentale de ma mère, que je ne voulais pas déformer.

Mon père a envoyé à Madonna des copies de ces courriers et j'imagine qu'elle les a lues également ; cependant, nous n'en parlons jamais, pas plus que nous ne parlons de notre mère. Nous évitons même de prononcer son nom.

Nous autres, les Ciccone, nous avons peut-être peur d'exprimer nos émotions, mais il n'y a pas grand-chose d'autre qui nous déroute. Après tout, du sang de pionnier coule dans nos veines et nous en sommes fiers. En 1690, mes ancêtres maternels, les Fortin, ont fui la France pour gagner le Québec et s'établir dans cette contrée sauvage. Image même des pionniers, ils sont parvenus à tirer leur subsistance d'une nature inhospitalière.

Plus de deux cent trente-cinq ans plus tard, ma grand-mère Elsie Fortin et mon grand-père Willard Fortin se marient et passent leur lune de miel dans la splendeur de l'hôtel Waldorf-Astoria de Manhattan. Bien qu'Elsie ait passé toute sa vie à le nier, l'arbre généalogique de la famille confirme que Willard et elle sont en fait des cousins éloignés. Peut-être cela explique-t-il pourquoi Madonna et moi, ainsi que nos frères et sœurs, avons des vies si intenses, avec des personnalités, des caractères, des forces et des faiblesses aussi démesurés.

Nos ancêtres Ciccone sont tout aussi peu ordinaires et entreprenants. À la fin de la Première Guerre mondiale, mon grand-père paternel, Gaetano Ciccone, alors âgé de dix-huit ans, fut forcé de creuser des tranchées dans les hauteurs des Alpes italiennes et faillit mourir gelé. Convaincu que les fascistes, qu'il haïssait, allaient prendre le pouvoir en Italie, il quitta l'armée et retourna chez lui à Pacentro, un charmant village médiéval dans les Abruzzes, à environ cent soixante-dix kilomètres à l'est de Rome.

Là, on le maria à l'une des filles du village, Michelina, en lui faisant miroiter une dot de trois cents dollars. Avec cet argent, en 1918, il acheta un billet pour l'Amérique, trouva un travail dans les usines sidérurgiques d'Aliquippa, en Pennsylvanie, puis fit venir Michelina.

Mes grands-parents eurent cinq fils, ce qui est surprenant, étant donné qu'aussi loin que je me souvienne, mon grand-père et ma grand-mère n'ont jamais dormi dans la même chambre. Même maintenant, arrivée à son âge, chaque soir, ma grand-mère tire méticuleusement les sept verrous de la porte de sa chambre.

Mes grands-parents habitent dans une vieille maison de deux étages en briques jaunes aux parquets qui grincent, où le sous-sol est humide et dont le grenier lugubre abrite parfois des chauves-souris. Le goût de grand-mère Michelina en mobilier est des plus austères. L'énorme et imposant ensemble de séjour lie-de-vin est inconfortable et je n'aime pas m'y asseoir. Bref, la maison est sombre et renfermée sur elle-même, tout à fait comme mes grands-parents.

Ma grand-mère passe la majeure partie de son temps dans la cuisine à préparer des spécialités italiennes comme les gnocchis. Quand elle ne cuisine pas, elle ne quitte pas sa chambre jaune pâle dont elle a usé le parquet à force d'y faire les cent pas. Au mur pendent des rosaires et des rameaux, des bougies brûlent constamment et il y a des images pieuses dans tous les coins. Si jamais j'entre dans cette pièce, je trouve ma grand-mère invariablement agenouillée en train de prier la Vierge Marie, sans doute afin que mon grand-père meure au plus vite et cesse de l'ennuyer.

Mon seul souvenir de mon grand-père, c'est celui d'un vieil homme costaud, voûté et qui boit trop, ne s'égayant que lorsqu'il nous montrait qu'il était capable de peler entièrement une orange d'un seul coup. Après sa mort, ma grand-mère s'est plainte en permanence qu'il la hantait.

En général, nous n'aimons pas aller les voir et, par bonheur, nous ne passons chez eux qu'une partie de l'été. En revanche, nous apprécions nos oncles Ciccone, en particulier oncle Rocco, en l'honneur duquel Madonna a baptisé ainsi son fils.

Enfants, nous préférons le côté Fortin, et plus particulièrement notre grand-mère maternelle, grand-mère Elsie Mae, que nous appelons Nanoo. Elle nous raconte toujours que j'étais le préféré de ma mère et que celle-ci me surnommait le petit « Montre-moi ! » parce que je n'arrêtais pas de tendre le doigt et de demander : « Montre-moi ! ».

À bien des égards, Nanoo est pour nous tous notre deuxième mère. Devenue veuve un an avant ma naissance, elle a des cheveux bruns et doux, bouclés, une coiffure années cinquante, des yeux bruns indulgents ; elle porte généralement des robes pastel, très classiques, discrètes, et sent toujours l'Air du Temps, son parfum préféré. C'est une dame, dans tous les sens du terme.

Le mari de Nanoo, grand-père Willard, un négociant en bois, était relativement fortuné. Le rose étant la couleur préférée de Nanoo, pour son anniversaire, nous lui avons offert une cuisine toute rose, avec cuisinière, réfrigérateur et lave-vaisselle assortis.

La maison de Nanoo est à son image, élégante, et pourvue de tout le confort, comme le canapé en cuir jaune où j'adore jouer. Au sous-sol se trouvent un bar lambrissé, un parquet pour jouer au palet et un incinérateur – qui me fascine.

Nanoo est très libérale. Son fils fume de l'herbe dans le sous-sol. Elle m'appelle Little Chris. J'adore aller chez elle, parce qu'elle nous voue un amour sans bornes et nous accorde à tous la même affection. Quand elle apprend que mes bonbons préférés sont les Circus Peanuts, des marsh-mallows orange ayant l'aspect d'une cacahuète, elle commence à en stocker dans un plat en céramique en forme de poulet sur le comptoir de sa cuisine.

Elle nous laisse manger autant de sucreries que nous voulons et nous prépare nos plats préférés : un délicieux pain à la viande et une soupe de poulet aux vermicelles, une spécialité du nord de la France. Chaque fois que je les cuisine, cela me fait penser à elle. En fait, il y a deux mois, j'ai passé quelques jours avec elle à Bay City.

Nanoo a eu quatre-vingt-dix-huit ans en 2008 et la seconde partie de sa vie a été malheureuse : son mari est mort prématurément et elle a perdu quatre de ses huit enfants alors qu'ils étaient de jeunes adultes. Elle a également vu beaucoup de ses autres enfants sombrer dans l'alcoolisme, un vice qui court dans la famille et dont beaucoup de mes oncles et tantes sont victimes, mais elle s'est toujours montrée incroyablement stoïque. Il y a quelques années, elle a été renversée par une voiture et a dû se faire poser des prothèses aux deux genoux. À présent, elle est presque aveugle et son rythme de vie s'en est trouvé réduit ; il y a quinze ans, elle a été forcée de déménager dans une maison plus modeste.

La maison de Nanoo était un paradis pour les enfants Ciccone, un endroit où nous étions tous égaux et où Madonna n'était pas la star, comme dans la maison familiale. Le refus de Nanoo de diviniser Madonna explique peut-être en partie l'histoire suivante : quand Madonna est devenue riche, je lui ai suggéré d'apurer le crédit de la maison de Nanoo, de lui acheter une voiture et d'engager un chauffeur et un cuisinier, tout le nécessaire pour lui faciliter la vie. Après tout, les rock stars qui atteignent les sommets ne sont-elles pas censées entretenir leurs familles ? Mais ma sœur – qui en 2008 pèse plus de six cents millions de dollars et qui aurait fait à la Kabbale un don de dix-huit millions de dollars – a préféré à l'époque envoyer à notre grand-mère cinq cents dollars par mois pour régler ses factures ; pour Madonna, c'est une goutte d'eau dans l'océan. Quand je pense à sa fortune, je ne peux m'empêcher de me dire qu'elle se montre bien ingrate envers la grand-mère qui a contribué à nous élever.

Cependant, Nanoo ne pense pas comme moi ; elle est reconnaissante à Madonna de l'aider, et jamais il ne lui viendrait à l'idée d'en demander ou attendre davantage.

Pendant la guerre de Corée, mon père Silvio, dit « Tony », est posté en Alaska. Là-bas, il sert dans l'armée avec le frère de ma mère, Dale, et il se lie d'amitié avec lui. Peu après, mon père, témoin au mariage de Dale, fait la connaissance de ma mère. Ils tombent amoureux et, le 1er juillet 1955, se marient à Bay City, dans le Michigan.

Mes parents s'installent sur Thors Street, à Pontiac, une ville-satellite de Detroit. Le quartier borde une vaste friche qui deviendra plus tard le site du Pontiac Silverdome. Peu de temps après naissent successivement Tony, Marty, Madonna, Paula, moi et Melanie. Nos parents ont choisi d'habiter Thors Street parce qu'elle est située dans un quartier constitué d'un tiers de Mexicains, un tiers de Noirs et un tiers de Blancs ; ils espèrent que vivre dans un milieu multiracial nous inculquera la tolérance. La vidéo musicale de « Like a Prayer », où Madonna embrasse un saint noir – scène faite pour souligner sa foi dans l'égalité raciale – est l'une des nombreuses preuves du bien-fondé et du succès de leurs intentions.

À l'arrière, notre jardin borde une voie ferrée dont il est séparé par un grillage. Juste à côté de la maison se dresse une immense centrale électrique dont le bourdonnement incessant nous tape sur les nerfs. Au-delà des voies, un talus descend trois mètres plus bas vers les égouts. Quand nous sommes plus grands, nous descendons par la bouche d'égout à côté des voies et nous suivons les tunnels. Voilà pour nos jeux.

Bien que notre père n'ait pas vraiment le droit de nous en parler parce que sa fonction est classée top-secrète, il travaille pour l'industrie de la défense et conçoit des systèmes de mise à feu et de visée laser, d'abord pour Chrysler Defense, puis pour General Dynamics. Un jour, alors que je suis au lycée, il rentre à la maison avec une lunette de visée nocturne révolutionnaire et la photo d'un tank. Il nous les montre, puis nous interdit d'en parler à quiconque. Nous en faisons la promesse, mais je sais désormais comment mon père gagne sa vie et je trouve qu'il a un métier *cool*.

Il sait qu'il peut nous faire confiance, car depuis notre plus jeune âge, il nous a inculqué l'importance de l'honnêteté et de l'éthique. Le chagrin causé par la perte prématurée de notre mère a peut-être cuirassé et renforcé l'âme de Madonna – comme la mienne – et certainement beaucoup contribué à son besoin insatiable d'être aimée et admirée par le monde entier. Ce besoin lui a permis d'être propulsée au sommet. Mais si la mort précoce de notre mère a indirectement conduit Madonna à devenir une star, c'est notre père qui lui a donné tout ce qui lui a permis d'entretenir son statut de star : l'autodiscipline, la fiabilité, l'honneur et un certain stoïcisme.

Le stoïcisme de notre père se révèle lorsque, le 1er décembre 1963, notre mère décède à l'âge de trente ans seulement. Madonna est assez âgée pour se rappeler cet événement et a raconté aux médias à maintes reprises les jours qui ont précédé et suivi ce décès. « Je savais qu'elle souffrait depuis longtemps d'un cancer du sein, elle était très affaiblie, mais elle continuait d'aller et venir comme si de rien n'était. Je savais qu'elle était très fragile et que cela empirait. Je le savais parce qu'elle faisait des pauses dans la journée et s'asseyait sur le canapé. Je voulais qu'elle se lève pour jouer avec moi comme avant », a-t-elle raconté.

« Je savais qu'elle essayait de garder ses sentiments pour elle, de dissimuler sa peur devant nous. Jamais elle ne s'est plainte. Je me rappelle qu'elle était très malade et qu'elle était assise sur le canapé. Je suis allée la trouver et je lui ai grimpé sur le dos en disant : "Joue avec moi, joue avec moi", mais elle ne voulait pas. Elle en était incapable et elle s'est mise à pleurer. »

Notre mère a passé un an à l'hôpital, mais, selon Madonna, elle s'est efforcée de garder un visage serein sans jamais trahir ses souffrances devant ses enfants.

« Je me rappelle que ma mère riait beaucoup et faisait des blagues. Comme elle était très drôle, ce n'était pas trop déplaisant d'aller lui rendre visite à l'hôpital. Je me rappelle que, juste avant sa mort, elle a demandé un hamburger. Elle voulait en manger un parce qu'elle ne pouvait rien avaler depuis longtemps, et j'ai trouvé cela drôle. Je ne l'ai pas vraiment vue mourir. Je suis partie avant qu'elle meure. »

Bien qu'âgé de trois ans seulement lorsque ma mère meurt, je me rappelle m'être blotti dans ses bras chaleureux et réconfortants. Nous sommes dans une étrange pièce blanche très peu meublée. Ma mère est allongée sur un lit en fer et mon père, mes frères et sœurs l'entourent. Ils commencent à quitter la chambre. Je me blottis de plus belle. Mon père me soulève délicatement. Je me débats. Je ne veux pas quitter ma mère. Je commence à pleurnicher. Tout ce dont je me rappelle, c'est qu'ensuite nous sommes dans la voiture et que je pleure pendant tout le trajet. Je ne reverrai plus jamais ma mère et on ne m'emmènera pas à ses obsèques.

J'ai peu de souvenirs des premières années qui suivent la mort de ma mère. Je me souviens seulement d'une succession de femmes qui s'occupent de nous ; Joan est l'une de nos nourrices.

Joan, notre « méchante » belle-mère, est la femme que désormais, de mon plein gré, j'appelle Maman. Elle l'a certainement mérité. À mesure que le temps a passé, j'ai fini par l'aimer et, rétrospectivement, je me dis que seule une femme un peu folle ou extrêmement romantique et courageuse irait épouser un homme qui a déjà six enfants.

Mais quand elle entre dans notre vie, nous nous contentons d'abord de la mépriser. Ce sentiment est ancré en nous par le côté Fortin de la famille, qui, après la mort prématurée de notre mère, rêve que notre père épouse l'une de ses plus proches amies. Il la fréquente un temps, puis il se ravise.

Quand notre père épouse notre nourrice Joan, les Fortin sont indignés et ne l'appelleront plus que « la Bonne ». Je préfère voir Joan comme le Sergent major, car à peine épouse-t-elle notre père qu'elle se met en devoir de faire régner sur ces enfants indisciplinés l'ordre des règles, des procédures et de l'emploi du temps. Un peu comme un général d'infanterie. Ironiquement, et même si Madonna ne risque guère d'apprécier la comparaison, à mesure qu'elle vieillira, de toute la famille, c'est à Joan qu'elle ressemblera le plus. Apprendre cela aura beau la rendre folle, ces dernières années, elle est devenue de plus en plus comme Joan, exigeant que tout soit fait selon ses désirs, selon son emploi du temps et selon ses règles.

Chaque fois que Madonna et moi habitons ensemble pendant un certain temps, je suis automatiquement contraint de vivre selon ses règles strictes, ce qui comprend l'interdiction de fumer dans la maison et l'obligation d'être parfaitement soigneux et ordonné. Parfois, sa détermination à me faire respecter ses règles conduit à une lutte de pouvoir. La vérité est que j'ai parfois besoin de m'affirmer et de me révolter contre l'emprise qu'elle exerce sur moi. En outre, je n'apprécie pas beaucoup les règlements et je me lasse souvent d'obéir à ceux que Madonna fixe avec autant de sévérité. Je sais que là, je suis dans le rôle du petit frère qui se révolte face aux règles édictées par sa grande sœur, mais je n'y peux rien.

Un exemple : je me lève de bonne heure pour prendre le petit déjeuner, je me prépare un toast de pain au levain et je laisse la vaisselle dans l'évier parce que je m'en occuperai quand je rentrerai plus tard dans la journée. Je remonte et là, j'entends aussitôt Madonna hurler : « Christopher, tu n'as encore pas mis cette foutue vaisselle dans le lave-vaisselle ».

J'ai soudain l'impression d'être redevenu un gamin et que Joan va surgir d'un instant à l'autre pour me punir.

— Je m'en occuperai en rentrant, réponds-je sur le même ton.

— Fais-le *tout de suite* ! crie-t-elle.

Je ne le fais pas. Elle s'en charge, à grand bruit et en ron-chonnant. Elle est irritée et je ne peux guère lui en vouloir. Je comprends aussi pourquoi son comportement reflète par-fois totalement celui de Joan. Car de la même manière que Dietrich a été l'une des principales influences cinémato-graphiques de Madonna, sa famille – Joan et mon père – a également joué un grand rôle dans la fabrication de la légende qu'elle est devenue, tout comme moi plus tard.

En repensant à mon enfance, je suppose que Joan n'avait guère d'autre choix que de nous mener à la baguette. Nous étions tellement turbulents, volontaires et décidés à saper son autorité à la moindre occasion. Et je suis sûr que lorsqu'elle a épousé mon père, elle ne se doutait pas un seul instant qu'elle aurait affaire à une bande de saboteurs hauts comme trois pommes bien résolus à lui mener la vie dure.

Petite, blonde, de type nordique, née à Taylor dans le Michigan, Joan, toujours en pantalon pirate vert, avec son amour des antiquités, du « patiné » et des plats congelés, a peut-être débuté dans la vie comme l'incarnation même de la romantique. Après tout, elle épousa notre père l'année même où sortit *La Mélodie du bonheur* – l'histoire de Maria, gouvernante auprès des sept enfants du Capitaine Von Trapp, qu'elle finit par épouser pour vivre un bonheur sans fin – et s'imaginait peut-être que nous deviendrions une ver-sion Middle West des Von Trapp où elle serait Maria et fre-donnerait « Climb Every Mountain » alors que nous serions accrochés à ses basques à l'adorer.

Au lieu de cela, Marty et Anthony – profondément affec-tés par le décès de notre mère – se révèlent les gosses les plus intenables du quartier et font de sa vie un enfer. Cependant, c'est sur nous, leurs frères et sœurs, qu'ils pas-sent leurs nerfs la plupart du temps. Un jour que Madonna a le dos tourné, ils lui versent de la résine de pin dans les cheveux, elle n'arrive pas à l'enlever et il faut lui en couper de pleines poignées pendant qu'elle se lamente. Puis, lorsqu'elle voit son reflet dans le miroir, elle fond en larmes. En revanche, mes frères n'ont aucun remords et continuent de passer leur agressivité sur elle et non sur les autres, peut-être parce qu'elle a toujours monopolisé l'attention de notre père et qu'ils sentent qu'elle est sa préférée.

Entre-temps, la famille Ciccone a quitté Pontiac et s'est installée à Rochester, sur Oklahoma Avenue. Notre nouvelle maison a deux étages, elle est en briques rouges, de style colonial, avec des bardeaux d'aluminium vert que j'adore escalader et une roue de chariot enchâssée dans la pelouse.

Ce nouveau lieu est excitant. Il y a un petit ruisseau derrière la maison et un énorme chêne dans le jardin où j'adore grimper, jusqu'au jour où je tombe et manque me briser les reins.

La différence la plus frappante entre Pontiac et Rochester, c'est le faible nombre de personnes de couleur dans le quartier. C'est inquiétant. Tout le monde est blanc et je me demande souvent ce qu'est devenu notre petit univers multiracial.

D'un autre côté, la vie chez les Ciccone n'est jamais morne ni sans incidents. Un matin d'été, Madonna et moi sommes assis à la table du petit déjeuner quand Marty et Anthony se mettent à nous appeler à pleins poumons.

— Sortez de là tous les deux, Madonna et Chris, on veut vous voir tout de suite !

La veille, notre père – pourtant généralement mieux avisé – leur a acheté des fusils à air comprimé avec la promesse de le débarrasser des écureuils qui envahissent littéralement le jardin.

Madonna et moi échangeons un regard, puis nous nous faufilons par la porte. Une fois dans le jardin, nous nous mettons à courir, pétrifiés à l'idée que Marty, costaud et terrifiant même sans fusil, et Anthony, grand et tout aussi menaçant, puissent nous tirer dessus.

Arrivés devant le petit marais verdâtre situé derrière la maison, nous commençons à patauger dans l'eau visqueuse, ne nous souciant guère de salir nos vêtements. Par chance, Anthony et Martin se révèlent moins intrépides. Ils rôdent le long des bords, nous tirent dessus et cherchent le moyen de nous rattraper sans finir couverts de boue. Pendant ce temps, Madonna et moi sommes presque arrivés au Hitchman's Haven, un vieux manoir victorien déserté qui se dresse sur un terrain de vingt-quatre hectares, avec un vaste étang entouré d'énormes saules et de vieux chênes. Nous restons terrés là pendant le reste de la matinée, le temps d'être sûrs que Marty et Anthony sont rentrés engloutir leur petit déjeuner.

Selon le folklore local, Hitchman's Haven est un ancien asile d'aliénés dont Judy Garland aurait été pensionnaire. Contrairement à l'ancienne enfant-star Judy, Madonna ne chante pas étant petite, pas plus qu'elle ne danse. Mais pour ce qui est de câliner notre père et d'accaparer toute son attention, elle nous coiffe tous au poteau. Non pas qu'elle s'entraîne déjà pour sa future carrière d'actrice : en fait, elle souffre clairement d'une sorte de complexe d'Electre – la version féminine du complexe d'Œdipe.

Toute la fratrie rivalise pour attirer l'attention et l'affection de notre père, mais la nature très compétitive de Madonna la fait généralement gagner. Peu importe qu'elle soit trop âgée pour s'asseoir sur les genoux de notre père, elle s'y perche et y reste. À Pâques, elle exige que de toutes les teintures que nous utilisons pour les œufs, la bleue lui soit réservée, et, là encore, il cède à son caprice. Et, dès qu'elle peut, elle se blottit contre notre père en nous repoussant tous.

Aucun de nous n'arrive à comprendre pourquoi notre père est à ce point sous son charme. Rétrospectivement, après avoir vu une photo d'elle sans maquillage, la raison devient dramatiquement évidente : c'est tout le portrait de notre mère. Cette étrange ressemblance, frappante, a dû à la fois briser le cœur de notre père et exercer sur lui son empire. En outre, le nom même de ma sœur, Madonna, a dû renforcer l'emprise affective qu'elle avait sur lui.

Je pense à ma mère avec un mélange d'amour, de chagrin et de regret, et, si irrationnel que cela puisse être, d'aussi loin que je me souvienne, je crois que j'ai inconsciemment transféré une partie de ces émotions sur la personne de ma sœur Madonna. Et je suis sûr que mon père en a fait autant, ce qui a donné à Madonna un certain pouvoir sur toute la famille et l'a armée de l'assurance qu'elle pouvait être et faire à peu près tout ce qu'elle voulait. Ce qui explique en partie, je crois, l'évolution de nos relations, une fois devenus adultes.

Madonna a beau remporter, de manière générale, la bataille de l'amour et de l'affection de notre père, nous continuons de nous disputer les miettes. Du coup, il règne toujours une certaine animosité dans la fratrie, ce qui nous empêche de nous connaître vraiment ou d'avoir de l'affection les uns pour les autres. À mesure que nous grandissons, nous coupons en quelque sorte les ponts avec la famille et devenons ainsi indépendants.

Madonna divise son temps entre les études, ses activités de pom-pom girl et les délices de son rôle de fille à papa d'où personne ne parvient à la déloger ; Anthony et Marty sont les « voyous » qui deviendront d'authentiques machos, le genre que les deux maris de Madonna ont toujours voulu être ; Paula est toujours à l'écart ; pour ma part, avec Melanie nous devons nous coltiner nos demi-frère et sœur, Mario et Jennifer, ce qui m'irrite profondément.

Généralement, Melanie et moi sommes forcés de jouer les baby-sitters avec Mario et Jennifer et – à notre grande honte – nous passons notre mépris pour Joan sur eux, tout en reproduisant avec eux le comportement brutal de nos frères aînés, sans nous en rendre compte. Un jour, Melanie et moi sommes seuls à la maison avec eux. Nous leur expliquons gravement que quelque chose d'affreux vient de se produire. Il y a eu un flash spécial à la télévision : un tueur en série vient de s'évader et a été repéré en train de rôder dans notre quartier. Nous chuchotons qu'il faut éteindre les lumières pour qu'il ne sache pas que nous sommes là, sinon, il risquerait d'entrer et de nous massacrer.

Mario et Jennifer se blottissent derrière le canapé, pétrifiés. Pendant ce temps, Melanie et moi nous glissons dans la cuisine où nous nous emparons de couteaux de boucher avant de sortir discrètement dans la rue. Cinq minutes plus tard, nous rentrons par la porte de devant en brandissant les couteaux et poursuivons Mario et Jennifer dans toute la maison plongée dans le noir. Ils crient et pleurent tellement qu'à la fin, nous leur donnons un bol de granola pour nous faire pardonner. Quand Joan découvre notre méfait, Melanie et moi sommes privés de sortie pendant une semaine et accablés de corvées.

Même dans les meilleurs moments, lorsque nous sommes sages comme des images, les corvées sont une réalité de notre quotidien. Dès le lever, nous allons voir la liste que Joan a dressée et collée sur le réfrigérateur. Un exemple de la fin de mon adolescence : « Christopher : faire la vaisselle et nettoyer la cour. Paula : faire la lessive. Marty : sortir les ordures. Melanie : faire l'argenterie. Mario : assortir les chaussettes. Anthony : tondre la pelouse. Jennifer : raccommoder les vêtements. »

En général, mes frères aînés n'ont jamais à faire la vaisselle ou la lessive. Et mes sœurs ne sont jamais chargées de tondre la pelouse ou sortir les poubelles, mais j'écope toujours des corvées de filles et de celles des garçons. Je ne comprendrai jamais pourquoi. Cela m'est toutefois égal de faire la lessive, parce qu'au moins, ça me permet un avantage sur les autres en prenant les seuls draps 100 % coton que nous possédons, un imprimé fleuri. Quand c'est le cas, j'ai l'impression de dormir dans de la soie. Jusqu'à aujourd'hui, je suis resté un accro des draps 100 % coton.

Joan donne rarement des corvées à faire à Madonna, reconnaissant ainsi tacitement, je pense, son statut spécial dans le cœur de notre père. Par ailleurs, je crois que Joan a un peu peur d'elle.

Je ne me souviens pas que mon père ait jamais grondé ou puni Madonna, sauf une fois. Madonna rentre tard un soir, Joan la gifle et Madonna en fait autant. Madonna est privée de sortie pour une semaine, avec interdiction de prendre sa voiture, une Mustang rouge de 1968 que nous lui envions tous.

Une autre fois, Madonna et quelques copains se rendent en voiture jusqu'à une gravière à une trentaine de kilomètres au nord de Rochester, où nous allons toujours nager. Paula et elle préfèrent nettement se baigner quand elles ne sont pas avec Joan et notre père, parce que celui-ci leur interdit de porter des bikinis et Madonna lui en veut.

Durant l'été, cependant, comme Madonna veut garder un teint clair, elle ne prend pas le soleil comme nous autres. Mais elle a toujours été une bonne nageuse et aime bien se baigner à la gravière. Ce jour-là, en revanche, nous ne l'accompagnons pas.

Tard dans la soirée, elle rentre à la maison avec un œil au beurre noir et le nez ensanglanté. Joan est vraiment bouleversée parce qu'elle tient autant à Madonna qu'à nous tous et elle lui demande ce qui est arrivé.

Il se trouve qu'un groupe de motards s'est rendu à la gravière et s'est mis à écouter de la musique très fort. Tout le monde était agacé, mais seule Madonna a eu le courage d'aller les trouver pour se plaindre. Du coup, l'une des motardes l'a tabassée. Madonna oublia très rapidement cette affaire, qui n'avait nullement affecté son assurance et son courage.

En dehors de ces rares incidents, notre existence se déroule à un rythme paisible.

Les journées d'école commencent invariablement dans la précipitation, nous sommes toujours en retard et les vêtements volent en tous sens, ce qui a le don d'exaspérer Joan à tel point qu'elle nous ressort immanquablement ses expressions favorites : « Ta chambre ressemble à l'épave de l'*Hesperus* » ou « On croirait que l'armée russe est passée par ta chambre ». Évidemment, nous n'avons pas la moindre idée de ce qu'elle raconte.

Elle soupire, puis elle nous prépare notre déjeuner à emporter : des sandwiches composés de biscuits salés tartinés de mayonnaise, que nous détestons. Ensuite, nous courons jusqu'à l'arrêt de bus deux maisons plus loin, dérapant et glissant sur la route pour essayer d'attraper le bus. Sauf exception, nous y arrivons généralement. Sinon, cela veut dire que nous devons faire à pied les cinq kilomètres qui nous séparent de l'école.

Quand nous rentrons en bus de l'école, nous nous dévissons le cou pour voir si la voiture de Joan est garée devant. Car si ce n'est pas le cas, nous savons que nous allons passer un super après-midi. Pas de belle-mère cramoisie, personne pour nous crier dessus, nous courir après avec une cuillère en bois ou nous gifler si nous la défions.

Si Joan est stricte, notre père ne se laisse pas non plus marcher sur les pieds. C'est un homme d'action, il n'y va pas par trente-six chemins et ne tourne pas autour du pot, nous disant quand nous avons fait une bêtise et quand nous avons bien agi. Catholique et traditionaliste, il va à l'église tous les dimanches et il est diacre. Si nous disons un gros mot ou que nous faisons les malins, il nous traîne dans la salle de bains, nous oblige à tirer la langue et nous la frotte avec du savon. Une fois que nous avons la bouche pleine de mousse, il nous laisse nous la rincer. Nous ne recommençons pas avant longtemps.

Si notre père et Joan jugent que nous nous sommes bien tenus, le soir, nous avons le droit de regarder nos émissions préférées à la télévision, dans le séjour. Nous n'y avons pas souvent droit, mais ce n'est pas interdit. À présent, Madonna n'autorise pas ses enfants Lola et Rocco à regarder quoi que ce soit à la télévision. Pourtant, lors de ma dernière visite chez elle sur Sunset Boulevard, j'ai été intrigué de trouver des postes de télé un peu partout dans la maison.

À mesure que les années passent, notre père et Joan s'enfoncent dans une relation bienveillante et affectueuse. Ils ne sont pas très tactiles, mais ni Madonna ni moi ne le sommes, pas même quand elle était mariée à Sean Penn ou qu'elle sortait avec Warren Beatty.

Bien que nous soyons une famille catholique qui fête toujours Noël et Pâques, notre père appartient au Mouvement de la Famille Chrétienne, qui encourage la tolérance entre chrétiens et juifs. Aussi, chaque année, nous fêtons Pessah ensemble. Je me demande souvent si la familiarité précoce de Madonna avec cette fête de la Pâques juive – et avec le judaïsme en général – a non seulement marqué sa future attirance pour la Kabbale, mais l'a également aidée à se lier aux puissants magnats juifs de la musique qu'elle a charmés au début de sa carrière. Pour moi, enfant, cette fête de Pessah fait partie des célébrations de Pâques, et ce n'est qu'une fois devenu adulte que je saisirai la différence entre les deux.

À Noël, nous nous rendons toujours à St. Frederick's ou St. Andrew's pour la messe de minuit, qui est très spectaculaire et nous servira de première approche du théâtral. Durant la Pentecôte, notre père nous oblige à aller à l'église tous les matins avant les cours. Nous sommes si nombreux dans la famille que nous ne pouvons pas nous permettre d'acheter des cadeaux à chacun pour Noël. Au lieu de quoi, deux semaines avant les fêtes, notre père dépose un sac en papier sur la table de la cuisine. Nous écrivons chacun nos noms sur un papier que nous mettons dans le sac. Notre père le secoue, puis chacun de nous tire un papier. Ensuite, nous faisons un cadeau à la personne dont nous avons tiré le nom, et à personne d'autre.

À Noël, l'année de mes quatorze ans, je tire le nom de Madonna, mais je n'ai pas d'argent pour lui acheter le cadeau. Mon père doit se rendre chez K-mart pour acheter une pièce pour sa voiture, et Marty et moi l'accompagnons. Le magasin est rempli de la foule des courses de Noël qui se presse parmi les guirlandes clignotantes et la musique tonitruante. Je me promène dans les rayons en m'inquiétant du cadeau de Madonna. Alors que mon père et mon frère ont le dos tourné, je vole un petit flacon de parfum Zen que je glisse dans la poche de mon manteau, avant de sortir du magasin. Soudain, on m'empoigne par le collet et je suis entraîné dans le bureau du directeur, où on m'ordonne de vider mes poches. Le flacon tombe. Je suis pris et la colère de mon père m'effraie bien plus que toute autre chose.

Je n'ai pas le temps de dire « ouf » qu'on demande déjà mon père dans les haut-parleurs. Un instant plus tard, celui-ci entre dans le bureau. Il me jette un regard, me dit : « Espèce de petit merdeux ! » et m'embarque sans ménagement.

Dans la voiture, il ne desserre pas les dents, mais je sais que je suis dans de sales draps. Je suis surpris qu'il ne fasse rien. Je me dis qu'il sait que je n'ai pas volé pour moi, mais parce que je voulais faire un cadeau de Noël à Madonna.

Je me rends bien compte qu'il serait touchant que j'affirme avoir volé le parfum pour ma sœur parce que je l'aimais beaucoup, mais ce n'est pas vrai. Je ne l'aimais pas du tout à l'époque. En fait, je la connaissais à peine. Je me sentais loin d'elle, loin de toute la famille. Je n'étais pas un petit voyou, ni un gentil garçon : juste un gamin taciturne qui regardait, qui observait toujours.

En 1972, toute la famille prend place dans un van vert bouteille pour une traversée de l'Amérique. Fidèle à elle-même, Madonna s'assure d'être toujours assise sur la banquette avant, entre notre père et Joan, qu'elle pousse pratiquement contre la portière.

Chacun de nous a le droit d'emporter tout ce qu'il veut, du moment que cela tienne dans un carton de Rolling Rock (la marque de bière préférée de mon grand-père maternel) marqué à son nom. Les filles peignent leurs cartons de fleurs. Je décore la mienne avec des rayures rouges, blanches et bleues.

Le soir, mon père et Joan dorment dans le van, et nous autres, les enfants, sous une tente militaire kaki qui empeste le moisi et l'humidité. Nous roulons pendant des heures et des heures. Nous visitons le Grand Canyon, le mont Rushmore, les Collines noires du Dakota du Sud, le barrage Hoover et le parc national de Yellowstone. Quand nous arrivons en Californie, Joan propose de rouler le long de la plage de Santa Monica, mais nous nous enlisons dans le sable. Nous sommes tous épuisés et irritables.

Par chance, des surfeurs viennent à notre aide et expliquent à mon père qu'en dégonflant un peu les pneus nous allons accroître la surface porteuse et dégager le van. C'est ce que nous faisons, et cela marche.

Rétrospectivement, je pense que notre grande traversée sur les routes d'Amérique est un autre exemple des idéaux pédagogiques de mon père, consistant notamment à faire connaître le pays à ses enfants. Il croit également à la vertu du labeur. À douze ans, un matin des vacances d'été, il ouvre la porte, me pousse dehors et me dit : « Et ne revient pas tant que tu n'as pas trouvé un boulot ! ».

J'erre pendant des heures dans Rochester jusqu'à ce que je tombe sur un panneau au country club qui demande des caddies. Je décroche le boulot, subis une formation d'une semaine et, après un jour de travail seulement, je démissionne parce que mon employeur me traite trop mal.

Mon père nourrit également de grandes espérances pour moi. En fait, son vœu le plus cher est que tous ses enfants deviennent avocats, ingénieurs ou médecins. Heureusement pour Madonna et moi, il n'est pas contre les arts. Grâce à lui, tous les enfants Ciccone suivent des cours de piano. Et quand l'un d'entre nous avoue avoir des ambitions artistiques, bien qu'en soupirant et à contrecœur, il nous encourage à exprimer notre créativité. Je suis surpris par son ouverture d'esprit devant nos choix de carrière. Puis j'apprends de ma grand-mère paternelle que le frère de mon père, Guido, un peintre doué, a été forcé par son épouse de renoncer à ses ambitions artistiques pour travailler dans la sidérurgie. Du coup, il a été malheureux pendant tout le reste de sa vie. Il est évident que mon père a perçu l'insatisfaction de Guido et s'est juré qu'aucun de ses enfants ne souffrirait comme lui.

Naturellement, mon père, homme très introverti bien que d'un tempérament égal, ne parle jamais de la triste destinée de Guido. En apparence, du moins, il est tout en retenue et plutôt mal à l'aise avec les émotions, ne s'attardant jamais dessus, que ce soit les siennes ou celles des autres. Cependant, avec le temps, il se détend et, à ma grande surprise, nous deviendrons de bons amis.

Car aussi loin que remonte ma mémoire, la grande passion de mon père a été la fabrication du vin. En cela, il suit les traces de son propre père, qui faisait pousser de la vigne et faisait du vin en Pennsylvanie. Il passe une bonne partie de son temps libre à en fabriquer dans le sous-sol. Du coup, la maison sent le vin et le vinaigre. Mon père est fier de sa production. Des années plus tard, devenu adulte et indépendant, quand je reviens pour une réunion de famille, je risque une plaisanterie douteuse sur la comparaison du goût de sa dernière cuvée à de la vinaigrette. Il ne dit rien, mais il est clairement vexé et je me sens horriblement mal en me rendant compte à quel point il tient à son vin.

Régulièrement, notre père nous fait descendre dans la buanderie au sous-sol, où il nous coupe les cheveux avec une tondeuse. Je déteste ça, parce que mes frères et moi avons tous la même coupe.

En une occasion mémorable, il me prend entre quatre yeux et me dit :

— Christopher, il faut que tu saches ce qu'il en est du sexe et des relations entre les hommes et les femmes.

Je vire à l'écarlate, m'affaisse sur ma chaise et déclare :

— Papa, s'il te plaît, coupe-moi les cheveux et laisse-moi partir. Je sais comment on fait les bébés.

Bien que ma nature sexuelle soit encore un mystère pour moi à cet âge, la perception précoce que Madonna a eue de sa sexualité et de ses qualités de star s'est révélée durant son premier spectacle scolaire. Ses biographes prétendent tous que celui-ci a eu lieu quand elle était à St. Andrew's, mais je me souviens qu'il s'est déroulé au West Junior High School.

J'ai douze ans et elle en a quatorze. Toute la famille est venue la voir dans une grande salle très ordinaire. Aucun de nous ne sait ce que sera son numéro, mais nous sommes excités comme des puces et nous voulons la soutenir.

Nous sommes assis au deuxième rang et nous ne tenons pas en place tandis que les autres gosses font leurs numéros habituels – claquettes, harmonica, récitation de poésie – en attendant que Madonna entre en scène.

Puis, dans une scène sortie tout droit du film *Little Miss Sunshine*, Madonna apparaît soudain en tourbillonnant sur la scène, couverte de la tête aux pieds de peinture fluorescente verte et rose, donnant l'illusion qu'elle est nue comme un ver. Elle porte un short et un haut de maillot qui eux aussi sont peints, mais pour mon père, c'est comme si elle était entièrement dévêtue. Selon son strict code moral personnel, ce numéro est du X et il repose son appareil photo, horrifié.

Madonna commence à danser – *se tortiller*, en fait, serait un terme plus approprié. Bien que Carol Belanger, sa copine, soit également sur scène dans le même costume et se tortille tout autant, à côté de Madonna, elle fait bien pâle figure. Personne n'arrive à détacher son regard de Madonna. Sans compter que ce numéro est sans doute le plus scandaleux qu'aucun n'ait jamais vu dans ce milieu conservateur.

Le numéro de Madonna et Carol, le dernier, dure environ trois minutes. Quand les lumières se rallument, les applaudissements sont rares. Toute la salle est frappée de stupeur. Les gens sortent avec des murmures d'indignation à peine déguisés.

Dans la voiture qui nous ramène à la maison, nous ne pipons mot et mon père fixe obstinément la route. Nous savons tous que Madonna est dans de sales draps. Quand nous arrivons, elle est appelée dans la « Salle de Réception », dont il referme la porte. Quand elle en ressort, elle ruisselle de larmes. Il ne sera plus jamais question de ce numéro dans les conversations.

Durant le mois suivant, le sujet est sur toutes les lèvres à Rochester. À l'école, les autres viennent me susurrer à l'oreille : « Ta sœur est une salope. » J'ai déjà été victime de brutalités et on m'a traité de pédé – mot que je ne comprends pas – aussi, qu'on traite ma sœur de salope ne m'ennuie pas du tout. Mais j'imagine très bien mon père totalement mortifié devant ses amis et à son bureau. S'il savait seulement que ce n'est que le commencement…

Pour moi, le soir de ce spectacle marque la naissance de ma fascination pour ma sœur Madonna. Je comprends ce soir-là qu'elle n'est pas comme les autres ; elle est profondément différente. Et ce n'est que plus tard que je découvrirai que je le suis également.

2

Pars, ô enfant ! Vers les eaux et la nature.

W.B. Yeats

Au collège, je suis tout aussi solitaire qu'à la maison, et je me fais de plus en plus traiter de tapette quand, à treize ans, je prends des leçons de violon. Par chance, du jour où l'un des costauds du collège, Jay Hill – pour des raisons que je ne parviens pas vraiment à m'expliquer – a volé à mon secours, les autres élèves ont cessé de me persécuter.

Au lycée, je décide que le mieux est d'ignorer mes persécuteurs et de me faire craindre d'eux. Du coup, je me laisse pousser les cheveux, j'achète un manteau de l'armée kaki qui me descend jusqu'aux genoux, je me laisse pousser la moustache et je rôde dans le lycée, sans desserrer les dents, l'air sombre et impassible. Au bout d'un certain temps, même mes profs ont peur de moi, principalement parce qu'en cours, mon étui à violon constamment à la main, je les fixe sans prononcer un mot. Je n'ai pas de vrais copains, mais tout un tas de curieux qui m'observent.

En dehors des cours, je découvre la science-fiction. Notamment, le roman de Frank Herbert, *Dune*, qui évoque la possibilité de mondes autres. Cette perspective m'ouvre des horizons et devient mon seul refuge hors de la réalité quotidienne.

Presque tous les jours, je me poste sur le trottoir devant la maison, je fume une cigarette en regardant un avion passer tout en haut dans le ciel et je me dis : *Si seulement je pouvais être à bord. Il faut que je quitte cet endroit.* Le problème, c'est que je ne sais absolument pas quand ni comment.

Durant ma deuxième année au lycée, Madonna commence à sortir tous les jeudis soirs et à rentrer l'air épuisé, mais heureuse. Nous ne sommes pas assez proches pour que je lui en demande la raison, mais je sais que quelque chose a changé pour elle. Peu après, elle abandonne l'équipe des pom-pom girls, maigrit et commence à porter des joggings noirs au lieu de sa tenue habituelle, jupe écossaise marron et or et pull. J'observe ce changement, intrigué.

L'un des rares soirs où Madonna et moi sommes seuls à la maison, elle me trouve lisant dans ma chambre et me raconte que tous les jeudis soirs, elle suit les cours de l'école de danse classique de Christopher Flynn à Rochester. Pour moi qui prends des leçons de dessin et de violon, la danse classique ne me semble pas être une activité saugrenue. Du coup, quand Madonna me demande si cela me plairait de venir la voir en cours, je saute sur l'occasion. Sans doute me sens-je flatté : ma grande sœur m'a enfin remarqué. Et je suis curieux, bien qu'un peu circonspect, car je sais d'instinct que mon père n'appréciera pas que je m'intéresse à quelque chose d'aussi féminin. Mais Madonna veut que je l'accompagne, et cela me suffit.

Un jeudi, par une fraîche soirée d'automne, Madonna et moi quittons discrètement la maison ensemble. Je porte un jean et un sweat-shirt, Madonna un jogging noir et rose, et elle nous conduit dans le centre-ville de Rochester.

Dans la voiture, je n'ouvre pas la bouche tant je suis rempli d'appréhension. Madonna ne dit pas un mot non plus. J'ai l'impression que nous nous embarquons dans une grande, mais dangereuse, aventure ensemble. Puis nous arrivons devant un immeuble de pierre au coin de la Quatrième Est et de Main Street, juste en face des grands magasins Mitzelfield's, où Joan nous achetait parfois des vêtements, si nous avions la chance qu'elle n'ait pas envie de nous les coudre elle-même.

— Christopher Flynn est un type génial, dit Madonna avant que nous entrions dans l'immeuble.

Du coup, avant même de faire sa connaissance, je suis déjà convaincu.

Nous montons au studio du deuxième étage et elle me présente Christopher. Je n'ai encore jamais rencontré quelqu'un comme lui de toute ma vie. Un mètre soixante-douze, mince avec des cheveux bruns, vêtu d'un pantalon de jazz, d'un justaucorps et d'une chemise. Il a une voix aiguë et hautaine et je trouve qu'il a l'air d'une fille.

Je les suis dans le studio de danse et me retrouve face à un groupe d'une quinzaine de filles de douze ans et plus, toutes en tutu et collants roses, mais pas un seul garçon. Je me sens comme une verrue sur le bout d'un nez, mais j'ai l'habitude, et j'obéis quand Christopher me dit de m'asseoir par terre et de regarder.

Je n'en reviens pas que Madonna prenne place avec tant d'humilité parmi quinze autres filles à la barre et obéisse comme elles à la moindre consigne de Christopher sans regimber. Quand il la rappelle à l'ordre de la pointe de sa canne parce que son plié n'est pas assez bas ou son déroulé mal exécuté, elle obtempère sans broncher. Jamais elle n'a témoigné une telle obéissance à notre père. J'en éprouve immédiatement un profond respect pour Christopher.

De plus, la musique est splendide et les danseuses pleines de grâce. Je me dis que la danse classique, c'est vraiment sympa, mais je me demande tout de même ce que je fais là.

Le cours se termine, tout le monde s'en va, sauf Madonna, Christopher et moi. Il me demande si je veux suivre un cours avec lui. Avant que j'aie le temps de répondre, Madonna intervient :

— Je crois que tu devrais, Chris, je pense que ça te plairait.

J'ignore pourtant si je sais danser et eux aussi. Je leur dis que je ne crois pas que mon père apprécierait que je prenne des cours de danse classique.

— Je crois qu'il ne serait pas du tout content, conclus-je en cherchant l'approbation de Madonna.

— Il suffit de ne pas lui dire, répond-elle. Nous nous débrouillerons.

Nous. Soudain, voilà que ma sœur et moi devenons *nous*. Une expérience nouvelle. Et cela me plaît bien. J'aime aussi l'idée de prendre des cours de danse classique, d'avoir avec elle autre chose en commun qu'une famille de dingues.

Mais j'ai encore quelques réserves.

— Il n'y a que des filles.

— Et alors ? s'offusque Madonna.

Christopher évite la querelle entre nous deux en me parlant de la danse, de ce qu'elle représente pour lui, et en me racontant qu'il a fait partie du Joffrey Ballet de New York.

Je suis intrigué et je me dis : *Peut-être que j'en suis vraiment capable.*

Finalement, Christopher me convainc de suivre ses cours, principalement en me mettant au défi.

— Ce ne sera pas facile, dit-il. Je ne vais pas être constamment derrière toi.

Un défi. Un monde nouveau. Peut-être même la possibilité de fuir le Michigan.

Je réponds que je vais réfléchir, et Madonna et moi partons.

À peine sommes-nous dans la voiture qu'elle me demande :

— Alors, qu'est-ce que tu en penses ? Qu'est-ce que ça te fait ? Tu vas suivre les cours ?

Je lui réponds que j'ai peur de la réaction de notre père.

— Ne t'inquiète pas, dit-elle. Je m'en occupe.

Ma sœur va s'occuper de quelque chose pour moi. L'impact affectif que cela a sur moi est immense. Le jeudi suivant, je suis mon premier cours de danse classique avec Christopher Flynn.

Jusqu'à ce moment, Madonna et moi n'étions pas amis et ne sortions pas ensemble. À présent, tous les jeudis, nous allons ensemble chez Christopher. Et personne de la famille n'est au courant. Pas même Paula, dont Madonna est, à cette époque, très proche. Parfois, je me demande pourquoi c'est moi que Madonna a convié à suivre les cours avec elle, et non pas Paula, mais c'est moi qui prenais des cours de violon et de danses folkloriques, tandis que Paula ne s'intéressait pas à tout cela.

Du coup, j'assiste aux cours de Christopher et ma vie commence à changer. Pas du jour au lendemain, mais plus subtilement. Je découvre que Christopher est le mentor de ma sœur, qu'ils sont proches et qu'elle est même un peu amoureuse de lui.

S'étant décrétée mon Pygmalion, Madonna vient souvent me regarder, bien qu'elle soit dans un autre cours, et me complimente sur mes progrès. Un jour, nous voyons à la télévision un documentaire sur Margot Fonteyn et Noureïev. Je m'imagine qu'un jour peut-être, Madonna et moi danserons ensemble comme eux, mais ce n'est pas pour demain et je le sais. Nous ne sommes même pas encore copains – elle me fascine juste et je la suis – je sens pourtant que ma sœur commence à s'intéresser à moi et cela me plaît.

Sa rencontre avec Christopher Flynn et la découverte de la danse classique ont ouvert un monde nouveau à Madonna et lui ont offert la possibilité de fuir le Michigan. Je crois qu'en pensant à la maison et la famille qu'elle avait si hâte de quitter, elle a jugé que j'étais dans le même état d'esprit qu'elle et a décidé de m'encourager.

Avec du recul, je me dis que si ma sœur n'avait pas fait demi-tour pour me prendre avec elle et me faire pénétrer dans son univers, je ne serais sans doute jamais parti du Michigan et ma vie aurait été totalement différente. Me faire assister aux cours de Christopher Flynn a été le plus beau cadeau qu'elle m'ait jamais fait. Un cadeau comme on n'en reçoit qu'une fois dans sa vie.

Mais...

À mesure que je prends de l'âge et de la maturité, je me rends compte que Madonna guette toujours l'occasion de profiter. Si forte soit l'emprise qu'elle a sur moi, si généreux soient ses cadeaux, ce n'est jamais gratuit, il y a toujours un mais...

Tout en se montrant altruiste et maternelle envers moi, elle a déjà une idée derrière la tête quand elle m'encourage à suivre les cours de Christopher Flynn : il n'a pas de garçons dans ses cours et il lui en faut un. Le romantique que je suis aimerait bien qu'il en soit autrement, mais le fait est que les intentions de Madonna, comme toujours, de me faire quitter en douce Oklahoma Avenue et entrer dans son nouvel univers merveilleux ne sont pas tout à fait dénuées d'intérêt. Elle adore et vénère Christopher, le considère comme son père, son mentor et son amoureux. Et, puisqu'il a besoin d'un danseur, Madonna se débrouille pour lui en fournir un. Pourtant, quelles qu'aient été ses motivations à l'époque et les aigreurs qui un jour surgiront entre nous, je lui demeure éternellement redevable.

Madonna quitte la maison familiale à l'automne 1977 et entre à l'université de Michigan d'Ann Arbor pour y étudier la danse moderne. Maintenant qu'elle n'est plus là, Paula peut enfin avoir sa propre chambre. Même si je suis toujours occupé par le lycée, je regrette de ne plus aller aux cours de danse avec Madonna et je me sens un peu perdu sans elle.

Je suis en dernière année, mais, au moins, j'ai enfin ma voiture personnelle, une Dodge Dart verte d'occasion. Je n'ai pas beaucoup vu ma sœur depuis qu'elle a quitté le foyer familial, mais je pense beaucoup à elle. Elle est la première des enfants Ciccone à aller à l'université, ce que je trouve vraiment bien. Je m'interroge sur sa vie et j'ai hâte de tout savoir ; je suis ravi quand elle m'invite avec nos parents à venir la voir danser dans son premier ballet à l'université.

Me voici donc. Dix-sept ans. Des cheveux longs typiques des années soixante-dix, coiffés en afro. Une moustache à la Fu Manchu. Un pantalon noir et une chemise en polyester Sears marron avec de grandes manches et des manchettes à trois boutons – cadeau de Joan – des chaussures compensées Sears marron également avec une bande rouge et bleue sur le dessus. En me rendant de Rochester à Ann Arbor, j'ignore totalement que, grâce à Madonna, au cours des six heures qui vont suivre, ma destinée – sexuelle et professionnelle – va se trouver fixée pour toujours.

*
* *

Au théâtre du campus, le Power Center for Performing Arts, je retrouve comme prévu Joan et mon père. Durant le spectacle – « Hat Rack », un ballet expérimental – je suis assis avec eux. Ils affichent une mine perplexe devant ce qui se passe sur la scène : Madonna porte un short et un soutien-gorge noirs, et deux danseurs sont en short noir. Ensemble, ils parcourent la scène. Des mouvements bizarrement anguleux, pas du tout comme la danse classique que j'ai étudiée avec Christopher Flynn.

Bien que je trouve cela étrange, je ne peux pas détacher mon regard de la scène et de Madonna. Je ne peux m'empêcher de penser que c'est le genre de danse que j'aimerais pratiquer. Je n'ai jamais vu des mouvements comme ceux-là : des sauts, des pirouettes, les pieds nus et à peine vêtu. Je suis convaincu que je saurais y arriver, que je pourrais faire de la danse moderne. Je décide immédiatement de suivre les traces de Madonna, d'abandonner la danse classique pour la moderne à l'université. Évidemment, je ne souffle pas un mot à mon père ou à Joan de ma nouvelle résolution. Je suis encore en transe, terriblement excité par mes brillantes perspectives de carrière.

Nous nous rendons dans les loges afin de féliciter Madonna. Le rouge encore aux joues, elle est tout étourdie et ravie que sa première prestation scénique à l'université se soit si bien passée. Joan et mon père lui déclarent qu'elle était géniale. Joan lui pose les questions que je me pose moi-même : quel était le sens de ce ballet ? L'histoire ? Que représentait son personnage ?

Pour une fois, Madonna est polie avec Joan et se donne la peine de répondre.

Puis elle me demande ce que j'en ai pensé.

— Intéressant et étrange, dis-je d'un air réfléchi.

Elle me propose de sortir avec elle plus tard.

Enthousiaste, pas seulement parce que c'est ma sœur, mais aussi parce que c'est une danseuse qui mène une existence que j'envie, je m'empresse d'accepter.

Elle enfile des collants, des bottines à lacets, un blouson et une casquette. J'annonce à mes parents que je rentrerai plus tard.

Nous dînons rapidement dans un restaurant au coin de Huron et de South First Street, l'Oyster Bar and Spaghetti Machine.

Pendant le repas, je la questionne sur « Hat Rack ». Elle s'efforce de m'aider à en démêler le sens.

Puis elle me demande si j'ai envie de faire un tour dans la boîte au sous-sol. Moi qui suis un lycéen de dix-sept ans vivant dans un trou perdu du Michigan, je ne suis encore jamais sorti en boîte. Ravi, j'accepte et je suis ma sœur dans un nouvel univers.

Sur la porte, une plaque annonce THE RUBAIYAT en lettres cursives de style arabe. Devant celle-ci, un videur gigantesque grommelle :

— Trois dollars. Pas de tapage.

Madonna paie pour nous deux.

À l'intérieur, il fait sombre, mais je distingue un mur en briques où s'alignent des banquettes rouges. Au milieu se trouve une piste de danse en parquet, éclairée par des stroboscopes et des néons multicolores. Une arche en treillage et une grosse boule disco pendent du plafond. Des années plus tard, Madonna fera son entrée en scène en surgissant d'une boule disco durant le *Confession Tour*. Déjà, à cette époque, elle absorbait la moindre expérience et la moindre image pour s'en servir plus tard.

« Stayin' Alive » résonne dans les baffles.

Et là, j'ai un choc. Cet endroit est rempli de mecs. Des mecs qui dansent enlacés, seuls, ensemble.

Je flippe presque.

Je me tourne vers Madonna et – je le jure – je lui demande :

— Mais pourquoi il n'y a pas de filles ici ?

Elle me dévisage, incrédule.

— Enfin, Christopher, dit-elle avec une patience inhabituelle. C'est un bar gay. Tu sais, pour les hommes.

Soudain, une vague de soulagement m'envahit. Je ne comprends pas le pourquoi du comment, mais je sais que tout est tel que cela devrait être.

Le DJ passe « Boogie Nights ». Madonna me prend par la main et m'entraîne sur la piste. Mais je suis bien trop occupé à éviter les regards des hommes autour de moi pour apprécier ce moment. Je baisse les yeux et je m'efforce de ne pas regarder tous ces mecs ni d'analyser mes émotions.

Je me rends compte que ce n'est pas la première fois que Madonna vient ici. Plus tard, elle m'explique que c'est Christopher Flynn qui lui a fait connaître l'endroit et qu'ils y viennent souvent.

J'ai envie que cette soirée dure toujours, mais, quand le club ferme, je lui propose de la conduire à sa chambre.

— Alors, Christopher, qu'est-ce que tu en as pensé ? me demande-t-elle une fois dans la voiture.

Je fixe le pare-brise et je fredonne quelques mesures de « Stayin' Alive ».

— Non, mais qu'est-ce que tu en as pensé *vraiment* ?

Je sais qu'elle attend que j'avoue que je suis gay, mais je ne suis tout simplement pas prêt à affronter ma sexualité.

— Ce que j'en pense ? demandé-je avant de battre en retraite dans ma confortable coquille. Eh bien j'ai trouvé ça *cool*, la musique était géniale.

Sur ces mots, nous arrivons à sa chambre et elle descend de voiture. Nous savons tous les deux qu'il y a eu un profond changement entre nous. Ma sœur m'a montré une image de ma sexualité et je ne peux plus la cacher – du moins à moi-même. Elle m'a ouvert les yeux, et je suis terrifié.

Je finis le lycée et je passe l'été suivant à travailler dans une station-service de la région. Je vais à l'université de Western Michigan, et à cause de *Dune* et d'autres livres que j'ai lus après, j'opte pour l'anthropologie en matière principale. Comme je suis un romantique, que j'adore les films et que je m'imagine secrètement en futur Errol Flynn, je décide de m'inscrire aussi à l'escrime. Plus tard, mon idéal sera William Holden. Bref, vous voyez le genre.

Je me rends compte un peu tard que si je veux vraiment apprendre ce qu'on m'enseigne à l'université, je ne peux plus me contenter de rester assis en cours sans desserrer les dents. Quasiment du jour au lendemain, je me transforme en version adulte du petit garçon « Montre-moi ! » que j'étais. Je remets sans cesse en question ce que me disent les profs. Je demande des précisions. Des preuves. Je ne vous crois pas. Montrez-moi. J'en apprends plus en un trimestre à l'université que pendant toutes mes années d'école.

À la fin du deuxième trimestre, je décide que je veux reprendre la danse classique, en plus des cours de danse moderne. Je l'annonce à mon père qui, à mon grand soulagement, ne pousse pas de hauts cris. Simplement, il a l'air plutôt déçu et je m'en veux. Aucun de mes aînés n'a jamais fini ses études, il espérait que je deviendrais un scientifique et, maintenant, il sait que cela n'arrivera pas. Mais il n'essaie pas de m'en empêcher. Il se contente de m'annoncer :

— Je ne t'approuve pas, et si tu veux prendre des cours de danse, tu les paieras de ta poche.

Je gagne donc le nécessaire en travaillant à la cafétéria du campus et en donnant mon sang le plus souvent possible, cinquante dollars à chaque don. Je me lie également à plusieurs filles qui logent dans le même bâtiment que moi et qui compensent mon besoin d'amitié féminine pour remplacer celle de mes sœurs.

Par un matin d'hiver glacial, je vois mon colocataire – avec qui je n'ai rien en commun – sortir de la douche, nu, et j'ai une érection. Je suis gay. Il ne remarque pas ma réaction, même si je suis complètement gêné. Par bonheur, au milieu du trimestre, il déménage, me laissant une chambre pour moi seul ; c'est une première année géniale.

À la fin de cette année-là, bien que mon père paie la moitié des frais de scolarité, je me retrouve à court d'argent. Je change pour l'université d'Oakland et je retourne vivre chez mes parents.

Madonna refait son apparition, ravie de me faire connaître une nouvelle expérience enrichissante. Cette fois, c'est moi qui en serai l'initiateur. J'ai vu qu'elle fumait de l'herbe avec ses copains, je suis curieux et je veux faire la même chose que ma grande sœur. Je la questionne donc sur le sujet.

Deux jours après, elle m'offre un joint roulé dans du papier rose.

— Ça fera cinquante cents, dit-elle en tendant la main.

Je la paie.

Une femme d'affaires accomplie, déjà !

Entre-temps, sur les conseils de Christopher Flynn, Madonna a quitté Ann Arbor sans passer son diplôme et a emménagé à Manhattan. Plus tard, elle prétendra à propos de ce premier grand voyage :

— Je suis arrivée ici avec trente-cinq dollars en poche. C'est le geste le plus courageux que j'aie fait de ma vie.

Certes, elle s'est montrée courageuse en ne passant pas son diplôme et en défiant notre père, qui était horrifié que la première de ses enfants à entrer à l'université laisse tomber en route. Je me rappelle avoir pensé moi-même que c'était culotté.

Mais concernant son arrivée à Manhattan avec trente-cinq dollars pour finir sur Times Square parce qu'elle n'avait pas d'endroit où loger, c'est de la mythologie pure et simple. Avant tout, c'était une fille de la classe moyenne qui avait des tas de contacts à Manhattan – d'autres danseuses et professeurs – et loin d'être la pauvre petite fille perdue qui n'avait pas un bout de pain dur à se mettre sous la dent, elle avait de l'argent en poche et tout le nécessaire pour survivre.

Elle a peut-être passé une nuit à dormir au Music Building, mais c'était probablement parce qu'elle espérait qu'un producteur ou un musicien passerait et la découvrirait. La mythologie. Plus elle en parlait, plus l'histoire de son arrivée à Manhattan devenait une légende. L'ombre d'Anaïs Nin – l'écrivain qui était également passée maîtresse dans l'art d'embellir sa biographie.

Cependant, je sais que même avec plus de trente-cinq dollars en poche et un groupe d'amis, les premiers mois après son arrivée dans la Grosse Pomme n'ont pas dû être très faciles pour Madonna. D'abord, elle a suivi les cours de la chorégraphe Pearl Lang, gagné un peu sa vie en posant nue pour des étudiants des Beaux-Arts et passé quelques mois à Paris comme petite protégée de deux producteurs français qui voulaient faire d'elle la dernière sensation *américaine*[1]. Par la suite, elle me racontera avoir été malade pendant presque tout son séjour parisien – une infection de la gorge – pas sans rapport, avoue-t-elle, avec le déplaisir causé par ce voyage.

Pendant ce temps, je suis toujours à Rochester, dans le Michigan, en deuxième année d'université, bien à l'abri mais pas très heureux. Lorsque l'une de mes copines m'invite à passer l'été dans la maison de ses parents à Darien, dans le Connecticut, j'appelle Madonna et lui demande si je peux lui rendre visite à Manhattan. Elle accepte. Et, en plus, elle nous invite à dîner quand nous venons la voir.

Entre-temps, Madonna a emménagé à Corona, dans le Queens, dans une ancienne synagogue transformée en studio, et joue de la batterie dans le groupe de son petit copain Dan Gilroy, Breakfast Club.

Ma copine et moi arrivons à l'aéroport, louons une voiture et nous rendons à la Cinquante-Troisième Avenue dans le Queens, juste à côté du site de la Foire Internationale et nous nous retrouvons dans cette synagogue, vaste espace d'un seul tenant, où les murs sont encore décorés de sculptures religieuses, mais qui est jonché de vêtements et d'instruments. Je trouve tout cela un peu sacrilège.

Mais, au moins, ma sœur a l'air contente de me voir.

Elle me déclare immédiatement que le groupe est génial, qu'ils vont faire un malheur et ordonne aux musiciens de jouer une chanson pour moi. Elle est derrière la batterie, mais c'est elle qui attire toute l'attention. C'est vers elle que je me sens forcé de regarder, pas le chanteur. Et c'est toujours comme cela avec Madonna.

---

1. En français dans le texte.

En même temps, je ne peux m'empêcher de me demander ce qu'est devenue l'étudiante sérieuse, la danseuse passionnée qui rêvait d'ouvrir un jour son propre studio. Bien qu'elle m'affirme continuer à prendre des cours de temps en temps, Madonna la danseuse moderne a disparu, de la même manière qu'ont disparu Madonna la pom-pom girl, Madonna la petite Américaine typique, Madonna la ballerine en herbe et disciple éprise de Christopher Flynn.

À présent, elle s'est transformée en Ringo Starr femelle punk avec son jean déchiré, son tee-shirt blanc, ses bas résilles noirs et sa queue-de-cheval. J'ai l'impression qu'elle gâche tout, qu'elle ne sait plus où elle va. Je suis un peu perplexe et assez déçu, mais, malgré tout, j'admire son incroyable entêtement et la foi qu'elle a en elle.

Dans la soirée, une limousine s'arrête devant le studio. Madonna nous annonce qu'elle nous emmène dîner chez Patrissy's, un repaire de musiciens sur Kenmare Street, dans Little Italy. Je me dis que c'est curieux qu'elle vive comme une artiste crève-la-faim, mais qu'elle ait soudain une limousine à sa disposition. Je me rappelle avoir pensé – à moins que ce soit elle qui me l'ait dit – qu'elle appartenait à un type qu'elle avait connu à Paris et qui cherchait à la séduire. Je suis intrigué, mais impressionné.

Cependant, j'oublie le studio et même ma sœur quand nous prenons Fifty-Ninth Street Bridge, qui me paraît semé d'étoiles. Pour la première fois de ma vie, je vois les lumières de Manhattan scintiller devant moi. Je suis submergé par un sentiment d'émerveillement. Je ne suis pas encore amoureux de cette ville, mais, déjà, je la désire.

Après un court week-end dans la nature à Darien, je retourne à l'université d'Oakland. Pour subsister, je travaille pendant tout l'été, d'abord comme gardien dans une maison de retraite, puis dans les cuisines d'un hôpital, ce qui me plaît.

À l'université, je me consacre à la danse et, au deuxième trimestre, je suis nommé premier danseur de la troupe de l'université. J'ai désormais vingt ans, et, pour la première fois, mon père et Joan viennent me voir danser sur scène, dans *Rodeo*, un ballet d'Agnes de Mille.

C'est la première fois que je danse devant un public et je suis donc naturellement angoissé. De plus, je suis terrifié à l'idée que mon père fasse le lien entre la danse et mon homosexualité. Depuis notre soirée au Rubaiyat, Madonna et moi n'avons pas reparlé de ma sexualité, et personne d'autre n'est au courant. Je suis une telle boule de nerfs qu'en coulisses lors de la répétition en costumes, l'esprit préoccupé par l'épreuve de la première, je trébuche et je tombe. On m'emmène d'urgence à l'hôpital, où les radios révèlent que j'ai trois orteils fracturés, dont le gros en deux endroits.

Je souffre atrocement, mais le soir suivant, une fois mes orteils bandés ensemble, faisant appel à quelque gène récessif de soldat que Madonna et moi avons hérité d'un lointain ancêtre inconnu doué pour la scène, je jure que le spectacle doit continuer. Avec cela en tête, je monte sur scène et, malgré mes trois orteils fracturés, je fais douze jetés successifs. Chaque seconde est une torture, mais je m'en sors avec à peine un gémissement. Durant l'entracte, bien que mon père soit loin d'être heureux que je sois un danseur, il me félicite et me déclare qu'il est stupéfait que j'aie pu danser avec trois orteils fracturés.

À mesure que le spectacle continue, la douleur devient insoutenable, mais je l'endure stoïquement, sans savoir que mes souffrances vont bientôt être apaisées et mon stoïcisme récompensé en la personne d'un danseur nommé Russell.

Je l'ai déjà remarqué, mais il ne s'est rien passé entre nous. Cependant, ce soir, avec mes orteils mutilés, je suis le héros. Et alors que Russell et moi nous déshabillons dans la loge pour prendre une douche, soudain, il m'embrasse.

Sur le coup, je suis abasourdi. Puis je me détends et je savoure cet instant. Je m'apprête à lui tomber dans les bras quand la porte de la loge s'ouvre. Rapidement, nous nous écartons l'un de l'autre.

Peu après, Russell m'invite chez lui un soir, une fois sa mère couchée. Nous commençons à regarder la télévision ensemble. Sa main touche la mienne et il se retourne pour s'allonger sur moi.

— Tu comptes me faire quoi, là ? Même pas en rêve ! dis-je.

Surpris et confus, je me lève, me rhabille et rentre chez moi, regrettant amèrement de ne pas en savoir plus sur la manière de procéder en pareilles circonstances.

Le temps passe lentement tandis que je découvre mon homosexualité et que je perds ma virginité sur la banquette arrière de la Datsun dorée de Russell. Une nuit, dans un cinéma drive-in, il appuie sur le réglage du siège, le dossier tombe à la renverse – et moi avec.

Coïncidence, Madonna elle aussi a perdu sa virginité avec un type nommé Russell – et également sur la banquette arrière d'une voiture. Il est clair que nous ne partageons pas seulement les mêmes gènes, mais aussi un destin similaire. Mais vous pouvez lui faire confiance : elle a fait mieux que moi en la perdant dans une Cadillac, pas dans une Datsun.

Je finis par accepter d'être gay et j'arrive même à en être content. Mais pas au point de le crier sur les toits, pas même de l'annoncer à Madonna. Je garde donc ma relation avec Russell secrète, surtout vis-à-vis de ma famille.

Quelques semaines plus tard, mes parents vont dîner en ville. Russell et moi descendons dans l'ancienne chambre de mon frère aîné dans le sous-sol, pensant que nous ne risquons rien. Et c'est infiniment plus confortable que sur la banquette en skaï de ma Dodge Dart ou dans la Datsun de Russell. Nous nous déshabillons et commençons à nous embrasser. Nous avons tellement perdu la tête que nous n'entendons pas les pas dans l'escalier.

Quelques secondes plus tard, ma sœur Melanie est sur le seuil, bouche bée, le visage aussi blanc que sa mèche albinos.

Elle remonte l'escalier en courant.

Là, je me suis fait niquer au propre comme au figuré.

Russell et moi nous rhabillons précipitamment. Je lui demande de rester au sous-sol.

Je remonte l'escalier et je tombe nez à nez avec Marty, le plus macho de tous les Ciccone.

Il se jette sur moi en braillant :

— Qu'est-ce que tu étais en train de foutre en bas ? Tu es une saloperie de tapette ? C'est ça ?

En un éclair, j'évalue mes choix. Je décide de tenir ma position et je me prépare à ce qui m'attend.

— Oui, je suis une tapette, Marty. (Puis, avec une insolence dont je n'ai jamais été capable ni avant ni depuis, j'ajoute :) Et qu'est-ce que tu comptes faire ? Me défoncer la gueule ?

Marty recule d'un pas.

— C'est ce que je descendais faire.

Il y a un silence, durant lequel je dis mentalement adieu à ma belle gueule.

— Mais je ne vais pas le faire, dit-il finalement.

Et il remonte l'escalier. Et c'est tout.

Du moins, c'est ce que je crois.

Pause. Vignoble des Ciccone, Traverse City, Michigan. Le soixante-quinzième anniversaire de mon père, il y a deux ans. Je suis assis sur la véranda quand Marty s'approche de moi.

— Il y a un truc dont je voudrais m'excuser.

Je repense aussitôt à cette soirée dans le sous-sol.

— Ce n'est pas nécessaire.

— Je le veux vraiment.

— Je t'en prie, pas la peine. Ça va, il n'y a pas de problème.

Mais Marty refuse d'être détourné de sa mission.

— Je suis vraiment désolé de ce que j'ai dit, mais ça ne me plaisait pas que tu sois gay, et je te demande pardon d'avoir été un connard.

Et là, pour Marty, ce fut vraiment tout.

En 1980, je prends une décision radicale : l'anthropologie peut attendre. Tout comme l'escrime. Je décide de devenir danseur. Mon père n'est pas content. Mais il ne me mène pas la vie dure, parce que je sais que, malgré toutes ses récriminations, il veut que je sois heureux.

Je déménage donc dans le centre de Detroit, prends un boulot à mi-temps dans une sandwicherie et m'engage dans la compagnie de danse de Mari Windsor.

Au cours de l'année passée avec la troupe d'Harbinger, je me suis éduqué. J'ai découvert Alvin Ailey, Katherine Dunham et de nouveaux styles de danse.

En revanche, cela n'impressionne pas Madonna.

Au cours de l'une de nos régulières conversations téléphoniques, elle me dit :

— Si tu as vraiment envie de devenir danseur, Christopher, il faut que tu sois à New York.

Je sais qu'elle a raison, mais j'ignore si je suis prêt à affronter la Grosse Pomme.

Sentant que je suis tenté, ma sirène de sœur poursuit :

— Viens à New York, et tu pourras habiter avec moi. Je te présenterai des gens. Je prendrai des cours avec toi et je te ferai entrer dans une compagnie.

En quelques jours, je fourre tout ce que je possède dans un grand sac militaire et je prends la route de la Cité d'Émeraude, où je suis certain que Glinda la Gentille Sorcière du Nord m'attend les bras grand ouverts.

Comme convenu avec Madonna, j'atterris à JFK et je prends un taxi. Il me dépose à quelques rues de l'adresse qu'elle m'a donnée, ce qui m'oblige à faire le reste du trajet à pied. La nuit est tombée lorsque j'arrive à l'appartement de Madonna dans un immeuble d'avant-guerre sur la Quatre-Vingt-Quatorzième Rue Ouest et Riverside, le dos endolori par le poids de mon sac. Peu importe : débordant d'excitation et d'illusions, je sonne.

La porte s'ouvre et je me retrouve devant une version de Madonna que je ne connais pas ; appelons-la la version 4 (version 1, la pom-pom girl, version 2, la danseuse classique, version 3, la batteuse punk), que j'ai du mal à reconnaître. Elle est étrangement attifée : petit top noir court, jupe écossaise rouge, collants noirs, bottines, bracelets en cuir riveté, et un bout de chiffon noir en guise de serre-tête sur ses cheveux crasseux.

Elle ôte de ses lèvres une cigarette tachée de rouge.

Avant que j'aie pu m'exclamer que je ne l'avais encore jamais vue fumer, elle me débite d'un trait :

— Salut, Christopher, finalement, tu ne peux pas habiter ici.

Directe et franche, sans vous dorer la pilule.

— Comment ça, je ne peux pas habiter ici ? Je viens de tout abandonner à Detroit. Mon appartement, mon boulot, tout…

— Si tu le dis…

Voyant que je suis effondré, elle finit par céder un peu.

— Tu peux dormir par terre une ou deux nuits, mais c'est tout.

Je suis abasourdi.

— Tiens, essaie ça, dit-elle en sortant de sa poche un cachet. Ça va te remettre d'aplomb.

J'ai l'impression d'être un plouc quand je lui demande ce que c'est.

— Prends-le, c'est tout, dit-elle d'un ton ferme.

Je prends le cachet et je découvre plus tard que c'est de l'ecstasy – qu'on appelait encore MDMA à l'époque.

Je remarque également que, contrairement au joint, du moins cette fois, elle ne me fait pas payer.

Elle me fait signe de la suivre. Avec ses nombreuses pièces, son parquet et ses moulures, c'est le genre d'appartement d'avant-guerre typique de l'Upper West Side de Manhattan.

Nous entrons dans un hall qui ouvre sur un grand salon rempli de meubles cassés. À droite, une cuisine et un autre salon ; à gauche, un couloir de dix mètres. Je suis stupéfait de la taille des lieux. En traversant l'immense appartement, je suis surpris que ma sœur m'ait dit qu'il n'y a pas de place pour moi, mais je ne m'en ouvre pas.

La chambre de Madonna est la troisième sur la droite. Je me rends compte plus tard qu'elle ne loue que cette pièce à un propriétaire inconnu, et que l'appartement ne lui appartient pas du tout. La chambre ne contient aucun meuble en dehors d'un matelas recouvert de draps bleu pâle sales posé au milieu de la pièce. Dans un coin se trouve un lavabo ; une ampoule nue pend du plafond. La seule autre lumière provient d'une fenêtre sans stores ni rideaux qui s'enorgueillit d'une vue sinistre sur le mur de briques d'en face.

Le sol est jonché de tas de tenues genre punk. Les murs blancs et nus sont fissurés, sans décoration en dehors d'un poster défraîchi de Sid Vicious scotché sur l'un d'eux.

Madonna me donne une vieille couverture fanée et un oreiller, m'entraîne dans le salon et me laisse seul. J'étale la couverture par terre, et, à ma grande surprise, elle bouge. Littéralement. Je la ramasse et je me rends compte que la déclaration de ma sœur m'a tellement stupéfait que je n'ai pas remarqué que j'avais de la compagnie : cinq bons millions de cafards grouillent partout.

Seulement, là, je suis bien trop fatigué et démoralisé pour m'en soucier. J'étale de nouveau la couverture et j'essaie de dormir. Pendant ce temps, les cafards pullulent autour de moi.

Si les bestioles ne m'empêchent pas de dormir, les différentes personnes qui entrent et sortent toute la nuit, oui.

Madonna vient jeter un coup d'œil sur moi et disparaît rapidement. Mais qu'est-ce que je fais ici ?

Je suis à la fois abasourdi et furieux. Ma sœur semblait au départ s'occuper de moi en m'invitant à partager son appartement de Manhattan, mais, à présent, il est clair qu'elle ne veut plus de moi. Je suis vexé d'être rejeté : Glinda la Gentille Sorcière du Nord ressemble plutôt à Glinda la Méchante.

Dès l'aube, je vais frapper à la porte de sa chambre.

Elle m'ouvre au bout de quelques minutes, l'œil chassieux.

— Je ne peux pas rester ici à cause des cafards, Madonna. Il faut que tu m'aides : je n'ai aucun endroit où aller.

Elle réfléchit un instant, puis elle décroche son téléphone.

— Salut, Janice, mon petit frère Christopher a besoin de se loger. Il peut venir chez toi une ou deux semaines ?

Je retiens mon souffle pendant qu'elle écoute la réponse.

— Non, il ne peut pas rester chez moi, Janice. Je croyais, mais le propriétaire l'a appris et a déclaré que ce n'était pas possible.

À présent, je sais pourquoi elle a changé d'avis.

Et si je suis encore un peu irrité qu'elle ne se soit pas donné la peine de m'expliquer pourquoi dès le début, au moins je suis soulagé que ce ne soit pas elle qui me jette dehors. En fin de compte, la cohabitation avec Janice Galloway, une danseuse du Michigan qui est allée à l'université avec Madonna, se révèle une expérience amusante. Et je suis heureux de l'absence de cafards dans cet appartement au sixième sans ascenseur sur la Première et la Neuvième.

Janice et moi subsistons à base d'un régime de thon en boîte et de biscuits salés. La nuit, vêtus de nos pantalons de danse et de nos collants, nous traînons dans le bar gay de l'autre côté de la rue, et le jour, nous courons d'audition en audition. L'espoir fait vivre.

J'habite avec elle pendant trois mois dans son deux-pièces. De temps en temps, je sors avec Madonna et nous allons voir ensemble la compagnie Martha Graham. Bien que Madonna ait manifestement fait une croix sur sa carrière de danseuse et se soit mis en tête de devenir une pop star, elle apprécie toujours les bons spectacles de ballet. J'aime passer du temps avec elle, mais je suis en mode survie et décrocher un engagement payé est la seule chose qui compte pour moi.

Finalement, à mon soulagement, on me propose de danser dans une compagnie basée à Ottawa, le Groupe de la Place Royale. J'appelle Madonna pour lui annoncer la nouvelle.

— Tu crois vraiment que tu devrais accepter ? demande-t-elle. C'est vrai, quoi, ce n'est pas New York. Ce n'est pas là-bas qu'il faut aller si tu veux devenir danseur.

Prenant modèle sur son comportement brutal, que je finirai par m'approprier définitivement, je lui réponds qu'elle s'est montrée moins que serviable avec moi, que je n'ai pas un sou et que la compagnie m'a proposé trois cents dollars par semaine, deux fois plus que ce que gagnent les danseurs à New York.

Elle pousse un petit soupir, me répond : « Eh bien, tant mieux », et raccroche.

Le frère est congédié.

La vie au Canada est calme, froide et bien réglée. Même faire partie d'une compagnie de danse ressemble à un boulot ordinaire. Nous prenons des cours et nous répétons de 9 heures à 17 heures, du lundi au vendredi. Ce n'est pas tout à fait ce que je m'imaginais, mais j'apprends beaucoup et j'améliore ainsi considérablement ma technique.

Quand je rentre dans le Michigan pour les vacances, Madonna n'est pas là, mais le reste de la famille semble stupéfait que je sois devenu danseur et qu'on me paie pour cela.

Je pars en tournée avec la compagnie en Angleterre, au Pays de Galles et en Italie, mais, si glamour que paraisse mon existence, j'ai envie de quelque chose de plus passionnant. Et naturellement, quand j'entends de nouveau l'appel de la sirène qui me demande de revenir à New York, je ne fais pas la sourde oreille.

— Reviens à Manhattan, me dit Madonna. J'ai un manager, maintenant. J'ai écrit une chanson et j'ai eu un contrat. Je vais sortir un disque : « Everybody ». Et c'est *moi* qui l'ai écrit. Génial, non ?

— Génial, Madonna. Je sais que c'est ce que tu voulais et je suis content pour toi.

J'essaie de ne pas me montrer condescendant, mais je sais que j'échoue probablement.

— Il me faut des danseurs pour mes showcases. Qu'est-ce que tu en dis ? ajoute-t-elle rapidement.

— Des showcases ?

— Oui, dans les clubs de toute la ville. Dans les deux cents par show… On passe ma chanson, je chante par-dessus et nous – c'est-à-dire moi, toi et un autre mec – on danse dessus.

J'hésite une fraction de seconde : mon premier voyage à New York reste un souvenir pénible.

— Et tu peux venir habiter avec moi, continue-t-elle, comme si elle lisait dans mes pensées.

— C'est vrai ?

— Totalement. Tu sais que tu es le meilleur, Chris. Tu sais bien que nous sommes parfaits quand on danse ensemble et qu'on a de l'allure, tous les deux. Et j'ai besoin de toi.

Ma sœur a besoin de moi.

Je saute dans le premier avion.

3

De plus en plus curieux !

Lewis Carroll, *Alice au Pays des Merveilles*

Madonna habite dans un appartement au cinquième sans ascenseur sur la Quatrième Rue Est, entre les avenues A et B. Deux petites pièces, pas de meubles hormis un grand futon blanc et un radiateur qui ne cesse de siffler.

Je suis à peine entré qu'elle me passe « Everybody ».

Je n'accroche pas vraiment, mais j'ai envie de lui faire plaisir. Et puis, je suis son nouveau danseur.

— J'aime bien, dis-je. On commence quand, alors ?

Elle s'enfourne une poignée de pop-corn dans la bouche.

J'attends pendant qu'elle mastique.

Elle boit une gorgée d'Évian.

— Eh bien ! en fait, Chris, je n'ai plus besoin de toi.

Ma sœur n'a plus besoin de moi.

Je ne sais pas si c'est moi qui dois me jeter par la fenêtre ou elle que je dois balancer.

— Tu te fous de ma gueule, Madonna ?

— Je viens de trouver un mec ce matin, mais s'il ne colle pas…

C'est comme un coup de pied dans le ventre.

Cette fois, au moins, au lieu de me dire que je ne peux pas rester, elle me déclare que je peux m'installer de manière permanente avec elle.

La première chose que je fais, c'est repeindre la baignoire rouillée en blanc. Pendant les cinq jours suivants, les vapeurs manquent nous asphyxier.

Je passe mes journées à auditionner pour des compagnies de danse pendant que Madonna parcourt frénétiquement la ville à la poursuite de la gloire et de la fortune. Ses efforts paient. Grâce à son contrat d'enregistrement – quinze mille dollars pour deux singles, d'abord « Everybody », puis « Burning Up » – sa carrière est maintenant lancée et elle n'est plus fauchée. Du coup, au bout de quelques semaines, elle déménage dans un loft et me laisse l'appartement. Nous n'avons pas passé beaucoup de temps ensemble, mais à présent, je dois trouver comment payer tout seul le loyer, ce que je ne peux pas me permettre. Par chance, Mark, un voisin du dessous qui travaille au service d'expéditions d'une entreprise d'édition de cartes postales pour le marché gay – représentant toutes des hommes nus – me propose une chambre dans son appartement.

Elle n'est pas beaucoup plus grande qu'une salle de bains, mais il me trouve un job dans son entreprise. Seulement, ce travail n'est ni sexy ni glamour. Je passe mes journées à compter les cartes : trois, six, neuf, douze. Trois, six, neuf, douze, puis je les range dans des cartons. L'heure du déjeuner n'est pas arrivée que je suis déjà abruti d'ennui. Quand je ne travaille pas, j'auditionne, mais sans succès à cause de la concurrence féroce.

Pendant ce temps, peut-être parce qu'elle se sent coupable de m'avoir une fois de plus abandonné ou parce qu'elle sait que j'ai toujours adoré la peinture, Madonna m'invite à l'accompagner voir Jean-Michel Basquiat. Elle me dit qu'elle est sortie avec lui deux ou trois fois, puis elle me lance un regard triomphant qui laisse entendre qu'elle a également couché avec lui. Comme elle l'espérait, cela m'impressionne.

Basquiat a exactement un mois de plus que moi et c'est déjà une légende. C'est un Haïtien, il porte une coupe iroquoise blonde et a le regard dément de celui qui abuse de l'héroïne. D'abord artiste-graffiti, il a commencé à peindre des tee-shirts et des cartes postales qu'il vendait dans le Village. Très vite, il s'est mis à dessiner des images violentes, d'inspiration BD, sur du bois et de la mousse, qui se sont vendues par douzaines pour des milliers de dollars. À l'époque, il est représenté par Mary Boone et vient de vendre toutes ses œuvres après une exposition à la Fun Gallery dont tout le monde parle à Manhattan.

Je me dis que ma sœur est futée de fréquenter Basquiat. Il est à la masse, mais tout le monde se l'arrache et, pour Madonna, c'est suffisant. Elle est « amoureuse » du concept d'artiste à la réputation sulfureuse. Sans compter que c'est un marginal, ce qui ne peut que la séduire. Et, par-dessus tout, sa crédibilité artistique lui donne celle dont elle a tant envie.

Nous nous retrouvons donc dans son immense loft du Lower East Side, rempli de toiles et jonché de vêtements. Dans la pénombre, je distingue un évier rempli de vaisselle sale. L'endroit sent l'huile de lin et le solvant. Dans une autre pièce, dont la porte est entrebâillée, je vois se profiler sur un mur l'ombre de Basquiat en train de peindre.

— Salut, c'est moi ! crie Madonna.

Il marmonne un salut sans se retourner pour nous regarder, et continue de peindre.

Madonna me présente, il nous salue. Madonna et lui ne s'embrassent pas. Il se contente de continuer à peindre.

Nous nous replions dans la cuisine où je ne peux m'empêcher de remarquer un petit tas d'héroïne sur un comptoir. J'ouvre la bouche, mais Madonna secoue la tête.

— Je ne parle jamais quand il travaille, me dit-elle.

Alors ça, c'est nouveau ! me dis-je.

Au bout d'une demi-heure à la regarder contempler Basquiat en train de peindre, je m'en vais. Cela dit, c'est toujours mieux que de compter des cartes.

Dès lors, Madonna et moi sortons plus souvent ensemble. Contrairement à beaucoup de mes amis, elle ne passe pas les soirées à boire. En fait, elle ne boit pas du tout, à part un Lemon Drop de temps en temps – son cocktail préféré. Et sa relation avec Basquiat ne dure pas, parce qu'elle ne supporte pas qu'il prenne de l'héroïne ni le comportement qui va avec. Comme moi, elle abhorre la nonchalance et le manque de fiabilité. Encore aujourd'hui, nous sommes tous les deux toujours ponctuels et nous nous efforçons de tenir notre parole.

Cependant, son charme a dû opérer sa magie sur Basquiat, car après leur rupture, il lui offre deux peintures, dont l'une – la petite – est encore exposée sur une petite console en marbre dans la salle de bains de son appartement de New York.

Elle est totalement immergée dans le milieu branché de New York, auquel elle fourgue « Everybody ». La chanson est coécrite par Steve Bray, l'un de ses petits copains de Detroit. À la Danceteria de la Vingt et Unième Rue, je fais la connaissance de Mark Kamins, le DJ qui l'a aidée à décrocher le contrat pour ce premier single. Elle est tout simplement arrivée dans le club et le lui a donné. Et hop ! il l'a passé ! Aussi simple que ça ? Je n'en suis pas si sûr.

Selon les racontars qui entourent le milieu de la nuit des années quatre-vingt, la manière la plus facile pour une chanteuse inconnue de faire passer son disque, c'est de coucher avec le DJ. Je n'ai aucune raison de croire que c'est ainsi que fonctionnait Kamins, mais je sais qu'il ne se contente pas de passer son disque : il la présente également à Michael Rosenblatt, le découvreur de talents de Sire Records. Rosenblatt confie immédiatement la cassette au

président de Sire Records, Seymour Stein, qui l'adore tellement qu'il demande qu'on lui amène Madonna au Lenox
Hill Hospital, où il séjourne pour des problèmes cardiaques.
Quand elle arrive, il est revêtu de la chemise de nuit d'hôpital avec une perfusion dans le bras, mais il décide immédiatement de la signer.

Madonna a flirté avec Mark et Michael – les deux hommes qui ont été si utiles à son lancement – ce qui ne pouvait pas faire de mal à ses plans de carrière. De la même
manière, elle a également flirté outrageusement avec
Camille Barbone, lesbienne déclarée, qui sera sa première
manager. Je doute que Camille et elle aient eu plus qu'une
relation professionnelle, mais, conformément aux habitudes de Madonna, je suis certain qu'elle a dû lui faire miroiter juste ce qu'il fallait pour la ferrer. Comme elle l'a elle-
même un jour avoué, c'est une allumeuse née qui fait automatiquement du charme à toute personne qui croise sa
route, en particulier si elle peut l'aider dans sa carrière –
ce que, bien sûr, les gens qu'elle séduit finissent toujours
par faire.

Quand Madonna en a terminé avec Camille et Mark – telle
William T. Sherman traversant en trombe la Géorgie –, elle
jette son dévolu sur Jellybean Benitez, DJ du Funhouse, l'un
des premiers clubs de hip-hop latino de Manhattan et
marché idéal pour sa musique. Après l'avoir convaincu à force
de charme de passer son disque, ils commencent à sortir
ensemble. Quand je fais sa connaissance, ma première pensée est : *Il est un peu petit pour toi.* Là encore, pas son
genre, mais utile. Pas pour sa légende, comme Basquiat,
mais parce que, comme Mark, il passe régulièrement son
disque.

La ténacité de ma sœur n'en finit pas de payer. En
novembre 1982, « Everybody » est N° 1 dans les charts
dance. Je trouve encore aujourd'hui que c'est une chanson
idiote, mais je suis surpris et ravi pour elle.

Cet automne et jusqu'au printemps 1983, je vois des mecs entrer et sortir de la vie de ma sœur. Aucun ne tient. C'est elle qui décide. Les retrouvailles et les adieux prolongés, ce n'est pas son genre. En cela, je l'apprendrai plus tard, nous sommes différents.

Faisant désormais partie du milieu branché, inévitablement, Madonna commence à connaître également le milieu SM de Manhattan. Son repaire hétérosexuel est le Hellfire Club, et son repaire gay, le Mineshaft, qui est immortalisé dans *Cruising,* le film avec Al Pacino.

L'un de ses meilleurs copains, Martin Burgoyne – un grand blond charmeur de Floride qui a mon âge et est barman au Lucky Strike, un petit bar aux lumières tamisées de la Neuvième Rue Est – porte des bottes de moto, quantité de piercings et un mouchoir rouge dans sa poche arrière, signe qu'il est branché SM. Il joue ouvertement de ce côté obscur et cela lui plaît. Pas du tout mon truc.

C'est peut-être à cause de son amitié avec Marty que le SM devient l'un des leitmotivs de la carrière de Madonna, mais je ne crois pas que ce soit un goût personnel. Je n'ai pas davantage envie d'avoir en tête ces images de ma sœur, sauf quand elle en joue pour des questions de publicité – ce qui est pour moi toujours le cas. Cependant, loin de toutes les connotations sexuelles ou des jeux de rôles, au bureau, au studio de cinéma et dans la plupart de ses relations intimes, y compris avec moi, elle joue à fond de cette image – même si elle est beaucoup plus petite que la plupart des dominatrices. En jouant un personnage façon *La Vénus à la Fourrure,* mélange de Margaret Thatcher, d'amazone, de chatte armée d'un fouet et de la Lola de l'*Ange bleu,* elle atteindra plus tard son but : être toujours du côté du manche dans toutes ses relations professionnelles ou personnelles.

Marty présente Madonna au photographe Edo Berteglio et à sa copine, la créatrice de bijoux française Maripol, qui a conçu ces bracelets en caoutchouc colorés que tout le monde porte dans le Village. Si répandues et souvent imitées que sont devenues par la suite ses créations, l'influence de Maripol sur l'image de Madonna ne peut pas être sous-estimée ; car c'est elle qui est à l'origine de son look punk-et-dentelle. C'est également elle qui est indirectement à l'origine de ma rencontre avec l'homme qui sera le premier amour de ma vie.

Maripol est directrice artistique chez Fiorucci, le magasin de vêtements de sport branchés de la Cinquante-Neuvième Rue Est. Au début des années quatre-vingt, porter des jeans ou des tee-shirts Fiorucci est le summum de la branchitude. Le magasin est doté d'un café, d'un salon de tatouage et d'un personnel de vente original, comme le performeur José Arias, qui ressuscite et incarne Billie Holiday à la perfection. Andy Warhol fréquente les lieux, tout comme Basquiat et Keith Haring. Madonna, moi et la moitié de Manhattan adorons traîner à côté de la machine à cappuccinos du magasin pour guetter les stars.

J'assiste à la rencontre entre Andy et Madonna. Il se comporte avec elle comme avec tous ceux qui commencent à percer. Il se fait prendre en photo à ses côtés, et c'est tout.

— Andy est sympa, mais pas trop porté sur la conversation, non ? me dit-elle ensuite.

J'approuve d'un hochement de tête silencieux.

Je suis à Manhattan depuis environ deux mois quand Maripol appelle et m'annonce qu'un poste se libère chez Fiorucci. L'un des vendeurs du rayon velours côtelé, un type que j'appellerai Danny (ce n'est pas son vrai prénom) part en vacances. J'ai envie de le remplacer ? Comme tout vaut mieux que compter des cartes, je démissionne pour aller travailler chez Fiorucci.

Le jour de mon arrivée, Danny s'apprête à partir pour un mois de vacances. J'ai le temps de l'apercevoir dans le bureau de la direction. Il est beau gosse, mince, de trois ans mon aîné : c'est le New-Yorkais typique qui a grandi dans le Queens, mais il n'a pas son permis et n'a jamais quitté la ville.

Dès que Danny rentre de vacances, je me mets à le draguer, avec autant d'entêtement que Madonna quand elle voulait que Kamins et Benitez passent son disque en boîte. Après que je l'ai gentiment harcelé, Danny capitule et accepte de sortir un soir avec moi. Puis nous commençons à nous voir.

Cependant, il devient vite évident que Danny tient mal l'alcool. Quand il est ivre, il a le vin mauvais et des tendances violentes.

Un aperçu du début de notre relation : nous allons à une soirée déguisée pour Halloween, moi en Jules César et Danny en esclave. Distribution risquée des rôles, ou simple hommage à mon ascendance italienne ? Quoi qu'il en soit, la fête a lieu dans le loft d'amis. Je me sens un peu nauséeux. J'annonce à Danny que je pars, je rentre seul chez moi et je m'écroule.

Peu de temps après, j'entends un grand fracas et Danny entre en trombe par la fenêtre de la chambre, couvert de sang, fin saoul, en beuglant des grossièretés. Quand il finit par dégriser, il me dit qu'il a sonné en bas, et que, comme je ne répondais pas, il a pris l'escalier de secours et fracassé la vitre pour entrer.

En d'autres occasions, quand il est ivre, il me frappe pour un rien sans prévenir. Je mets un terme à tout cela un matin où nous nous promenons dans Washington Square Park et que, sans raison, il lève son parapluie et s'apprête à me frapper. J'esquive en un éclair, lui arrache le parapluie, le soulève et le fais valser par-dessus un banc.

Je suis plus grand et plus costaud que lui, et je l'ai prouvé.

Je lui déclare que c'est la dernière fois qu'il m'agresse et que s'il recommence, je riposterai.

Il ne recommencera jamais.

Il renonce à l'alcool et notre relation s'améliore considérablement. Deux ans après notre rencontre, j'emménage avec lui dans son quatre-pièces le long de la voie ferrée sur Morton Street. Là, nous dormons dans un lit d'une personne avec trois chats siamois, Boy, Girl et Anisette. Danny a peint murs et parquets en blanc. Il n'y a pas de climatisation et la salle de bains est sur le palier. Certaines nuits, je me réveille en entendant des bruits de vaisselle dans la cuisine et je me demande pourquoi Danny s'est levé à une heure si tardive pour la faire. Je vais voir ce qui se passe et je découvre que d'énormes cafards grouillent sur les assiettes sales. Mais je m'en moque. Je suis heureux du relatif bonheur conjugal que je partage avec Danny. Et les chats règlent rapidement leur compte aux cafards.

Notre existence s'enfonce dans un agréable quotidien composé de dîners, de voyages et de vacances dans sa famille – étant donné que la mienne n'est pas au courant. J'ai alors vingt-quatre ans et, pour la première fois de ma vie, je me sens en sécurité et à l'aise.

D'une certaine manière, Danny est mon Christopher Flynn, mon mentor comme mon amant. Et, pendant les huit années qui suivent, nous vivons ensemble dans le bonheur, l'harmonie et la monogamie.

Quand je parle pour la première fois de Danny à ma sœur, elle ne témoigne d'aucune curiosité. Elle ne me demande pas de le lui présenter et ne me pose aucune question sur lui. Ma vie privée ne l'intéresse guère – ou plus exactement tant qu'elle n'a aucune influence sur la sienne ou ne peut pas servir sa carrière, ce qui, plus tard, sera le cas.

Elle est en pleine ascension et désormais elle est apparemment le centre du monde, vingt-quatre heures sur vingt-quatre et sept jours sur sept. « Burning Up/Physical Attraction » est N° 3 dans les charts dance américains et le top des clubs, et elle sort son premier album, *Madonna*. Elle habite toujours sur Broome Street et si elle gagne de l'argent, en tout cas, elle n'en parle jamais. Tout ce que je sais, c'est qu'elle est bien partie pour atteindre les sommets.

Peu de temps après ma rencontre avec Danny, Madonna m'appelle et m'annonce que le danseur qu'elle a pris à ma place ne fait pas l'affaire et qu'elle a finalement besoin de moi. Sans perdre un instant, j'accepte.

Quand Danny l'apprend, il me déclare que je suis bien bête de sauter sur l'occasion de danser avec elle étant donné sa conduite passée. Je ne suis pas d'accord. Je sais que je pars à l'aventure et qu'au moins, je vais avoir l'occasion de danser avec ma sœur. Par ailleurs, je lui dois bien cela : si elle ne m'avait pas présenté Christopher Flynn, jamais je ne serais devenu danseur. En plus de cela, elle m'a permis de connaître la danse moderne et, au Rubaiyat, de me connaître moi-même.

Dès lors, presque tous les vendredis, samedis et dimanches, nous travaillons ensemble sur les showcases, qui ne durent que vingt-cinq minutes. Lorsque c'est terminé, nous quittons la boîte le plus vite possible. Madonna gagne environ mille dollars par soir, selon le club. Moi et l'autre danseuse, Erika Bell, nous empochons chacun environ deux cents dollars. Pas mal. Et nous dansons derrière Madonna une chorégraphie entre jazz, danse moderne et pop. Rien de bien compliqué. Martin Burgoyne est notre manager et tourneur et il nous accompagne.

Chaque soir, c'est la même chose. Une heure avant le spectacle – bien qu'appeler cela un spectacle soit exagéré – nous arrivons au club et gagnons la loge, toujours miteuse.

Parfois, il n'y en a pas du tout et nous devons nous contenter du bureau du patron.

Nous attendons que Marty ait ramassé l'argent. Pendant ce temps, tous les trois – Madonna, Erika et moi – nous révisons la chorégraphie de chaque chanson : « Holiday », « Burning Up » et « Physical Attraction ». Durant cette discussion, Madonna nous écoute, et nous décidons de la chorégraphie exacte de chaque chanson pour chaque boîte. En général, nous finissons par faire les mêmes pas chaque soir. Durant ces discussions, nous sommes égaux. Madonna ne joue pas trop les patronnes, même si c'est évidemment le cas dans les faits.

Cela fait longtemps que j'ai accepté qu'elle ne s'intéresse plus sérieusement à la danse moderne. À présent, c'est une pop star bien partie pour devenir riche et célèbre. J'ai foi dans son talent d'artiste de scène et je regrette qu'elle ne soit plus une danseuse, mais je suis forcé de concéder que, contrairement au métier de danseuse, celui de chanteuse pop exige relativement peu d'efforts. Après tout, une danseuse doit suer, s'entraîner et danser jusqu'à tomber d'épuisement. Là, Madonna n'a rien de plus à faire que chanter en play-back et sautiller avec Erika et moi derrière elle. Ce n'est pas très exigeant mentalement ni physiquement, mais c'est la voie royale pour gagner l'adoration des masses. Son ambition est lancée à plein régime, et sa vie ne tourne autour que d'une seule chose : avancer, faire un autre disque et devenir célèbre.

En la voyant, je ne me dis pas que ma sœur est sur le point de devenir une star. Je la dédaigne encore un peu d'avoir renoncé à la danse moderne pour la pop et il est difficile d'imaginer la gloire quand on est entassé pour se changer dans le bureau crasseux d'un gérant de boîte quelque part dans le pire coin de Brooklyn.

Erika et moi dansons derrière Madonna au Studio 54, au Roxy, à l'Area, au Pyramid, au Paradise Garage et au Roseland.

Nous descendons à Fort Lauderdale danser à la Copa, où je suis un peu gêné pour ma sœur, car la diva disco Sylvester est dans la salle et que Madonna n'est pas très en forme ce soir-là. Nous nous produisons à l'Uncle Sam de Long Island, où le public reste immobile à nous fixer. Je trouve cela très étrange, mais cela met Madonna de mauvaise humeur. Quand nous rentrons dans la Lincoln Town Car bleu nuit que Martin a louée pour la soirée, elle commence à ronchonner qu'elle coûte trop cher et qu'il ne devrait pas gâcher l'argent en voitures de luxe. Mais Martin ne se laisse pas faire et rétorque que nous n'aurions jamais fait tout ce chemin dans un minivan. Elle se tait. J'allume la radio tandis que nous rentrons vers Manhattan.

Cependant, la plupart des soirs, nous nous amusons. Après le spectacle, nous restons un peu et nous dansons ensemble. Il n'arrive qu'un seul moment déplaisant, une nuit au Roseland, où Martin me propose de la coke. Ma première ligne, et cela ne me réussit pas du tout. Ensuite, quand je danse sur la scène, j'ai l'impression d'être devenu fou. Je ne me rappelle plus les pas, je tourbillonne et je me sens atrocement mal pendant les heures qui suivent. Je me rends compte que je ne peux pas danser et prendre de la drogue.

« Holiday » est N° 1 dans les charts dance américains. Désormais, Madonna, Erika, Martin et moi sommes ceux que tout le monde s'arrache – du moins, c'est ce que je me dis. Nous entrons gratuitement partout et nous ne payons que rarement nos consommations. Parfois, j'ai l'illusion que nous sommes égaux tous les quatre, mais je sais que ce n'est pas le cas. Car nous avons beau exécuter nos chorégraphies ensemble, le principal objectif de ces shows est de propulser la carrière scénique de Madonna. Ces showcases ne sont pas faits pour que nous finissions tous célèbres ou pour que Madonna et moi nous rapprochions en tant que frère et sœur, mais pour la mettre en valeur et rien d'autre. Malgré tout, c'est amusant.

En mai, alors que Madonna chante « Holiday » au Studio 54, avec Erika et moi, elle fait enfin la connaissance de Danny et se montre polie, mais clairement indifférente envers lui. Au fil du temps, elle le traitera pratiquement comme elle traite toujours Joan – prononçant rarement son nom, s'adressant rarement directement à lui et posant très peu de questions sur notre relation. Elle fait comme s'il n'existait pas, comme si ce n'était que le fruit de mon imagination, plutôt que celui qui partage ma vie.

En juillet 1983, Madonna rencontre Freddy DeMann, le manager de Michael Jackson, qui, sur la suggestion de Seymour Stein, patron de Sire, son label, la signe comme cliente. Erika, Marty et moi sommes sur un siège éjectable, mais nous ne le savons pas encore.

« Holiday » entre dans le Top 100 des singles américains, Madonna joue un petit rôle de chanteuse dans une boîte dans le film *Vision Quest* et elle est même photographiée par Francesco Scavullo, qui la surnomme Baby Dietrich. Il est clair que Marty, Erika et moi sommes devenus inutiles. Mais, avant que nous soyons congédiés, nous sommes ébahis et surpris d'apprendre par Freddy que nous sommes engagés pour une tournée en Europe avec Madonna. Je démissionne aussitôt de chez Fiorucci et Erika, Marty, Madonna et moi, nous nous envolons pour Londres.

Nous prenons tous un vol d'Air India en classe éco, Madonna y compris. Nous portons nos tenues de danseurs – jogging, collants, sweat-shirts et bottines à lacets – et nous faisons des étirements dans les allées de l'avion comme des danseurs romanichels.

Nous arrivons à Heathrow à 8 heures du matin. Nous n'avons pas dormi dans l'avion et nous sommes épuisés. Il fait froid et humide et Londres est lugubre. Nous descendons dans un petit hôtel bon marché d'Earls Court, dormons un peu, puis une voiture vient nous prendre pour nous emmener aux studios de la BBC à White City. Le lendemain,

26 janvier 1984, nous passons à *Top Of The Pops*, la grande émission musicale de la télévision anglaise.

Une fois dans la loge, on nous demande d'attendre et nous restons là, rongés par le trac. Nous pensons que nous allons être filmés dans un décor de boîte, mais ce n'est pas le cas. Nous sommes conduits sur un podium entouré d'un public quasi apathique.

Madonna, paupières charbonneuses, rouge à lèvres sombre et cheveux crêpés, vêtue d'un pantalon noir taille haute, de ses collants et d'un débardeur multicolore qui laisse son ventre découvert, chante en play-back « Holiday » pendant qu'Erika et moi exécutons notre chorégraphie habituelle. C'est assez bizarre de se produire devant un public si peu sympa qu'il applaudit à peine à la fin.

Nous sommes soulagés quand c'est terminé. Nous allons dîner indien, seule cuisine potable à Londres à l'époque, et nous discutons de cette sensation étrange que nous avons éprouvée en nous produisant en play-back sans public délirant qui nous acclame.

Le lendemain matin, Marty, toujours le premier au courant du dernier truc branché, nous traîne à Camden Market, un marché aux puces d'un quartier pauvre du nord de la ville, où l'on trouve de tout, depuis les parkas en cuir jusqu'aux landaus. Une version très locale de l'East Village. Nous achetons tous des jeans, des tee-shirts et des chapeaux. Madonna s'achète également un pantalon écossais avec de petites lanières reliant les deux jambes – très punk.

À l'époque, Madonna ne risquait pas d'être reconnue ou assaillie par la foule dans les rues de Londres. C'était probablement la dernière fois de sa vie qu'elle pouvait s'y promener en toute quiétude.

Le 27 janvier 1984, nous montons en train à Manchester et chantons « Holiday » sur *The Tube*, une émission de télévision enregistrée à l'Hacienda. Dans le club, le light show palpite et scintille sur un écran. Nous savons que des raves se déroulent parfois dans ce club et nous sommes surpris que le public soit si peu looké. Tout le monde porte des vêtements ordinaires, des pantalons de toile, tout à fait comme le public de Long Island : pas du tout branchés.

Généralement, avec « Holiday », le public entre dans l'ambiance au bout d'un moment et se met à danser. Pas cette fois. Les gens restent immobiles à nous regarder, impassibles. Puis soudain, ils se mettent à nous huer et nous lancer ce qui leur tombe sous la main. Je reçois une ser-viette en papier roulée en boule, Madonna un gâteau et Erika autre chose. Nous sommes stupéfaits. Il est clair que ce n'est pas notre musique, mais c'est nous qui déplaisons.

— Foutons le camp ! s'écrie Madonna.

Et, l'argent en main, nous décampons. Dans le train qui nous ramène à Londres, nous nous répandons sur l'Angleterre et les Anglais. Si j'avais dit à Madonna que vingt ans plus tard, elle en épouserait un et qu'elle ferait une imitation pas-sable de lady Marchmain dans *Retour à Brideshead*, elle ne m'aurait jamais cru et se serait sûrement pissé dessus de rire. C'est dire à quel point elle détestait l'Angleterre.

Revenus à Londres, le lendemain, nous prenons le train et le ferry pour Paris. Qui ne nous réussira d'ailleurs pas plus que Londres. Madonna loge au Meurice, sur la rue de Rivoli. Marty, Erika et moi sommes relégués dans un petit hôtel miteux à quelques rues de là. Nous nous plaignons de notre situation, si bien qu'elle finit par céder et nous laisse venir au Meurice.

Nous arpentons la ville avec Marty. Il veut aller dans le quartier chaud, Pigalle, et, comme toujours, nous le suivons.

Le soir, nous enregistrons le spectacle dans une espèce de club clandestin, un ancien gymnase avec une piscine vide au milieu. C'est au fond de cette piscine que nous devons nous produire, pendant que tous les gens nous regardent du dessus.

En gros, nous avons des murs comme spectateurs, et c'est ridicule.

Au milieu de la deuxième chanson, quelqu'un lâche du gaz lacrymogène dans la salle. Nous courons vers la première sortie de secours, ruisselants de larmes. C'est la panique générale et tout le monde court dans tous les sens.

Nous passons le reste de la soirée à essayer de nous laver les yeux en nous plaignant que nous détestons Paris autant que Londres. Le voyage empire quand nous décidons d'aller aux Bains-Douches, qu'on nous a annoncé comme le lieu branché, mais nous sommes refoulés à la porte, car on n'apprécie pas notre look.

Le lendemain, nous repartons en Amérique. Je suis ravi de rentrer, de retrouver Morton Street et Danny. Il m'a manqué.

Au début de février, Madonna nous demande de danser dans sa vidéo de « Lucky Star », qui doit être tournée à Los Angeles, et Erika et moi nous y rendons ensemble en avion. C'est la première fois que j'y retourne depuis mon adolescence. Je n'ai jamais vu autant de palmiers et de visages bronzés et aussi parfaitement liftés de toute ma vie.

Nous tournons le clip dans l'ancien studio de Charlie Chaplin, qui n'a pratiquement pas changé depuis sa construction dans les années trente. Je ne suis payé que deux cents dollars pour ma prestation et je ne touche pas de royalties. Cependant, sur le moment, je me satisfais d'y avoir seulement participé. La camaraderie entre Madonna, Erika, Martin et moi me suffit. Une fois le tournage terminé, nous allons tous au Studio One, au-dessus du Rose Tattoo, et nous dansons jusqu'à l'aube.

Mais, quand nous rentrons à New York, il devient évident que les choses ont changé. Madonna est devenue plus professionnelle, son nouveau manager, Freddy DeMann, est désormais l'une des personnes qui comptent le plus dans sa vie et les showcases ne sont plus au programme.

Son premier album, *Madonna*, est disque d'or, et elle entre en studio pour enregistrer le suivant, *Like a Virgin*. Peu après, elle est engagée dans le film à petit budget (cinq millions de dollars) de Susan Seidelman, *Cherche Susan désespérément*. Le film est conçu comme une comédie loufoque autour d'une mère de famille obsédée par une série de petites annonces disant « Cherche Susan désespérément ». Madonna joue le petit rôle de Susan, pour lequel Melanie Griffith, Kelly McGillis, Ellen Barkin et Jennifer Jason Leigh ont également auditionné.

Au départ, le film est prévu pour faire de Rosanna Arquette une star, mais, évidemment, Madonna va lui ravir la vedette dans tout le film – principalement parce qu'elle joue son propre personnage dès qu'elle apparaît à l'écran et que, comme toujours, elle le joue à la perfection.

Entre-temps, Erika, Marty et moi sommes informés par l'une des assistantes de Freddy que Madonna n'a plus besoin de nos services. Madonna, évidemment, évite soigneusement de nous annoncer elle-même la nouvelle. Je me sens un peu trahi. Depuis le temps, j'ai enfin compris que si je veux continuer de travailler avec ma sœur – et j'y tiens – je dois être prêt à subir une certaine dose de trahison de sa part pour pouvoir entrer dans cette relation professionnelle et familiale haute en couleurs qui sera la nôtre. Cependant, sur le moment, je me raisonne en me disant que collaborer avec elle aura été comme travailler sur un film. On a l'impression d'être une petite famille, mais une fois le tournage terminé, tout le monde se sépare. Je me sens quand même un peu abandonné, une autre émotion que je commence à associer à ma sœur, mais ce n'est pas très grave.

À côté de cela, je suis un peu soulagé. Cela commençait à devenir ennuyeux de répéter continuellement les mêmes pas sur les mêmes chansons. Je retourne chez Fiorucci, où je travaille aux jeans et Danny aux velours côtelés. Je lui annonce que je ne danse plus et que je ne serai plus absent soir après soir. Il est visiblement ravi. Quand j'y repense aujourd'hui, je me dis que j'aurais dû me méfier de son côté possessif, mais, à l'époque, je ne remarque rien. Notre relation paraît idyllique. Je suis trop heureux avec lui, et en particulier surpris qu'il se soit donné la peine d'aller m'acheter du matériel de peinture.

Je n'ai pas peint depuis le lycée, mais, grâce à lui, je reprends et redécouvre mon amour de la peinture. Durant cette période au West Village, les immeubles d'avant-guerre de ce quartier sont rénovés – les fenêtres en bois sont remplacées par des neuves en aluminium et les anciennes s'entassent sur les trottoirs. Danny en a récupéré quelques-unes et, avec son approbation, je m'en sers comme toiles. À cette époque, suivant les traces de ma sœur, mais pas délibérément, je traverse moi aussi une période mystique. Je peins des scènes religieuses sur les fenêtres. Je ne sais pas du tout si je suis un bon artiste, mais tout ce qui m'intéresse, c'est peindre et être créatif.

Pendant ce temps, l'album *Madonna* est certifié disque de platine avec un million d'exemplaires, et elle enchaîne avec *Like a Virgin*. Madonna a dépassé depuis longtemps le milieu branché de Manhattan et tout le pays commence à s'intéresser à elle. La moitié du monde, en fait, sauf moi, peut-être. Danny et moi construisons notre vie commune, je suis plongé dans mes peintures et je ne fais guère attention ni à l'adulation dont jouit désormais Madonna ni aux possibles conséquences de celle-ci sur mon existence. Cela change un beau matin quand, en passant chez le maraîcher coréen, je tombe sur un copain auquel j'annonce que je suis retourné travailler chez Fiorucci. J'ai droit à un silence stupéfait, puis :

— Mais qu'est-ce que tu fiches à travailler alors que ta sœur est pleine aux as ?

Je réponds que je ne comprends pas très bien. Il m'explique qu'elle a un contrat d'enregistrement et qu'elle doit engranger des montagnes d'argent.

— Ce n'est pas parce que je suis son frère que j'ai droit à une pension mensuelle. Il faut que je travaille comme tout le monde !

Jusque-là, je n'ai pas songé à la situation financière de Madonna. Pour moi, ce n'est pas une grande star, c'est juste ma sœur, avec qui, il y a encore quelques mois, je faisais des showcases dans des clubs. Je rentre à mon petit appartement (je n'ai pas encore emménagé avec Danny), passant devant les dealers d'un côté de la rue et les poubelles incendiées de l'autre, et je ne songe plus à Madonna.

Quatre mois après notre retour de Los Angeles, alors que je reprends mes habitudes chez Fiorucci, elle me rappelle et me demande de l'accompagner avec Erika et Marty pour un autre voyage en Europe, organisé par Freddy. Mais, cette fois, nous allons aussi au Maroc. Bien sûr Danny ne veut pas que je parte, mais je n'ai pas envie de réprimer mon esprit aventureux juste pour faire plaisir à mon petit copain, et en juin 1984, je m'envole pour la France.

D'abord, nous nous produisons à Paris pour le fondateur de Fiorucci, puis nous nous rendons à Munich y faire un spectacle. Après, nous allons chez Hofbraü et nous restons stupéfaits devant la quantité de nourriture – viande, raifort, choucroute – proposée. Ensuite, nous prenons le train de nuit pour Brême. C'est la première fois que nous prenons ce genre de train : magnifique, avec des lambris de bois sombre et des lits confortables aux draps frais en coton jaune amidonné.

Nous les adorons tellement que nous les enlevons des lits et les revêtons, à la manière des toges ou des manteaux royaux.

— Prendre un train comme ça, c'est comme de se retrouver dans un vieux film de Marlene Dietrich ou dans *Une femme disparaît*, observe Madonna.

— Espérons que tu ne disparaîtras pas cette nuit, lui réponds-je, faisant allusion au scénario du film d'Hitchcock.

— Eh bien, si ça arrive, je suis sûre que tu te lanceras à ma recherche.

— Tu peux en être sûre.

Pendant que le train traverse l'Allemagne, nous sommes si enivrés par cette atmosphère d'aventure, ces nouvelles expériences qui nous montent à la tête, que nous n'arrivons pas à dormir. Nous enlevons donc la séparation entre le compartiment de Madonna et celui d'Erika et nous passons la nuit à bavarder. Erika et moi savons que c'est une euphorie passagère, parce que la carrière de Madonna est en pleine ascension et que la nôtre est pratiquement terminée. Mais, pour cette nuit, au moins, nous sommes tous les trois pris dans le tourbillon qui l'enveloppe et exaltés par le romantisme de ce train élégant qui file dans la nuit.

De Brême, nous rentrons en avion à Paris, et de là, nous nous rendons à Marrakech tourner une vidéo pour une émission de télévision française. Dès l'atterrissage, j'ai l'impression d'arriver sur une autre planète. Être à Marrakech, c'est comme se retrouver au XVe siècle. Des hommes enturbannés traversent à dos de chameau la grand-place, remplie de charmeurs de serpents et de derviches tourneurs – sans la moindre femme en vue.

Une fois dans l'enceinte du Club Med, où nous séjournons, je suis immédiatement entouré de jeunes garçons qui proposent leurs services comme guides dans le souk, un labyrinthe de minuscules ruelles tortueuses où il est facile de s'égarer. J'en engage un, le paie, et non seulement il me conduit dans ce dédale, mais il empêche les autres guides de me harceler. Efficace, comme système.

Marty reste seul dans le souk. Deux heures plus tard, il réapparaît à notre hôtel seulement vêtu de son caleçon et brandissant un dentier.

— Super *cool*, dit-il. Je l'ai échangé contre mon jean.

Le matin, nous nous entassons dans un minibus pour faire les quatre heures de route vers Ouarzazate, dans le sud du Maroc, en plein Sahara, où doit se tourner la vidéo. C'est là qu'ont été filmés *Lawrence d'Arabie* et plus tard *Gladiator*, mais je trouve que c'est beaucoup de chemin rien que pour tourner une vidéo.

Freddy, qui nous a précédés en avion, nous retrouve là-bas. Désormais, Madonna est pourvue d'une autre accompagnatrice, un coach personnel. C'est une Américaine aux cheveux courts et frisés beaucoup trop débordante d'énergie, qui nous irrite tous.

Dès que nous quittons Marrakech pour rejoindre l'Atlas, le paysage change du tout au tout. Pas d'arbres, mais seulement des montagnes nues semées de minuscules taches blanches : des moutons. Au bout de deux heures, nous nous rendons compte que nous avons faim et nous demandons au chauffeur où nous pouvons nous arrêter pour nous restaurer. Nulle part. C'est le ramadan, et les musulmans n'ont le droit ni de boire ni de manger jusqu'au coucher du soleil. Nous allons protester quand une détonation retentit. Le minibus vient de rendre l'âme.

Nous sommes sur une route de montagne déserte. Pas de portables, pas de toilettes. Notre chauffeur n'arrive pas à redémarrer le minibus. Il essaie d'appeler des secours par radio, mais nous sommes trop loin des relais. Il descend donc et se plonge sous le capot. Il est 13 heures. Nous sommes en sueur, nous suffoquons de chaleur et tout porte à croire que nous allons rester coincés là des heures.

Madonna pique une grosse crise.

— Nous sommes en plein milieu d'une saloperie de désert. Où est Freddy, putain ? Qu'est-ce qu'on fout ici ? Je n'en reviens pas qu'il me fasse ce coup-là. Je vais le tuer. Christopher, fais quelque chose !

Je ne lui prête pas attention, parce que je sais que, sinon, elle va commencer à s'en prendre à moi. Et si cela arrive, je sais que je ne pourrai pas me retenir de sortir une vanne : « Je me demande si Freddy a jamais envoyé Michael Jackson en minibus dans le désert ? »

Elle râle et braille de plus belle. Sa coach, une fille très tactile, lui caresse le bras.

— Calme-toi, Madonna. Tout va bien se passer. Méditons, roucoule-t-elle.

Madonna repousse sa main d'une claque.

— Me touche pas, putain, il fait trop chaud !

Madonna est peut-être connue aux États-Unis et en Europe, mais ici, en Afrique, elle n'est personne. Du coup, pour quiconque nous croiserait, nous ne sommes qu'un petit groupe de touristes américains en rade qui ont été suffisamment idiots pour traverser le désert en minibus.

Finalement, une minuscule camionnette à trois roues apparaît. Nous lui faisons signe. Notre chauffeur négocie avec le conducteur et son comparse et, même s'ils parlent très peu anglais, nous avons de la chance : ils se rendent dans la bonne direction. Nous les payons et nous montons dans la camionnette. Là, nous découvrons qu'il n'y a pas de sièges. Sans nous laisser démonter, nous entassons les bagages à l'arrière avec Marty, Erika et la coach. Madonna et moi nous glissons entre les deux hommes devant et nous asseyons par terre. Le levier de vitesse brûlant, rouillé et collant nous rentre dans les côtes. Il fait une chaleur épouvantable et nos deux bonshommes empestent.

Nous roulons pendant une demi-heure et, au coucher du soleil, nous arrivons dans un petit village perché en haut d'une colline. Il se compose d'un café, d'une pompe à essence et de deux petites maisons. La camionnette s'arrête.

— Qu'est-ce que vous foutez ? piaille Madonna.

Les deux hommes l'ignorent, descendent et se dirigent vers le café. Juste avant d'entrer, comme s'ils se ravisaient, ils précisent :

— Au coucher du soleil, on mange.

Nous finissons par les rejoindre dans le café pour manger une sorte de soupe sans doute préparée avec les têtes de chèvres qui sont accrochées non loin. Madonna a tellement faim qu'elle fait une entorse à ses principes végétariens et en prend elle aussi. Les deux hommes n'arrêtent pas de manger. Quand ils ont terminé, nous nous entassons de nouveau dans la camionnette et reprenons la route.

La nuit est tombée et il fait froid, à présent. L'un des hommes allume la radio et une chanson beugle dans les haut-parleurs.

— Vous connaissez Michael Jackson ? demande-t-il en souriant à Madonna.

— Ta gueule, ta gueule, ta gueule ! hurle-t-elle.

Je lui couvre la bouche de la main.

— Madonna, tais-toi. Il faut qu'ils nous amènent à destination.

Pour une fois, elle m'écoute et se tait.

Nous avons quitté les montagnes et nous sommes en plein désert. Le ciel est d'un noir d'encre et une myriade d'étoiles scintillent au-dessus de nous. Au moment où je commence à apprécier ce voyage, la camionnette s'arrête net.

Nos chauffeurs nous font plus ou moins comprendre qu'ils ne peuvent pas rouler plus loin, car leurs papiers leur interdisent de pénétrer dans la province suivante. Par chance, un autre camion s'arrête et le conducteur accepte de nous emmener à Ouarzazate.

Une heure plus tard, nous arrivons au Club Med. Freddy nous attend devant.

Madonna pique sa crise.

— Qu'est-ce que tu as foutu, Freddy ? Comment tu as pu me faire un truc pareil ? Je ne chanterai pas pour cette putain de télé française, merde. Je veux monter dans un avion tout de suite. Je veux rentrer à New York.

Freddy reste calme.

— Tu es arrivée, maintenant. Fais l'émission demain. De toute façon, il n'y a pas d'avion ce soir.

— Je ne la ferai pas et c'est comme ça, putain, trépigne Madonna.

Elle continue sur cette lancée pendant trois bonnes heures, tandis que Freddy fait tout pour la convaincre de céder et de tourner l'émission.

Assis dans le hall et buvant de l'eau minérale, Erika, Marty, la coach et moi attendons que Madonna finisse de piquer sa crise. Les trois autres s'émerveillent devant la bruyante per-formance de diva de Madonna. Pas moi. J'ai grandi avec elle. Finalement, Freddy la calme et nous allons nous coucher.

L'équipe de télévision française a l'intention de nous fil-mer dans le désert, mais Madonna refuse tout net. Elle exige que nous tournions au bord de la piscine du Club Med. Le genre de décor qui pourrait se trouver n'importe où dans le monde, en somme.

— Je ne t'adresse plus la parole, Freddy, déclare-t-elle. Je ne te parle plus pendant cinq jours.

Mais elle tourne quand même la vidéo.

Le lendemain, nous sommes ramenés à Marrakech dans un break délabré, sans retard ni incident. Au Club Med de la ville, nous logeons dans des chambres qui sont l'une au-dessous de l'autre. Si bien que même en étant dans une pièce indépendante, on entend tout ce qui se passe dans les chambres.

Dans la nuit, tout le monde, hormis Madonna et moi, subit les effets secondaires de la soupe de la veille, et nous entendons les autres gémir et vomir.

106

Le lendemain matin, le Maroc ne nous paraît plus du tout charmant.

Nous rentrons en avion à Paris. À peine arrivés au Meurice, Madonna et moi sommes carrément malades. Nous nous traînons jusqu'à l'aéroport, impatients de rentrer chez nous et de nous remettre de notre bizarre aventure africaine.

À notre retour, Simon Fields, qui a produit le clip de « Lucky Star », me propose un poste d'assistant de production dans sa boîte. Je me rends à Los Angeles, séjourne chez le frère de Danny et travaille pour Simon quinze heures par jour, ce qui ne me laisse guère de temps pour faire la fête ou pour sortir avec ma sœur, dont la carrière décolle à une vitesse vertigineuse.

Pour la première fois, j'ai un aperçu des clips vus du côté de la production. C'est de loin le pire boulot que j'aie jamais fait. Levé à l'aube, jamais couché avant minuit. Des journées passées à courir en tous sens, apporter des accessoires, ramasser derrière chacun et servir de garçon de courses pour à peu près tout le monde. J'ai hâte d'en finir. Si je commence à apprécier ce média, je jure qu'à partir de maintenant, je ne veux rien avoir à faire avec les clips, sauf si c'est moi qui les réalise.

En septembre, je rentre à Manhattan et comme je continue de peindre et à m'intéresser à l'art, je décroche un poste de réceptionniste à la Diane Brown Gallery dans SoHo.

Madonna m'invite à la voir se produire aux premiers *Video Music Awards* de MTV à Radio City le 14 septembre 1984. Elle a été nommée pour le Meilleur Clip d'Artiste Emergent pour « Borderline ».

Je la retrouve au loft de Maripol, qui lui a fait un costume de mariée punk. Quand j'arrive, elle est en train de lui enfiler des bracelets en caoutchouc, des collants, un bustier ajusté et une jupe blancs, agrémentés de sa ceinture BOY

TOY. Je contemple le résultat et – bien que je le garde pour moi – je trouve l'accoutrement ridicule, mais je sais que ses fans vont adorer.

Assise par terre dans un coin du loft, une femme aux cheveux noirs coiffée d'une casquette en cuir regarde ma sœur s'habiller. Elle ne prononce pas un mot et se contente de la fixer, comme hypnotisée. Une fois la touche finale apportée à la tenue de Madonna – un crucifix et un voile en tulle – la femme la quitte des yeux et se tourne vers moi.

— Cher, je te présente mon frère Christopher, dit Madonna.

Je souris et, pour la première fois, j'examine la femme de plus près. C'est vraiment Cher. Elle a l'air désemparé et je trouve étrange qu'elle soit là assise à regarder Madonna se faire habiller. Je n'ai pas la moindre idée de la raison de sa présence ici, ni de ses liens avec Madonna, mais celle-ci est bien trop occupée à se préparer pour son apparition publique pour que je puisse lui demander.

Cependant, c'est la deuxième fois que je fais une rencontre intrigante avec des célébrités par le biais de ma sœur ou simplement parce que je suis son frère. Basquiat est le premier. Cher la deuxième. Parmi les suivants, pêle-mêle, il y aura Demi Moore, Courtney Love, Lisa Marie Presley, Bruce Willis, Donatella Versace, Kate Moss, Dolly Parton, Johnny Depp, Liza Minelli, les Spice Girls, Farrah Fawcett, Naomi Campbell, Jack Nicholson, Luciano Pavarotti, Denzel Washington, Mark Wahlberg, Warren Beatty, Sean Penn, Sting, Trudie Styler, Gwyneth Paltrow, et bien d'autres.

Je me sens privilégié d'avoir eu la possibilité d'approcher autant de gens que j'admire. Souvent, je les rencontre parce que j'accompagne Madonna en public, mais elle leur accorde rarement plus qu'un simple regard. La plupart du temps, elle s'ennuie et veut repartir le plus vite possible. Et comme cela l'impressionne à peine de croiser d'autres gens célèbres, quand cela arrive, je mets un point d'honneur à garder le contact avec eux pour son compte – et aussi parce que cela me plaît.

Ce soir-là, aux MTV Awards, ma sœur est la star et une fois que Bette Midler l'a présentée narquoisement comme « la femme qui s'est hissée au sommet grâce à ses bretelles de soutien-gorge », Madonna lui vole la vedette de manière fracassante.

La salle est peut-être ensorcelée par Madonna, mais je regarde depuis la régie, je la vois sortir d'une pièce montée et se tortiller. Tandis qu'elle se trémousse sur la scène, je songe soudain à ce que notre père et grand-mère Elsie doivent penser en la voyant faire son numéro à la télévision. Je me demande si ma sœur est le moins du monde troublée à la perspective de peut-être les choquer ou les blesser, mais j'en doute, si je me rappelle sa prestation au spectacle du lycée. Et je ne lui poserai pas la question. Depuis le clip de « Lucky Star », nous n'avons eu que peu de contacts et ce soir ne paraît pas vraiment le moment idéal pour renouer. Outre qu'elle travaille sans relâche pour devenir encore plus célèbre, elle est sur le point de tomber très amoureuse et, selon certains, pour toujours.

Sur le plateau du clip de « Material Girl », à Los Angeles, alors que Madonna descend langoureusement un escalier, splendidement revêtue d'une réplique en satin fuchsia de la robe Travilla que portait Marilyn dans *Les hommes préfèrent les blondes*, elle tombe nez à nez avec l'acteur le plus couru du moment : Sean Penn.

Il a vingt-quatre ans, elle en a vingt-six, ils sont nés à tout juste un jour d'écart et – pour l'un et l'autre – c'est le coup de foudre. Plus tard, elle prétendra que Sean lui rappelait des photos de notre père quand il était jeune.

Après le tournage, Sean se rend chez un ami qui est en train de lire un recueil de citations. Au détour d'une page, il cite à haute voix : « Elle avait l'innocence d'une enfant et l'esprit d'un homme. » Comme le racontera plus tard Sean :

« J'ai regardé mon ami et il s'est contenté de me dire : "Va la séduire". C'est ce que j'ai fait. »

Le 13 février 1985, Sean et elle sortent ensemble en amoureux pour la première fois. Dès lors, il leur paraît évident qu'ils veulent rester ensemble, et pour toujours.

L'album *Like a Virgin* se vend à 3,5 millions d'exemplaires en à peine trois mois et devient le premier album solo d'une chanteuse à avoir jamais connu des ventes certifiées de cinq millions ; il détrône Bruce Springsteen dans les charts et s'y installe. Peu de temps après, « Crazy for you » deviendra le single N° 1 aux États-Unis. Ma sœur est désormais un phénomène de la pop. Je repense aux parties de Monopoly de notre enfance et je me rends compte qu'elle pourrait maintenant sans doute s'offrir toutes les rues les plus chères, pour de vrai.

Pendant ce temps, je suis heureux dans mon travail à la galerie et dans ma vie à Manhattan avec Danny.

Du moins, jusqu'à ce que ma sœur me rappelle.

— Viens à L.A., Chris. Viens, tu seras mon assistant. Ça sera *cool*. Je vais bientôt partir en tournée et tu pourras être mon habilleur.

Son habilleur ?

— Pourquoi pas ton danseur, Madonna ? demandé-je, un peu vexé.

— Je peux m'offrir mille danseurs, mais je n'ai qu'un seul frère pour m'habiller.

Eh bien, je suis peut-être gay, mais je trouve que me faire endosser le rôle d'habilleur, c'est pousser le bouchon un peu trop loin, et je le lui dis.

— Mais Chris, je n'ai pas envie qu'un inconnu me voie toute nue. Tu es mon frère. Tu es la seule personne en qui j'ai confiance. J'ai besoin de toi.

Ma grande sœur a besoin de moi.

Le lendemain matin, à la consternation de mon petit copain, je prends l'avion pour Los Angeles.

4

*Car il n'y a pas meilleure amie qu'une sœur
dans les pires comme dans les meilleurs moments.*

Christina Rossetti

Deux mois avant le début de la tournée *Like a Virgin*, je m'installe à Los Angeles et je loge avec Madonna et Sean dans la maison de ce dernier sur Carbon Mesa Road, à Malibu : une hacienda de plain-pied, en plâtre blanc et à toit de tuiles, qui se dresse dans un canyon aride.

La première chose que je remarque, c'est que toute la propriété, si petite soit-elle, est entourée d'un haut mur d'enceinte surmonté de pointes métalliques. Alors que j'atteins la maison par un patio où se dresse une fontaine arrêtée, je trouve la porte d'entrée ouverte et j'entre. Le séjour est rempli de meubles mexicains rustiques sculptés et peints à la main. Rien de luxueux ou de particulièrement recherché. Typique du maître des lieux, mon futur beau-frère, Sean Penn, qui n'est pas branché décoration et tient à vous le faire savoir. Madonna est en rendez-vous à Burbank, mais Sean entreprend de me mettre à l'aise.

Pour commencer, poignée de main ferme. Décidée, virile. Différente de celle du deuxième mari de Madonna, Guy

Ritchie, qui est un tantinet hésitante. En dehors de cela, le mari numéro un et le mari numéro deux ont un point commun bien marqué : Guy et Sean sont tous les deux issus de la classe moyenne aisée, mais ils tiennent à se présenter comme des gars de la rue et des durs. Ma sœur, je crois, a toujours joué le même petit jeu. Après tout, c'est une fille de la classe moyenne qui prétend avoir débarqué à Times Square avec une paire de chaussons de danse et trente-cinq dollars en poche. Peut-être cela explique-t-il en partie l'attirance de Madonna pour Sean et Guy. Et aussi un amour commun des armes à feu.

Mais contrairement à Guy plus tard, Sean s'efforce de me mettre à l'aise et de se comporter comme un frère. Une bière ? Une pizza ? Un coup de tequila ? J'opte pour la tequila, voulant à l'époque comme toujours faire plus mec-comme-les-autres que je ne suis. Non que Sean soit homophobe. S'il l'est, en acteur accompli, il le déguise parfaitement.

Comme il passe beaucoup de temps en dehors de la maison et Madonna aussi, je suis souvent livré à moi-même. Je ne suis pas particulièrement à l'aise dans la maison, où ma chambre est des plus spartiates, avec simplement un lit, une lampe de chevet, des murs nus et pas de rideaux. Madonna ne semble pas non plus particulièrement à l'aise. Elle me dit qu'elle se sent isolée et je ne peux pas lui en vouloir. C'est une fille de la ville, et se retrouver coincée à Malibu – si beau soit l'endroit – lui fait un drôle d'effet.

Parfois, nous regardons des films ensemble, même si Sean, généralement quelque part en tournage, se joint rarement à nous. S'il est là, Madonna et lui n'invitent jamais personne. Dès le début, j'ai la nette impression que Sean est un reclus qui préfère rester chez lui seul avec elle. Je les laisse tranquille autant que je peux, sauf que de temps en temps, c'est moi qui prépare le dîner.

Un soir, peu après mon arrivée, j'ai préparé du poulet rôti, et, au milieu du repas, Sean se penche vers Madonna et chipe un morceau de viande dans son assiette.

— Arrête, Sean, dit-elle en lui donnant une tape sur la main.

Avec un petit sourire, il recommence son manège.

Je commence à déchiffrer l'attirance qu'éprouve ma sœur pour Sean. C'est le sosie de notre père plus jeune, il vient de la classe moyenne comme Madonna, mais il joue les gosses des rues et se présente comme un voyou et un rebelle – exactement comme nos frères. C'est la recette idéale pour mener au désastre.

Mon travail comme assistant de Madonna est varié et bien plus intéressant que ce que je faisais chez Fiorucci. Je rappelle les gens à sa place, m'occupe de son agenda – elle a plusieurs rendez-vous avec David Geffen, le magnat du show-biz, qui ne cesse de lui demander de l'épouser, ce qu'elle refuse à chaque fois.

L'une de mes tâches régulières consiste à nourrir Hank. Croisement de loup et d'akita, un chien japonais, Hank est un cadeau de Sean à Madonna. Au début, je suis certain que ce ne sera pas difficile. Je l'ai seulement entendu aboyer sans le voir. Mais je me demande pourquoi il est toujours dehors, dans un enclos.

Sean me le fait rapidement comprendre.

Il me tend une solide tenue en cuir avec un gros blouson et des gants épais et m'avertit : il faut courir à la grille et glisser à Hank son bol de viande crue par une petite ouverture, sinon, on se fait mordre.

Mordre ? Il me suffit de jeter un regard à Hank qui fonce sur moi comme le chien des Baskerville sous amphétamines, pour savoir qu'il me tuerait. Facilement, d'un seul coup de mâchoires. Il est énorme. Redoutable. C'est une bête sauvage, absolument pas domestiquée. Mais Sean l'adore. Et il ne cache pas qu'il est ravi que Hank terrifie quiconque l'aperçoit. Si ce n'était pas le cas, Hank aurait été piqué depuis longtemps.

Sean adore également son ami l'écrivain Charles Bukowski, qui arrive en titubant dans la maison, de jour comme de nuit, ivre mort, et gerbe partout. À peine est-il là que ma sœur se réfugie dans la chambre, dégoûtée. Assez curieusement, Madonna et Bukowski sont nés le même jour – évidemment pas la même année – et elle admire généralement les bons écrivains, mais elle ne déteste rien tant que les ivrognes tapageurs. Ou les collectionneurs d'armes. Peut-être n'a-t-elle comme moi jamais oublié Marty et Anthony qui nous menaçaient avec des fusils à air comprimé quand nous étions petits.

Fils du réalisateur Leo Penn et de sa femme l'actrice Eileen Ryan, Sean fait partie de la petite aristocratie d'Hollywood. Des années plus tard, il révélera que ses parents buvaient comme des trous quand les enfants étaient couchés, mais que rien ne se voyait le lendemain matin. Rétrospectivement, j'en conclus que peut-être, avec Bukowski, qui avait pratiquement quarante ans de plus que lui, Sean revivait en partie la dynamique de sa relation avec son père.

Malheureusement pour lui, Sean va se trouver confronté à une nouvelle réalité de la vie dont il est moins familier ; dans les quelques mois qui suivent sa rencontre avec Sean, la carrière de Madonna a fait un bond en avant et sa célébrité a atteint des proportions énormes. Son portrait est paru dans *Newsweek*, le single « Material Girl » est N° 2 dans les charts américains, et lorsque le film *Recherche Susan désespérément* sort le 29 mars, elle reçoit un chaleureux accueil de la critique pour sa performance – alors que je continue de penser qu'elle s'est contentée de jouer son propre personnage – et son étoile continue de monter.

Mon travail d'habilleur sur la tournée *Like a Virgin* commence. Nous répétons pendant trois semaines à Los Angeles et je suis formé aux rudiments de ma fonction.

Sur la route, quand nous séjournons à l'hôtel, ma journée commence quand, dès le réveil, je vais dans la chambre de ma sœur, consulte ses messages, commande pour elle un toast de pain au levain et du café, et rappelle ses correspondants. Ensuite, avec le reste de l'équipe – y compris danseurs et musiciens – je me rends à la salle où nous devons nous produire. Madonna voyage toujours en première. Elle prend soin de ne me témoigner aucun favoritisme parce que je suis son frère. C'est vraiment ironique, étant donné qu'elle était la préférée de notre père et ne s'en est jamais plainte, mais peut-être qu'elle juge à présent que ce qui était bon pour elle ne l'est pas pour moi. Je voyage donc en classe éco avec tous les autres.

J'arrive à la salle une heure avant le début du spectacle. Dans la loge, qui est toujours située dans une petite tente derrière la scène, j'inspecte tous les costumes et je m'assure qu'ils sont tous à portée de main et en parfait état. Si quelque chose manque ou est abîmé, je le remplace ou le recouds rapidement. Comme Madonna se démène sur scène et transpire toujours beaucoup, nous emportons trois exemplaires de chaque tenue.

Du coup, nous avons quinze paires de bas résilles, dix de gants, trois de blousons peints et trois versions de tous les autres costumes. Je m'assure que le premier est sorti et prêt à être enfilé.

Soutien-gorge en dentelle bleue, blouson en jean, petit débardeur en dentelle bleue, mitaines en dentelle, socquettes bleues, collants, jupe en jean. Un chiffon bleu comme serre-tête. Un crucifix en argent pour l'oreille droite, des cœurs en argent pour la gauche, une chaîne pour la taille. Deux croix en pendentif et une chaîne dorée. Des bottines bleues.

Je l'habille avant le spectacle. Quand elle est prête, elle se fait maquiller et enfin coiffer. Elle débute avec trois chansons. Elle chante les deux premières, « Dress You Up » et « Holiday » avec le blouson en jean, qu'elle enlève pour chanter la troisième, « Everybody » avec le top en dentelle qu'elle porte dessous. Le reste de la tenue est identique.

Elle ne change de costume que toutes les deux ou trois chansons, et ceci doit être fait en moins de quatre-vingt-dix secondes. Pour que tout se passe sans encombres, j'accroche les costumes sur un portant dans l'ordre où ils seront utilisés. Je pose les chaussures par terre et je prépare les gants à l'envers pour qu'elle puisse les enfiler rapidement.

Le 10 avril 1985, première date du *Virgin Tour,* dont les trois premiers concerts au Paramount Theater de Seattle, État de Washington, sont complètes, j'ai probablement encore plus le trac que ma sœur. Nous avons répété maintes et maintes fois les changements de costumes, mais cela n'a rien à voir avec la réalité – à savoir que Madonna s'apprête à sortir de scène et que je n'ai que quelques secondes pour lui faire changer de tenue.

Après « Everybody », elle se précipite en coulisses.

Elle ruisselle de sueur et elle est à bout de souffle.

Je l'éponge.

Immobile, elle me laisse lui enlever tous ses bijoux, son haut, sa jupe et le serre-tête.

Elle boit une gorgée d'Évian et comme chaque seconde compte, j'en profite pour vérifier qu'il n'y a pas de nœud dans les franges du costume suivant.

Ensuite, je l'aide à l'enfiler : soutien-gorge noir, gilet noir et jupe à franges, et enfin, les longs gants noirs.

— Putain, Christopher, tu n'as pas retourné le petit doigt, tonne-t-elle. Espèce de con, merde !

Je m'immobilise, horrifié.

— Grouille-toi ou je te vire là tout de suite, crie-t-elle.

J'ouvre la bouche, je la referme.

Elle doit retourner sur scène dans cinquante secondes.

Je lisse une fois de plus les franges de la jupe. Elle tape du pied, se contorsionne, et l'un des crochets de son soutien-gorge cède.

Plutôt que de le recoudre avec une aiguille et du fil, je prends une épingle à nourrice et je répare les dégâts – sans lui dire comment j'ai fait.

— Merde, Christopher, mais ce que tu peux être lent, putain ! hurle-t-elle.

Puis elle retourne en scène pour chanter et danser comme si c'était la dernière fois.

Pendant ce temps, je suis dans la tente, au bord des larmes, et je me dis : *Je ne peux pas faire ce boulot. Je fais de mon mieux, mais je ne suis bon qu'à me faire hurler dessus. Je ne peux pas.*

J'entends les applaudissements de la foule, les acclamations, sachant qu'elle va bientôt revenir en coulisses pour se changer et me hurler dessus. J'ai envie de quitter les lieux pour toujours.

Puis je passe du mode habilleur au mode frère et je me rends compte que je ne peux pas abandonner ma sœur. Je songe à la foule, à la gloire et à la pression qu'elles exercent sur Madonna. Des milliers de gens sont là à la regarder, elle est sous adrénaline, la tête occupée par cent choses à la fois. Quinze chansons, quinze chorégraphies, paroles, pas, voix, mouvements, coiffures, maquillages. Et je prends conscience que tout – sans compter les ventes des billets, les salaires de la troupe, le public qui en veut pour son argent – absolument tout repose sur elle.

Et à cet instant, je me rends compte que Madonna ne ment pas du tout quand elle me dit qu'elle a besoin de moi, parce que c'est vraiment le cas. Je suis la seule personne en qui elle peut avoir confiance, la seule sur qui – quand la pression est intolérable – elle peut passer ses nerfs et qui la laissera faire, parce que je suis son frère et que j'ai de l'affection pour elle.

Je décide donc sur-le-champ que je vais supporter les insultes et la pression et que je ne vais pas laisser tomber, parce qu'en fin de compte, c'est au cœur de ce spectacle, dans le feu de l'action, que ma sœur est la plus vulnérable et que je veux être à ses côtés pour la soutenir. En plus, elle me fait pénétrer dans son univers dément et fabuleux, et j'en savoure chaque instant.

Ce sentiment positif s'évapore en partie quand Madonna arrive en trombe, hurlant parce que son soutien-gorge s'est dégrafé. Elle l'arrache, remarque l'épingle de nourrice et saute au plafond.

J'écoute le torrent d'injures et, au lieu de me recroqueviller, je repense à l'époque où notre père nous lavait la bouche avec du savon parce que nous avions prononcé un seul et unique gros mot. Aujourd'hui, avec Madonna, c'est de toute une caisse qu'il aurait besoin.

Je ris silencieusement et continue de l'habiller. Dès ce jour, à chaque concert, je resterai sourd à toutes les obscénités et récriminations et je me concentrerai sur la tâche du moment en ne prêtant aucune attention à ce qu'elle braille, sauf si cela a un rapport avec le costume. En dehors de cela, j'apprends à me faire tout petit et à ne pas réagir, quoi qu'il arrive.

D'une certaine façon, cette tournée est un apprentissage pour nous deux. C'est la première qu'elle fait et je n'ai jamais été habilleur. Qu'elle m'ait demandé, à moi qui n'ai aucune expérience, de l'habiller lors de cette première tournée, témoigne de la confiance qu'elle a désormais en moi.

Je crois que même un habilleur expérimenté aurait eu du mal à travailler avec Madonna sur le *Virgin Tour*. D'autres habilleurs avaient déjà travaillé avec des stars, mais, à l'époque, peu d'entre elles tournaient avec des spectacles comportant autant de changements de costumes. Et je doute que la majorité transpire autant.

Éponger la sueur de Madonna – parfois même sur ses seins – me met incroyablement mal à l'aise. Cependant, à chaque changement de costume, je m'exécute parce qu'elle a besoin de moi et que cela fait partie de ma tâche.

Cela étant fait, je l'habille, je m'assure que cheveux et maquillage sont en place, puis je la pousse vers la scène. Et quand elle revient – en particulier après les premières chansons – je lui dis qu'elle a été fantastique, qu'elle est sublime et que le public l'adore. Et elle retourne en scène, comblée.

Dès que le spectacle est terminé, je l'enveloppe dans une serviette et je la mets dans la voiture qui la ramène aussitôt à l'hôtel. Je suis dans le car avec le reste de l'équipe, qui n'a pas quitté ses costumes.

Arrivé à l'hôtel, je passe de chambre en chambre et – c'est la partie qui me plaît le moins – je récupère les costumes et les confie au teinturier afin qu'ils soient prêts pour la date suivante.

Ensuite, je me rends dans la chambre de ma sœur et nous discutons du spectacle et de son déroulement. Elle me dit ce qui d'après elle a cloché et ce qui a bien fonctionné, me donne ses impressions sur les danseurs et musiciens – qui a commis des erreurs, qui a été parfait. Si le concert s'est bien déroulé, elle est de bonne humeur. Et j'en rajoute. « Excellent concert, public génial, ils étaient ravis de te voir. » Et elle est aux anges.

Au fur et à mesure, je commence à connaître ma sœur et à l'aimer. Je me sens protecteur, à cause de ce tourbillon dément qui l'enveloppe et dont j'aimerais lui épargner une partie, si je peux.

Quand je vois les foules, les gens, la célébrité, je me rends compte que je suis capital pour la sécurité de Madonna, pour qu'elle se sente à l'abri. Elle va de ville en ville et elle a besoin de se reposer sur quelqu'un. Pour le moment, cette personne, c'est moi, et je suis heureux de la soutenir.

*

* *

Dès l'instant où nous arrivons à Portland, dans l'Oregon, le 15 avril, j'ai l'impression que c'est l'une des plus étranges villes que j'aie eu l'occasion de visiter. Devant l'Arlene Schnitzer Concert Hall, des extrémistes religieux manifestent avec des pancartes proclamant que Madonna est la fille de Satan et qu'elle finira en enfer.

Mon désir de protéger ma sœur se renforce quand, après le concert de Portland, Freddy, qui n'en a pas touché mot à Madonna, me confie qu'il a reçu des menaces de mort la concernant. Je flippe. Dès ce moment, je redouble de vigilance sur ce qui l'entoure, je deviens encore plus protecteur, limite parano. Cela me restera et encore aujourd'hui, quand je vois à la télévision Madonna entourée de monde ou en train de chanter dans un immense stade, j'ai peur pour elle.

Après ces menaces démentes à Portland, j'ai du mal à croire que nous n'en sommes qu'au début de la tournée. Madonna joue à San Diego, Costa Mesa et San Francisco, puis triomphe avec trois concerts complets à l'Universal Amphitheater de Los Angeles, où nous apprenons que *Like a Virgin* est certifié quadruple disque de platine.

Nous nous rendons ensuite à Tempe, Dallas, Houston, Austin, la Nouvelle-Orléans, Tampa et Orlando et, le 11 mai – jour où « Crazy For You » arrive N° 1 dans les charts, nous jouons à Miami. Ensuite, c'est Atlanta, Cleveland, Cincinnati, deux concerts complets à Chicago, Saint-Paul-Minneapolis, Toronto, et enfin, nous arrivons à Detroit.

Entre-temps, toutes les villes que nous avons parcourues se sont mélangées et confondues dans ma tête. Mais le grand moment indiscutable de cette tournée, c'est Detroit. Quand les lumières s'allument, Madonna hurle : « Il n'y a rien de tel que de se retrouver chez soi. » C'est une belle phrase, sentimentale, humble, qui fait plaisir à ses premiers fans.

Le stade tout entier se répand en acclamations.

L'espace d'un instant, elle semble profondément émue.

— Jamais je n'ai été élue reine du lycée. Mais là, j'ai l'impression d'en être une, continue-t-elle.

Puis elle s'incline, comme si elle était vraiment vaincue par les larmes. Peut-être que oui, peut-être que non. Quoi qu'il en soit, c'est clairement un moment de triomphe sans égal pour elle. Grand-mère Elsie est dans la salle, tout comme Christopher Flynn, Joan, mon père et tous nos frères, sœurs, oncles, tantes et cousins. Je vois depuis les coulisses qu'ils sont abasourdis, fiers, et pas qu'un peu surpris du changement opéré par la petite fille qu'ils pensaient tous si bien connaître.

Madonna est maintenant la preuve vivante que tous ses rêves se sont réalisés. Elle a réussi, elle est devenue une grande star et sa vie ne sera plus jamais la même.

Pourtant, au milieu de ces applaudissements triomphaux et de l'énorme avancée qu'elle connaît durant le *Virgin Tour*, elle commence à avoir des moments de doute.

Après le concert, dans sa chambre, en pleine nuit, alors que nous regardons ensemble *Le Roman de Mildred Pierce*, elle éteint soudain la télévision.

— Christopher, si Maman était encore en vie, qu'est-ce que tu crois qu'elle dirait de moi, du spectacle ?

J'hésite une seconde, puis, parce que je ne veux pas impliquer ma mère ni même son souvenir dans des mensonges, je lui dis la vérité.

— Je ne crois pas que cela lui plairait de te voir sautiller sur une scène, tous ces crucifix, cette exhibition de sexualité.

Madonna a l'air effondré.

— Mais je crois qu'elle serait quand même fière de toi, me hâté-je d'ajouter.

Deux jours plus tard, le 27 mai, Madonna fait la couverture de *Times*. « Madonna : Pourquoi on se l'arrache » analyse ce phénomène planétaire. Dans l'article figure également une longue interview où elle réécrit son histoire et celle de notre famille pour la graver dans le marbre.

Voici quelques-unes de ces phrases qui forgeront la légende : « Comme j'étais l'aînée, j'ai eu beaucoup de responsabilités d'adulte. J'ai l'impression que toute mon adolescence a consisté à m'occuper de bébés, changer des couches et jouer les baby-sitters. Je dois avouer que cela ne me plaisait pas, parce qu'alors que toutes mes copines sortaient s'amuser, moi, j'avais des responsabilités d'adulte… Je me considérais vraiment comme une Cendrillon. Vous voyez le genre : j'ai une belle-mère et j'ai toutes ces corvées à faire, c'est horrible, je ne peux jamais sortir et je n'ai pas de jolies robes. »

Je sais que c'est un coup médiatique et j'applaudis son imagination.

À propos de Marty et Anthony, elle déclare : « Ils me suspendaient à la corde à linge par ma petite culotte. J'étais petite et ils m'accrochaient là avec des épingles à linge. » C'est relativement infaisable, mais l'anecdote a été souvent reprise par la presse populaire, ce qui témoigne du talent de ma sœur à créer des images marquantes.

Il y a ensuite la légende rabâchée de son arrivée à New York : « Je monte dans un taxi et je dis au chauffeur de me conduire là où tout se passe. Il se trouve que c'est Times Square. Je crois qu'il m'a dit quelque chose comme : "Je vais lui montrer". Il a dû bien s'amuser. »

Ensuite : « J'ai eu une bourse pour aller à l'Alvin Ailey School. »

Ces légendes fabriquées de toutes pièces n'ont rien de scandaleux ; c'est juste intéressant. Et elle continuera tout au long de sa carrière. Pendant tout ce temps, notre famille l'écoute réécrire l'histoire, mais personne ne lui dit rien. Nous sommes pour la plupart trop éblouis par sa gloire et l'attention que celle-ci nous vaut, et nous ne voulons tout bonnement pas faire de vagues.

Après l'euphorie de Detroit, nous jouons à Pittsburgh, Philadelphie, Hampton, en Virginie, puis dans le District of Columbia, au Maryland, à Worcester et New Haven, pour finir là où nous avons commencé par les showcases : à New York. Les 6, 7 et 8 juin, Madonna donne trois concerts complets à Radio City, suivis les 10 et 11 juin de deux derniers concerts complets au Madison Square Garden.

Parmi les célébrités qui y assistent, on trouvera Don Johnson, John F. Kennedy Jr. – qui commençait à l'époque à faire son droit – et l'artiste graffiti Futura 2000. Après le concert, tous les trois viennent rendre hommage à Madonna dans sa loge. Don Johnson rôde comme un chiot amoureux, avec un bouquet de roses à longue tige qui a l'air de se faner de minute en minute. John, encore plus beau que sur les photos, reste timidement sur le seuil. Madonna ne leur jette un regard ni à l'un ni à l'autre et préfère s'intéresser à Futura dont elle caresse la main en conversant à voix basse. Je comprends immédiatement : ma machiavélique sœur ne s'intéresse pas à Don, mais elle s'est mis en tête d'attiser la jalousie de John. Sa tactique semble couronnée de succès, car, plus tard, elle parviendra à le faire céder.

Après le dernier concert du Madison Square Garden, une soirée est donnée pour Madonna au Palladium, où la foule se presse autour d'elle. Nous passons la majeure partie de la fête derrière le cordon de velours du carré VIP de Mike Todd a nous remémorer la tournée, rire et danser. Je me rappelle avoir éprouvé une bouffée d'ivresse de pouvoir par procuration : je suis le frère de Madonna. Le frère d'une superstar. Je suis tellement aspiré par la magie du meilleur des mondes de Madonna que je ne saisis pas que je suis en train de me perdre, et que travailler avec ma sœur constitue maintenant toute ma vie.

Aucun de mes amis ou membre de la famille ne sait que je suis l'habilleur de Madonna. La plupart pensent que je ne fais que l'accompagner. Je ne leur dis pas que je passe en réalité presque tout mon temps à ramasser ses sous-vêtements trempés de sueur. C'est mon boulot, mais cela continue à me gêner et je serais humilié si quiconque était au courant.

*
* *

J'ai beaucoup appris sur Madonna et sur moi-même durant la tournée et elle a fait une découverte capitale sur elle-même : dès la troisième chanson, elle est généralement à bout de souffle et épuisée.

Du coup, elle décide de s'entraîner pendant cinq mois avant chaque tournée qui suivra. Je suis convaincu qu'elle va repartir sur les routes dès que possible. Je vois bien que c'est sur scène qu'elle est la plus heureuse et la plus à l'aise. Quelques années plus tard, Warren Beatty prétendra que Madonna « ne veut pas *vivre* s'il n'y a pas une caméra dans les parages ». Mais pour une fois, il se trompe. Car dès le *Virgin Tour*, je sais que ma sœur ne veut vraiment vivre – et ne vit vraiment – que sur scène.

Après l'euphorie de la tournée, je rentre à Morton Street et reprends brutalement pied avec la réalité. J'ai de grosses difficultés à me réadapter au quotidien. Et cela va empirer à chaque tournée.

Je dois gérer la jalousie grandissante de Danny à l'égard de Madonna et le fait qu'il trouve mon travail auprès d'elle dégradant. Mais je m'en moque. Bien que Madonna et Sean annoncent leurs fiançailles le 24 juin, elle et moi sommes de plus en plus proches. En plus, grâce à mon travail sur la tournée, elle me laisse désormais pénétrer plus intimement dans sa vie et commence à se fier à mon point de vue artistique.

Des années plus tard, elle me fera un compliment aigre-doux dans une interview publiée dans *Elle Decor* : « Je ne suis pas le moins du monde surprise que Christopher soit doué pour tant de choses. Dans notre famille, tout le monde était créatif à sa façon : nous savions tous danser, peindre ou jouer d'un instrument. Christopher, pour une raison inconnue, savait faire les trois ».

À l'aise dans mon rôle d'*homo universalis* – l'artiste accompli – un matin, peu après la fin de la tournée, je regarde Madonna avec sa minijupe et ses bracelets en caoutchouc et je commence à me comporter de nouveau comme son habilleur. Mais je lui parle comme un frère, sans craindre de me faire virer.

— Tes jambes ont l'air de grosses saucisses avec cette jupe, lui dis-je. Tu es une adulte, désormais ; il te faut une image plus distinguée et classique, plus Katherine Hepburn que Boy Toy.

L'espace d'une seconde, j'ai l'impression qu'elle va m'égorger.

Elle reste un instant songeuse, puis elle sourit tristement :

— Tu as sûrement raison, Christopher. Allons faire des emplettes.

Je l'emmène dans son magasin préféré, Matsuda, au coin de Madison Avenue et la Soixante-Douzième.

Je choisis une chemise d'homme en soie crème, un pantalon d'été gris-brun et des chaussures à lacets en cuir surpiqué. Madonna version 5 est née : une femme adulte, élégante et stylée.

Malheureusement pour elle, cette nouvelle image sophistiquée va se trouver gravement ternie quand, en juillet 1985, des photos d'elle nue sont publiées dans *Playboy*.

À 6 heures du matin, le 10 juillet, cinq millions d'exemplaires de *Playboy* – présentant sur quatorze pages des nus en noir et blanc de Madonna – arrivent dans les kiosques. Elles ont été prises en 1979 et 1980 par deux photographes de New York, Lee Friedlander et Martin Schreiber, apparemment quand Madonna posait pour les photographes du cours de « Nu » à la New School. Quelques jours plus tard, pour ne pas être en reste, *Penthouse* sort à son tour une série de dix-sept pages de photos couleurs et noir et blanc prises par un autre photographe, Bill Stone.

L'objectif photographique a toujours été le grand allié de Madonna, et l'une de ses plus grandes passions. Elle adore la photo, sans réserve, et l'objectif le lui rend bien. Après tout, c'est grâce à lui qu'ont été capturées et diffusées la multitude d'images qui contribuent à sa séduction. Jusqu'à présent – en dehors des photos volées des paparazzi – elle a toujours exercé un contrôle impitoyable sur la majorité des images prises d'elle. À présent, pour la première fois de sa carrière, elle n'a plus de prise sur la situation, et les médias sont submergés de clichés dont elle ne contrôle pas les droits et dont elle ne peut tirer aucun bénéfice.

J'entends parler de ces photos alors que je travaille pour l'attachée de presse de Madonna, Liz Rosenberg, une plantureuse blonde aux yeux bleus que Madonna emploie encore aujourd'hui – c'est la seule employée de sa vie, en dehors de Donna De Lory, qui peut se vanter d'avoir autant duré.

Après le *Virgin Tour* – peut-être à cause de mon statut privilégié d'intime et de la confiance qu'elle a en moi – Madonna m'a trouvé un poste auprès de Liz, chez Warner Records, au Rockefeller Center.

Ce matin-là, j'arrive au bureau de bonne heure et je trouve Liz, chaussée de pantoufles lapin roses, prête à décrocher son téléphone en forme de grosses lèvres rouges. Liz a un penchant pour les lèvres. Même son canapé Mae West par Dalí est en forme de lèvres. Les siennes sont pleines et voluptueuses. Elle porte du rouge dont elle laisse généralement une trace parfaitement dessinée sur le joint de marijuana qu'elle est connue pour fumer à 16 heures – brève pause avant de reprendre le travail, imperturbable. J'ai toujours été fasciné qu'elle arrive à faire cela.

Mais, ce matin, Liz est tout sauf détendue. De sa petite voix flûtée, elle m'annonce la nouvelle :

— Des magazines ont sorti des photos de nu de ta sœur. Ne va pas les acheter, car je ne veux pas que ces gens se fassent de l'argent grâce à nous.

— Mon père est au courant ?

— Je ne lui ai encore rien dit.

Je remarque l'utilisation du pronom *je*.

Madonna ne m'a pas averti pour les photos. Il est clair qu'elle ne veut pas le dire elle-même à notre père, préférant déléguer cette tâche ingrate à Liz. Je blêmis en imaginant notre père si rigide arriver au bureau en sachant que ses collègues ont probablement vu sa fille toute nue. Quant à ma grand-mère, je n'ose même pas imaginer sa réaction. Plus tard, j'apprendrai qu'en entendant la nouvelle, elle a éclaté en sanglots.

Je ne peux pas blâmer Madonna d'avoir posé pour ces photographies, cela dit. Après tout, bien des danseuses font cela. Pendant un moment, j'y ai même songé. N'oublions pas que, lorsqu'on galère, gagner dix dollars de l'heure pour enlever ses vêtements, c'est un vrai miracle. Il n'y avait rien de sordide dans les circonstances qui ont amené Madonna à poser pour ces nus, mais je suis gêné qu'elle n'ait prévenu personne de la famille, ni éprouvé le besoin de m'avertir ou de me faire part de son inquiétude concernant les réactions de notre père et de notre grand-mère. Je commence à me rendre compte que ma sœur ne semble pas se soucier de l'impact de sa carrière ou de son comportement sur notre famille.

Le téléphone de Liz ne cesse de sonner et elle gère les appels avec ce mélange d'élégance et d'intelligence qui ont fait sa réputation. De mon côté, j'appelle Danny, et nous décidons qu'il faut jeter un coup d'œil à ces photos, puisque tout le pays ne pense qu'à cela.

Du coup, en rentrant du bureau, je m'arrête au petit kiosque au coin de Christopher Street et Sheridan Square. Quand je vois la couverture de *Playboy*, je repense un instant à mon enfance, à la cabane, à tous mes copains qui restaient bouche bée devant les pages centrales du magazine, que ma sœur occupe maintenant et sur lesquelles d'autres ados morveux vont s'extasier en matant son anatomie.

Je n'ouvre les magazines qu'une fois rentré et je les regarde avec Danny.

C'est l'image de ma sœur en danseuse motivée, nouvellement arrivée à Manhattan, qui me saute aux yeux, pas celle de la pop star. L'espace d'un instant, je suis transporté dans le passé.

Ma première pensée est pour la pauvreté visuelle et artistique des photos.

Ensuite, je me dis que c'est la première fois que je vois ma sœur totalement nue. Dans la loge, elle garde toujours sa petite culotte. Quand nous étions enfants ou lorsque, plus tard, nous avons habité ensemble, elle ne s'est jamais promenée nue devant moi et n'a jamais pris le soleil topless. En fait, dans la vie, elle a toujours été relativement pudique. Outre que cela la gênerait d'être nue dans sa loge devant un inconnu, à cette époque de sa carrière, elle n'a pas encore beaucoup dévoilé son corps sur scène non plus.

Je trouve aussi qu'elle était très maigre.

Et enfin, qu'elle était très poilue.

Je lui en fais part quand finalement nous en parlons.

— Eh bien, je ne me rasais pas, à l'époque, dit-elle en riant.

Je ris aussi.

Mais, bien que nous changions rapidement de sujet, je sens qu'elle a été profondément embarrassée par la publication des photos et qu'elle s'efforce de n'en rien montrer.

Pas plus qu'elle ne me fait part de ce qui, je le sais, doit la tracasser : que penserait notre pieuse mère si elle voyait ces photos ?

Et bien que je n'exprime pas ce sentiment devant elle, je me rends bien compte que – aux yeux du monde – ma sœur n'aura plus le moindre mystère. Et que toute l'innocence qu'elle a pu avoir est désormais envolée. Elle n'a plus rien à perdre, plus rien à cacher. Après tout, son intimité a été irrémédiablement dévoilée. Dès lors, elle s'en chargera elle-même. À partir de maintenant, elle est libre d'être aussi scandaleuse qu'elle le veut. Et elle ne s'en privera pas.

Comme toujours, Liz aide Madonna à se protéger de la tourmente médiatique. Quand la tempête diminue, Madonna en sort plus grandie que jamais. De soi-disant « spécialistes » de Madonna prétendent souvent que ma sœur est obsédée par Marilyn Monroe et qu'elle a calqué sa personnalité et sa carrière sur les siennes. Ils se trompent. Bien que la publication des photos nues de Madonna ait pu avoir le même effet sur sa carrière que celle du calendrier de nus de Marilyn sur la sienne, hormis dans le clip de « Material Girl », Madonna ne s'est jamais identifiée à Marilyn et n'a jamais copié sa personnalité ou sa carrière. Et elle n'a jamais été le moins du monde autodestructrice, ce qui explique probablement pourquoi c'est une star depuis un quart de siècle et que – contrairement à Elvis et d'autres superstars – elle n'est pas morte jeune.

Liz Rosenberg est selon moi en partie responsable du succès durable de Madonna. À bien des égards, Liz, qui a dix ans de plus qu'elle, a toujours été une figure maternelle pour elle. Liz a parfois été prise par erreur pour la mère de Madonna et il est même arrivé à Madonna de l'appeler une ou deux fois « Maman ».

Dès le début, Liz sait parfaitement comment gérer Madonna : exactement comme on traiterait un grand bébé, en cédant à tous ses caprices, mais tout en le guidant délicatement dans la bonne direction.

À certains égards, elle a toujours traité Madonna comme sa fille et l'a considérée comme faisant partie de sa famille. Et elle a fait preuve d'un incroyable stoïcisme devant la manière parfois injuste dont Madonna s'est comportée envers elle – tantôt l'ignorant, tantôt faisant comme si Liz n'avait joué aucun rôle dans son succès.

Ayant vu au cours des ans Madonna agir de la même manière avec une multitude d'autres gens, moi y compris, je me suis rendu compte qu'elle ne fait pas cela par méchanceté, mais parce que, avec les années, entourée de flatteurs qui opinent constamment, elle croit réellement qu'elle s'est entièrement faite toute seule et que, à la manière de Louis XIV, qui avait déclaré : *L'État, c'est moi*[1], c'est toute seule qu'elle est devenue une superstar.

Que Madonna soit disposée à l'admettre ou pas, l'une des autres personnes responsables de son succès en dehors de Liz et Freddy est le grand patron de Sire Records : Seymour Stein.

En fait, alors que je travaille pour Liz, un poste d'assistant personnel se dégage et j'ai un entretien d'embauche avec lui. Mais, alors que je suis censé le voir à son bureau, juste avant, Seymour me fait venir chez lui à la place.

Et autant j'adore son appartement sur Central Park West, sa collection de juke-box et son mobilier Art Deco américain, quand il m'ouvre la porte vêtu seulement d'un peignoir, j'ai quelques inquiétudes.

---

1. En français dans le texte.

Il a été marié à Linda Stein – la célèbre promotrice immo-
bilière tragiquement assassinée à la fin 2007. En ce jour de
1985, ses premières paroles pour moi sont : « Entre, allons
bavarder dans ma chambre ». Comme cela me met mal à
l'aise, je décline l'invitation et je m'en vais. Bien que je n'aie
pas eu le poste, je respecte néanmoins professionnellement
Seymour, puisque, après tout, c'est lui qui le premier a eu le
flair de faire signer un contrat d'enregistrement à Madonna.

Le 13 juillet 1985, Madonna et moi nous rendons en
voiture à Philadelphie et je la regarde se produire devant
un public de quatre-vingt-dix mille personnes pour Live
Aid, un spectacle regardé par des millions de gens dans le
monde. Elle est totalement dévouée à la cause du sida et
je sais qu'aujourd'hui encore elle tient à y contribuer.
Comme une allusion à la controverse des photos de nu,
elle chante vêtue d'un manteau de brocart. En la voyant se
pavaner sur scène, je me rends compte qu'elle est désormais plus célèbre que presque tous les autres artistes qui
jouent ce jour-là.

Mais bien que j'aie du mal à me l'avouer, alors qu'aucune
autre star au monde n'est aussi célèbre, sa prestation est
éclipsée par celles de beaucoup des autres superstars
présentes. Après le concert, nous rentrons directement à
Manhattan, parce qu'elle ne veut pas traîner avec les autres.
Durant le trajet, nous en parlons. Je lui dis bien évidemment
qu'elle était la meilleure, et elle me croit probablement.

À mesure que la machine publicitaire continue sa course,
le succès phénoménal ne cesse de croître. *Like a Virgin* se
vend à cinq millions d'exemplaires. C'est le premier album
d'une chanteuse à connaître ce record. « Angel/Into the
Groove » est disque d'or et je retourne à Los Angeles habiter
avec Madonna et Sean dans leur maison de Carbon Mesa.

Le mariage étant proche, Sean décide que le moment est
venu de procéder à un vrai rituel d'amitié virile.

Nous sommes tout seuls dans la cuisine couverte de céramiques mexicaines.

Il porte un jean et un tee-shirt blanc. Moi un jean et un tee-shirt noir.

Il sort un canif.

— Christopher, soyons frères de sang.

Je suis sous le choc, mais je m'efforce de ne rien laisser paraître.

— Des quoi ? demandé-je de mon air le plus dégagé.

— Frères de sang.

— Oui, bien sûr.

Son canif et lui sont maintenant dangereusement proches de moi.

— Montre-moi ton pouce, dit-il en exagérant encore plus que d'habitude son accent de petit dur.

Étant gaucher, je tends le pouce droit. Oh, je n'en ai pas autant besoin que ça...

Sean me saisit le poignet d'une main et me fend le gras du pouce de l'autre. Le sang jaillit.

Je frémis, mais je me retiens parce que je ne veux pas que Sean me prenne pour une mauviette.

Il en fait autant avec son pouce.

Puis il l'appuie sur le mien et – l'espace de quelques secondes – j'en fais autant.

— Maintenant, nous sommes frères de sang, dit-il en me donnant une tape sur le dos.

Après quoi, il va retrouver Charles Bukowski qui vient de finir de vomir dans les toilettes.

Après cela, je me sens à l'aise. J'ai réussi l'initiation. Je n'ai pas eu la trouille. Je suis un mec comme les autres, enfin. Et Sean et moi sommes maintenant de vrais frères.

Mais je n'en parle pas à ma sœur et je pense que Sean se tait également. Nous savons l'un et l'autre qu'elle aurait probablement un fou rire. Elle ne comprendrait tout bonnement pas. Après tout, ce sont des trucs de mecs.

Six ans plus tard, je suis à une soirée à l'Argyle Hôtel sur Sunset. Sean et Madonna sont désormais divorcés. Il est maintenant avec Robin Wright et après qu'il a courageusement avoué publiquement qu'il était ivre mort durant la plus grande partie du tournage de *Shanghai Surprise*, je lui ai presque pardonné la manière dont il a traité ma sœur. J'ai aussi fini par beaucoup admirer ses talents d'acteur. C'est la première fois que je le vois depuis le divorce et cela me fait plaisir.

Et, quand il vient à ma rencontre, nous bavardons.

— Comment va Madonna ? demande-t-il.

L'espace d'une seconde, j'envisage de lui dire qu'elle est toujours amoureuse de lui, car je pense que c'est le cas. Mais je n'en fais rien et je me contente de dire qu'elle va bien.

— Salue-la pour moi. (Un silence. Il se dandine, mal à l'aise.) Christopher, tu te souviens du soir où on est devenus frères de sang ?

— Bien sûr. Comment pourrais-je l'oublier ?

Il respire un bon coup, puis :

— Tu n'as pas le sida, n'est-ce pas ?

Ce que je lui réponds n'est pas publiable, et je tourne les talons.

Le 16 août 1985, lors d'une cérémonie en plein air sur Wildlife Road, au bout du Pacific Coast Highway, dans la maison à 6,5 millions de dollars du promoteur Kurt Unger, Madonna épouse Sean. L'invitation annonce : « Le besoin de discrétion et un désir de vous ménager un suspens haletant nous obligent à n'annoncer l'adresse exacte à Los Angeles que la veille de la cérémonie. » Je suis de nouveau à New York avec Danny, mais je retourne à Los Angeles retrouver ma grand-mère et le reste de la famille au Shangri-La, l'hôtel

Art Déco années trente de Santa Monica où ils sont tous descendus.

En cadeau de mariage, j'offre à Sean et Madonna le vitrail que j'ai peint et qui représente deux lianes entrelacées. Ils me déclarent qu'ils apprécient, mais il ne sera jamais exposé chez eux. Plus tard, la même année, je le ressors du placard où ils l'ont rangé et je le rapporte chez moi.

Le lendemain, grand-mère Elsie, mes sœurs et moi nous rendons en voiture à Malibu. Nous sommes prévenus que les photos sont interdites. Étant donné cette consigne, je suis surpris que le mariage, qui a lancé tous les paparazzi du monde dans une quête impitoyable pour voler un cliché, n'ait pas lieu en intérieur. Du coup, pour moi du moins, ce qui arrive est tout à fait prévisible.

Des hélicoptères chargés de journalistes et photographes envoyés par des journaux à scandale au budget illimité survolent la maison pour prendre des photos. Sean les couvre d'imprécations, puis se tourne vers les invités et annonce en grondant : « Bienvenue au remake d'*Apocalypse Now* ! » Comme le dira plus tard Madonna : « Je ne pensais pas que je me marierais avec treize hélicoptères au-dessus de ma tête. Ça a fini en cirque. Au début, j'étais scandalisée, puis ensuite, cela m'a fait rire. On n'aurait jamais montré cela dans un film. Personne n'y aurait cru. C'était comme une comédie musicale de Busby Berkeley. Ou un coup publicitaire monté de toutes pièces. » Pour une fois, ce n'était pas ma sœur qui en était l'auteur. Le lieu du mariage avait été décidé par Sean et lui seul.

Je sais qu'à ce stade de sa carrière, Madonna n'aurait jamais choisi pour son mariage un endroit aussi retiré où les photographes ne pouvaient prendre de clichés que depuis les airs alors qu'elle était resplendissante dans sa robe de mariée. Elle aurait préféré poser pour eux. Éblouissante dans sa robe dos nu à dix mille dollars, avec une traîne de trois mètres, une écharpe en argent rose brodée de pierreries, dessinée par Marlene Stewart, styliste du *Virgin Tour*, Madonna a évidemment choisi de porter du blanc. De peur d'être raillée pour s'être montrée aussi conventionnelle, sous le voile, elle porte un chapeau melon noir. Sean porte un costume Versace croisé à 695 dollars, et, toujours anti-conformiste, il laisse sa cravate dénouée.

Sous les auspices du juge de Malibu John Merrick, la cérémonie dure cinq minutes. Je suis sûr que les paroles sont émouvantes, mais nous n'entendons pas un mot des vœux échangés à cause du vacarme assourdissant des héli-coptères. Les mariés échangent leurs alliances en or. Puis, au son du flamboyant thème principal des *Chariots de Feu*, que j'entends à peine dans ce tintamarre, Sean l'embrasse et nous applaudissons.

Sean porte à Madonna un toast que nous n'entendons pas. Puis il se glisse sous sa robe et lui ôte sa jarretière. À un moment, Madonna lève les yeux vers les hélicoptères et leur fait un doigt d'honneur, mais je sais qu'en réalité, elle s'en fout. Excédé, Sean fonce dans la maison et en ressort avec un calibre 45.

— Qu'est-ce que ça peut faire, Sean ? lui crie Madonna. Laisse tomber ! Sinon, ils vont juste avoir des photos de toi avec une arme. Et ils ne s'en iront pas.

Elle s'amuse. Mais Sean, maintenant à fond dans son per-sonnage, est toujours aussi furieux et commence à tirer dans les airs, pendant qu'Andy Warhol, Steve Rubell, Cher (coif-fée d'une perruque violette en hérisson), le reste de la famille et moi, nous contemplons le spectacle, stupéfaits.

Heureusement, Sean est détourné de sa mission par l'annonce du dîner et nous nous engouffrons tous sous une tente dressée devant la maison. À l'intérieur, nous sommes toujours assourdis par le fracas des hélicoptères, mais nous parvenons tout de même à savourer le menu concocté par Wolfgang Puck – caviar, huîtres fumées, raviolis au homard, espadon rôti et selle d'agneau, suivis d'une pièce montée à la noisette de cinq étages.

Cependant, mon souvenir le plus vivace du dîner restera toujours ces hélicoptères décrivant des cercles au-dessus de nous comme des vautours affamés. Je sais que Madonna a finalement tiré un grand plaisir de cette invasion des médias. Comme toujours, elle accueille à bras ouverts la moindre attention médiatique. Après tout, elle est née pour ça. Et si elle est une star et l'est restée, c'est entre autres parce qu'elle a toujours su comment manipuler les médias. Ce n'est pas le cas de Sean, évidemment. En fait, le jour du mariage va donner le ton de toute leur vie commune : Sean courant en tous sens avec une arme et Madonna souriant, radieuse, devant les caméras.

5

Frères et sœurs sont plus proches que mains et pieds.

Proverbe vietnamien

Dans les cinq mois qui suivent la rencontre entre Sean et Madonna, la carrière de ma sœur est montée en flèche, de triomphe en triomphe et de scandale en scandale, et parfois, j'ai de la peine pour Sean qui, malgré son horreur professée des médias, veut tout de même devenir une star de son côté. Le bolide Madonna continue sur sa lancée, parfois avec lui, parfois sans. Sean vient d'essuyer le scandale des photos de nus, et, moins de trois semaines plus tard, Madonna perd le procès qu'elle a intenté pour interdire la sortie de *A Certain Sacrifice*, un porno soft de soixante minutes à petit budget de Stephen Lewicki, qu'elle a tourné en 1979 lors de ses premières années à Manhattan.

Je m'apprête à l'appeler pour compatir, mais en regardant d'un peu plus près les gros titres en une du *New York Post* – « Madonna cherche à faire interdire un film où elle apparaît nue » – je me dis qu'elle est probablement ravie de toute la publicité que le procès contre Lewicki va engendrer. Elle est bien capable de ne l'avoir traîné en justice qu'en prévision des conséquences – grâce à son sixième sens qui lui souffle ce que la presse attend.

Dans le film, Madonna est habillée, sauf dans une scène où elle apparaît seins nus. Mais le contenu est chaud. Madonna joue le rôle de Bruna, une dominatrice new-yorkaise qui possède une écurie d'esclaves sexuels. Une scène de viol figure également dans le film. Je ne suis pas du tout choqué que Madonna ait accepté le rôle ; elle était jeune à l'époque, elle faisait des expériences et, surtout, elle avait du mal à joindre les deux bouts. Mais je sais que grand-mère Elsie et mon père vont être horrifiés qu'elle ait tourné dans un film aussi sordide et qu'ils préféreraient qu'on le passe sous silence. J'ai aussi de la peine pour Sean. Quand le film sort un peu plus tard, aucun de nous n'y fait allusion. Inutile de dire que je n'ai jamais eu envie de le voir.

Le fiasco du mariage une fois derrière nous, ainsi que mon initiation de frère de sang, je décide que j'apprécie vraiment Sean Penn, mon nouveau beau-frère.

Le 9 novembre 1985, Madonna est l'invitée de la première émission de la saison du *Saturday Night Live* qui redémarre. En parodiant Lady Di, elle recueille encore une fois une grosse couverture médiatique. En Grande-Bretagne, en particulier avec la sortie de « Dress You Up », elle s'apprête à être la seule chanteuse depuis trente ans à avoir simultanément trois singles dans les charts. Des photos de Madonna en princesse Diana paraissent dans tous les journaux. Les dieux de la publicité lui sourient manifestement.

À mon anniversaire, le 22 novembre 1985, Danny m'emmène dans un restaurant français du West Village où nous avons nos habitudes. Quand nous rentrons à Morton Street, nous trouvons Madonna ainsi que six autres personnes. Ma première fête d'anniversaire surprise : et ce sont Sean, Madonna et Danny qui me l'ont préparée.

Sean et Madonna examinent mes peintures – les toiles religieuses, pas les vitraux comme celui que je leur ai offert pour leur mariage.

— J'aime bien, dit ma sœur. Tu devrais continuer.

Son encouragement est sans prix pour moi. Nous buvons du champagne, passons des disques d'Ella Fitzgerald et nous nous amusons beaucoup.

Personne d'autre de la famille n'a jamais été présenté à Danny. Ils ne savent même pas qu'il existe. Cela m'écarte un peu des miens mais me rapproche de Madonna. Grâce à cette soirée surprise, j'ai l'impression d'avoir été adopté par eux deux et, pour la première fois depuis la mort de ma mère, je me sens en sécurité et protégé.

Je suis ravi non seulement de faire partie de la famille de Sean et Madonna, mais aussi que ma sœur devienne rapidement l'une des femmes les plus célèbres d'Amérique. Le sentiment de pouvoir qui l'entoure agit sur moi comme une drogue dure. Dans les restaurants, les bars et les clubs, je suis traité comme un membre de la famille royale rien qu'en mentionnant son nom. Pour le moment, du moins, je ne vois aucun revers de médaille à la célébrité de Madonna. Personne ne me sollicite trop. Les photographes comme les fans de Madonna crient mon prénom. Le seul problème que pose la gloire de Madonna, c'est que Danny n'est toujours pas conquis et qu'il est constamment mis à l'écart par toute l'hystérie et l'attention qui accompagnent chacun de ses faits et gestes.

Danny est régulièrement agacé par les vagues que fait Madonna et déteste devoir me partager avec elle. À cette époque, et durant toute notre relation, il exige cent pour cent de mon attention et en veut à quiconque en bénéficie aussi. Curieusement, Danny ressemble à Sean. Comme lui, il déteste les dîners, les boîtes, et préfère rester peinard avec moi à la maison.

Peut-être n'est-ce pas si surprenant que Madonna et moi ayons choisi de partager notre existence avec des hommes si semblables. Mais tandis que la relation de Madonna et Sean est vouée à s'étioler et mourir, celle que je vis avec Danny dure toute une décennie, principalement parce qu'il sera toujours mon Pygmalion. Quand nous nous sommes rencontrés, j'étais un plouc du Michigan de vingt-trois ans complètement perdu dans la sophistication de Manhattan. Danny, en revanche, est l'archétype du New-Yorkais – urbain, cultivé, avisé. Durant toutes ces années, il va m'initier au raffinement : les draps Pratesi, l'argenterie Christofle, le caviar beluga et le champagne Cristal.

Et bien qu'il n'apprécie pas Madonna, qu'il déteste l'emprise qu'elle a sur moi, du jour où il renonce à son boulot chez Fiorucci, il devient mon bras droit et s'occupe de tout à la maison pour que je me concentre sur mon travail. Plus encore, avec lui, je me sens en sécurité, protégé – sans parler de l'alchimie sexuelle torride qu'il y a entre nous.

Le 8 janvier 1986, Sean, Madonna et moi nous partons à Hong Kong pour entreprendre la préparation du tournage de *Shanghai Surprise*. Selon la presse, ma sœur et Sean touchent chacun un million de dollars. Nous descendons dans un hôtel de Kowloon. Je sors immédiatement sur le balcon et j'admire les lumières qui clignotent dans la baie. Je photographie la scène et j'envoie la photo à mon père, en lui disant qu'elle me rappelle le paysage oriental qui décorait la « Salle de Réception » de notre maison du Michigan. Sans doute une autre manière de lui dire que nous avons fait un sacré chemin, ma sœur et moi.

Cependant, en plein jour, la scène est beaucoup moins enchanteresse. La baie est sale et une jeune femme baigne son bébé alors qu'un rat mort flotte non loin. Je me promène dans la ville, qui semble remplie de néons, de lumières et de publicités et qui m'évoque un vaste quartier chaud. On dirait une immense galerie marchande, mais en beaucoup plus crasseux. En fait, Hong Kong est la ville la plus sale que j'aie jamais visitée et elle grouille de rats. Rétrospectivement, j'aurais dû me rendre compte que ces rats étaient probablement un mauvais présage.

Quand je lis le script, je comprends que Madonna joue le rôle de la missionnaire Gloria Tatlock ; *Shanghai Surprise* est inspiré des comédies des années trente – le genre de film que Jean Arthur, Jean Harlow et Judy Hollyday ont tourné. La place exacte de Sean reste un mystère pour moi. Le rôle du représentant de commerce Glendon Wasey n'est tout simplement pas fait pour lui : il est inconsistant et ce n'est pas du tout un défi. J'en conclus qu'il l'a seulement accepté parce que Madonna veut qu'il soit son partenaire et a besoin de lui pour ses débuts dans un grand film commercial. Il a accepté pour lui faire plaisir et cela me touche. Je suis également très impressionné quand je découvre qu'il a appris le mandarin uniquement pour se préparer à son rôle. Puis je me rends compte que cette érudition est un peu inutile, puisque son personnage est celui d'un Américain.

Madonna est tout excitée de visiter un autre continent – surtout aussi loin d'Europe et d'Amérique. Par-dessus tout, elle est ravie de tourner son premier grand film. En la voyant suspendue aux lèvres de Sean lorsqu'il analyse le personnage de Gloria Tatlock, je comprends brusquement pourquoi, entre autres, ma sœur s'est éprise de lui : avoir un acteur de la Méthode dans son équipe, prêt et disposé à lui donner des leçons, c'est clairement une bonne stratégie professionnelle pour elle. Je me demande parfois pourquoi ma sœur ne joue pas aux échecs, car je suis certain qu'elle serait championne.

Il est clair pour moi qu'elle s'est mis en tête de prouver qu'elle sait jouer et d'être prise au sérieux. Maintenant qu'elle a conquis le milieu de la musique elle a jeté son dévolu sur le monde du cinéma. Elle veut à tout prix que *Shanghai Surprise* soit un succès colossal, mais pas au point de laisser tomber son image glamour et de se teindre en brune, porter de grosses lunettes épaisses et se présenter sans aucun maquillage dans toutes les scènes – ce qui aurait été bien plus conforme à son personnage de missionnaire. Au lieu de cela, elle s'assure qu'elle est impeccable et splendide dans chaque plan.

Le temps est froid, humide et venteux, ce qui est ennuyeux, car le film est censé se dérouler en été. Du coup, Madonna va passer la majeure partie du tournage à frissonner dans de petites robes d'été. Et au montage final – comme le film est tourné par temps nuageux, mais que le plateau est éclairé dans une lumière estivale – Hong Kong et tous les autres extérieurs ont carrément l'air de décors.

Au final, nous aurions tout simplement pu tourner tout le film dans un studio d'Hollywood, mais j'aurais manqué l'étonnante expérience d'un tournage à Hong Kong avec Madonna et Sean.

Ma tâche consiste à être mi-assistant, mi-accompagnateur ; je fixe les rendez-vous et j'achète ce dont Madonna a besoin – généralement des chips américaines, qu'elle adore, mais qu'on ne trouve pas à Hong Kong. Au final, je n'ai pas grand-chose de plus à faire que rester assis dans la limousine pendant qu'on tourne en extérieur et appeler Danny à Manhattan par satellite.

Madonna, Sean et moi sommes invités dans quelques restaurants de Hong Kong, mais la cuisine chinoise est bien trop éloignée de ce que nous connaissons à Manhattan, l'odeur et le goût sont différents, et du coup, nous n'y retournons pas. La plupart des soirs, nous dînons dans un restaurant italien tenu par un Anglais.

Madonna et Sean, ainsi que l'ancien Beatle George Harrisson, sont les producteurs exécutifs du film. Que Madonna et Sean aient choisi de s'allier à une production anglaise, Handmade Films, et à George Harrisson, témoigne du respect professionnel qu'ils ont tous les deux pour

George et pour le cinéma anglais en général. Madonna est également tout à fait consciente qu'en dehors de l'accueil glacial que nous avions eu, elle, Erika et moi à Londres et Manchester quelques années plus tôt, la Grande-Bretagne est l'un de ses plus gros marchés, que sa popularité y a atteint des sommets et que cela ne fait que commencer.

Quand il aborde *Shanghai Surprise*, dès le début, la formation de Sean à la Méthode entre en action. Comme Hong Kong est censé représenter la Shanghai des années trente, puisque nous ne pouvons tourner en Chine, Sean décide que nous allons y aller tout de même, avant le début du tournage, pour essayer de ressentir comment étaient les lieux à l'époque.

Madonna, Sean et moi nous envolons pour Shanghai, flanqués de trois accompagnateurs officiels chinois, qui nous surveillent en permanence. Là-bas, nous séjournons au Metropole, un hôtel Art Déco des années trente, où les rideaux en soie sont si vieux que, lorsque nous les tirons, ils nous restent littéralement dans les mains.

Madonna et moi commençons chaque journée par un jogging, ce qui est déplaisant, car il fait -7. Nous sommes les seuls à courir. Il fait si froid que le linge étendu dehors sur des bâtons est gelé. Tous les gens sont emmitouflés et sur des vélos.

Après le petit déjeuner, nous nous promenons et nous explorons la ville. Bien que Madonna ne soit pas encore connue en Chine, les passants la fixent, simplement parce qu'elle est blonde. Nous nous rendons compte qu'autour de nous, tout le monde porte un manteau rembourré vert mi-long avec un col en fausse fourrure, alors que Madonna, Sean et moi portons les mêmes en bleu qui nous ont été fournis par le gouvernement. Avec nos vêtements de couleur différente, nos traits européens et la blondeur de Madonna, rien d'étonnant à ce que les Chinois nous prennent pour des phénomènes de foire.

Nous nous promenons dans un parc où des personnes âgées font du tai chi. L'un d'eux s'approche de nous et répète : « New York, New York. » Nous sourions. C'est la première personne dans ce parc à nous parler en anglais.

Le soir, nous allons sur le Bund, un quartier Art Déco en bordure de mer. Là, dans un restaurant au sixième étage, nous découvrons que les lieux sont divisés : il y a un bar chinois et un autre américain. Nous jetons un coup d'œil dans le bar chinois : tout le monde boit du jus d'orange. Nous allons donc dans le bar américain, qui est interdit aux Chinois. L'endroit est plongé dans le noir. Nous nous servons à boire et nous finissons par trouver l'interrupteur. Tout le bar est recouvert de poussière. De la musique disco des années soixante-dix passe. Nous oublions la poussière et le décor américain ringard. J'ai l'impression de me retrouver dans une scène de *L'Empire du Soleil*.

Au bout de quelques jours, nous retournons à Hong Kong, où Liz Rosenberg nous rejoint. Madonna, elle et moi nous rendons à Macao sur une jonque à moteur. Sur le trajet du retour, Madonna et Liz passent presque tout leur temps à vomir dans les toilettes. Quelques jours plus tard, nous avons tous les trois une infection de la gorge. Nous ne sommes pas étonnés, car, à Macao, les égouts sont à ciel ouvert. Plus tard, le tournage se déplacera là-bas, mais heureusement on ne me demandera pas d'y assister.

Avant le début du tournage, Madonna est encore suspendue aux lèvres de Sean quand il la conseille sur son jeu d'actrice. Mais dès le premier tour de manivelle, elle abandonne son personnage de débutante et décide qu'elle a l'étoffe de Meryl Streep. Pendant ce temps, Sean commence à s'apercevoir qu'il se retrouve dans le rôle de Norman Maine, la star lessivée et malheureuse d'*Une étoile est née*, voué à rester éternellement dans l'ombre de son épouse. Je ne suis pas du tout surpris quand Madonna et Sean finissent par se heurter. Sean est un acteur expérimenté et il en est fier, mais Madonna est rapidement en train de devenir un phénomène planétaire, une marque. Madonna croit être une actrice douée ; pour Sean, elle n'est rien de plus qu'une chanteuse. Des conflits ne cessent de surgir sur le tournage concernant la manière dont elle devrait jouer son rôle, lui le sien, les personnages, le décor, la scène, ceci, cela. Madonna et Sean font à peu près la même taille, et quand ils sont debout, face à face, les yeux dans les yeux, chacun essayant de convaincre l'autre et de le dominer, la tension est palpable.

Pendant ce temps, Jim Goddard, le réalisateur, est obligé de se rendre à la réalité : il ne dirige pas tout seul le film ; Madonna et Sean sont aussi aux manettes.

Dès le premier jour du tournage, l'équipe entièrement anglaise déteste immédiatement Madonna et Sean. Ils considèrent la première comme une poupée disco qui se la joue et Sean comme un Amerloque arrogant. Pour eux, ceux qu'ils ont surnommés les « Poison Penn[1] » ne sont que deux enfants gâtés pénibles qui exigent qu'on les traite en stars alors qu'ils ne l'ont pas mérité.

Le deuxième jour, l'attaché de presse Chris Nixon est viré pour ne pas avoir réussi à empêcher la presse de prendre des photos. Après cela, il déclare : « Penn est un petit crétin arrogant et sa femme ne vaut pas mieux. »

Plus tard, lors d'une des plus importantes scènes du film, dans laquelle une bombe explose et où Madonna doit sauter dans la rivière, elle refuse tout net de s'exécuter. L'eau est noire de crasse et je ne peux pas vraiment lui en vouloir. Mais lorsque l'équipe est forcée d'attendre qu'on livre des bouteilles d'Évian sur le plateau pour que Madonna, avec sa jupe droite bleu marine et son chemisier rayé, soit aspergée d'eau minérale, ils sont excédés.

---

1. Jeu de mot sur penn/pen (plume) : « plume empoisonnée ».

Au lieu d'essayer de gagner les faveurs de l'équipe et de ne pas se mêler de la réalisation, Sean et Madonna sont toujours au bord de la querelle. Pire encore, au lieu de se concentrer à plein temps sur le film, Sean se soucie bien davantage de la meute de journalistes venus du monde entier à Hong Kong pour couvrir le tournage, qui braquent leurs zooms sur Madonna et lui vingt-quatre heures sur vingt-quatre et sept jours sur sept. Leur faire quitter le plateau est son obsession et quand un photographe parvient à s'y glisser, Sean fracasse son appareil.

Sean et moi ne parlons jamais de sa haine de la presse, mais, si nous l'avions fait, je lui aurais demandé pourquoi ils avaient décidé de faire ce film ensemble – s'il ne voulait pas que Madonna et lui soient harcelés à ce point. Il devait pourtant bien être conscient qu'en choisissant de tourner *Shanghai Surprise* avec Madonna, il aurait des hordes de paparazzi sur ses talons, en train d'épier leurs moindres faits et gestes. Là, pour moi, c'est une énigme.

Quand Madonna et Sean s'aventurent ensemble dehors, la presse les traque et Sean pique des crises. Pour lui faire plaisir, Madonna suit son exemple et tire son blouson sur sa tête pour empêcher les photographes de prendre des clichés. En réalité, elle s'en fiche complètement et serait ravie d'être prise en photo.

Chaque fois que Madonna et Sean quittent l'hôtel, c'est pratiquement l'émeute. Pour Sean, tout photographe qui vole un cliché de Madonna est, dans les faits, en train de voler son âme mais aussi de lui voler sa femme, et Sean se sent exploité.

Exaspérée, Madonna lui dit, comme pendant la pagaille de la cérémonie de mariage :

— Sean, ne leur crie pas dessus. Montons dans la voiture et partons. De toute façon, leur photo, ils l'auront.

Mais Sean l'écoute rarement et une bagarre éclate invariablement.

Pendant ce temps, la presse ne perd pas une miette des moindres gestes, colères et querelles du couple, Madonna se retrouve mouillée, et la légende des Poison Penn enfle de jour en jour.

À Londres, le coproducteur exécutif George Harrisson apprend que le tournage est compromis à cause des drames provoqués par le couple. Il prend le premier avion pour Hong Kong, pensant contre toute espérance pouvoir désamorcer la crise et forcer Madonna et Sean à changer de comportement envers l'équipe et la presse.

Quand il arrive, Madonna me le présente et je suis surpris : il paraît plus vieux que je ne pensais, et plus grand, aussi. Madonna me l'a décrit comme « un pauvre gentil garçon qui ne ferait pas de mal à une mouche ».

Elle a probablement sous-estimé la finesse d'Harrisson qui n'a rien d'un pauvre gentil garçon quand il sermonne ses acteurs sans les ménager. Se faire passer un savon par un Beatle, je l'apprends plus tard, calme Madonna et Sean, et je suis sûr que George a non seulement souligné les contraintes budgétaires, mais aussi fait appel au professionnalisme de Sean tout en le suppliant de calmer sa paranoïa.

Certes, George a sans doute pris des gants avec Madonna, parce qu'il sait d'une part que c'est elle et non Sean qui attirera le public et, d'autre part, que tous les problèmes proviennent de lui et non d'elle. Mais dans la soirée, à l'hôtel, je sens qu'elle n'est pas à l'aise, un peu à vif, qu'elle doute de son talent d'actrice, de pouvoir être à la hauteur de Sean, et qu'elle se demande comment cesser de se quereller avec lui à propos de la presse.

Elle va se coucher de bonne heure et moi aussi.

Vers 3 heures du matin, je me réveille en entendant un grand fracas dans la chambre de Madonna et Sean située à côté de la mienne. Il lui crie dessus à pleins poumons. Je suis encore à moitié endormi, mais j'arrive à distinguer les éclats de voix.

— Je suis acteur, pas toi. Tu devrais oublier le cinéma. Contente-toi de chanter, c'est ce que tu sais faire.

— Et toi, tu n'as pas la moindre idée de comment gérer les médias, espèce de parano, rétorque-t-elle.

— Oui, mais au moins, moi je suis acteur, beugle Sean.

Là, c'est vraiment un coup bas. Je ne distingue pas tout, mais je l'entends cogner du poing sur le mur. Puis c'est une table qui valse. Je m'apprête à défoncer la porte qui relie nos suites quand, tout à coup, elle s'ouvre. Vêtue du pyjama Harrods en satin noir gansé de blanc que je lui ai offert pour son dernier anniversaire, Madonna se précipite dans ma chambre, suivie de Sean écumant de rage.

L'espace d'une seconde, je me rappelle Hank, son chien de garde.

Juste à temps, je lui claque la porte au nez et la verrouille.

Madonna se jette dans mes bras. Son visage démaquillé, habituellement si pâle, est tout rouge et elle pleure.

Je la conduis vers le canapé et je la serre contre moi pendant qu'elle sanglote. Pendant ce temps, Sean tambourine sur la porte en l'appelant à tue-tête.

Il continue pendant cinq bonnes minutes en beuglant :

— Ouvre cette foutue porte, Madonna, ouvre cette foutue porte !

J'ai presque envie d'ouvrir et de lui donner une bonne leçon, mais je sais que cela ne ferait qu'empirer la situation. Je continue donc de consoler Madonna.

Nous écoutons en silence les cris et les coups de Sean.

Finalement, Madonna s'endort dans mes bras. Peu après, je me rendors à mon tour.

Au matin, elle a disparu.

Quand je la retrouve plus tard dans la journée, son maquillage est impeccable, sa coiffure parfaite et elle arbore son sourire aussi rayonnant qu'assuré. Sean s'approche de moi, mais je l'ignore totalement.

Jusqu'à hier soir, je prenais sa défense. Même si j'avais trouvé tordu notre rituel de frères de sang, je pensais que cela signifiait quelque chose. Dès lors, je l'avais soutenu envers et contre tout, quoi qu'on dise de ses colères et de sa paranoïa. Pas seulement parce que je me sentais lié par l'honneur, mais parce que je pensais vraiment que nous étions des frères.

Ici, à Hong Kong, j'étais le seul à prendre la défense de Sean devant une équipe et des acteurs qui le méprisaient presque tous. Mais ce n'est plus le cas. Maintenant, je ne suis plus son défenseur ni son ami. Je n'en dis rien à Madonna, mais je regrette même d'être son beau-frère.

En me rappelant que Sean a avoué avoir été ivre durant le tournage de *Shanghai Surprise*, il devient totalement clair pour moi qu'une fois de plus, ma sœur et moi avons fait des choix semblables : nous sommes tous les deux tombés amoureux d'hommes qui, à des périodes de leur vie, ont connu des épisodes violents à cause de l'abus d'alcool.

Le tournage à Hong Kong se termine. Sean et Madonna s'envolent pour Berlin, où a lieu la première du film de Sean, *Comme un chien enragé*. Il y reste quelques jours pendant que Madonna part pour Londres, où j'arrive à mon tour juste à temps pour la retrouver.

À Heathrow, je suis escorté jusque sur le tarmac. Madonna débarque, foulard noir et lunettes de soleil, accompagnée de son garde du corps et de sa coach. Une escorte de police attend au bout de la piste et nous accompagne jusqu'à la douane.

Une fois que les douaniers ont terminé d'inspecter les bagages de tout le monde, la police ouvre la porte qui sépare la douane du hall d'arrivée. Une meute de photographes nous y attend. C'est un déchaînement de flashs et de projecteurs, tandis que les fans hurlent et que les photographes appellent : « Par ici, Madonna, par ici ! »

Nous passons le long de la barrière, que fans et photographes enjambent. Ils nous entourent. Avec le garde du corps et la coach, je forme un rempart autour de Madonna. Nous essayons de gagner péniblement la limousine qui attend le long du trottoir.

La police ne nous aide guère, et, bien qu'elle tente mollement de nous frayer un passage, il nous faut un bon quart d'heure pour parvenir jusqu'à la sortie.

J'écarte les objectifs du visage de Madonna. Trois bonnes centaines d'appareils continuent de cliqueter, imperturbables.

Je me rends compte que Madonna est sur le point de craquer.

Je la serre contre moi.

— Reste avec moi, Madonna, je vais te sortir de là, lui dis-je.

Finalement, nous parvenons à la Mercedes noire. La portière est déjà ouverte. Madonna et moi sautons à l'arrière. Des appareils se collent contre la vitre. Un coup sourd ébranle la limousine : un photographe a sauté sur le toit. Un autre sur le capot. Cinq ou six tambourinent aux vitres.

— Madonna, Madonna, une déclaration !

Elle se recroqueville sur la banquette. Je la serre contre moi. Nous sommes au bord de l'hystérie.

Un autre coup sourd. Cette fois, un photographe a sauté sur l'arrière.

— Emmenez-moi loin d'ici ! s'écrie Madonna.

Mais le chauffeur ne peut rien faire, parce que nous sommes encerclés.

— Roulez, c'est tout ! hurle-t-elle.

Nous avançons un peu et je sens un cahot.

Un photographe vient de glisser du toit et de tomber sur la chaussée.

Nous nous éloignons.

Je me retourne.

Il est par terre.

Tous les autres photographes le prennent en photo.

Il essaie de se relever.

— Rallonge-toi, lui crient les autres.

Il obéit et ils continuent de le photographier.

Alors que la voiture quitte l'aéroport, nous regardons par la lunette arrière la foule de photographes qui hurlent derrière nous et je pense soudain que nous avons fait du chemin depuis l'époque où nous prenions Air India en classe éco, mangions un curry dans SoHo et achetions des jean au marché de Camden.

— Génial, fait Madonna. Tout un mois à Londres et c'est ce qui nous attend !

Quand nous lisons enfin un quotidien anglais, nous découvrons la raison de l'émeute à l'aéroport. Alors que nous étions à Hong Kong, il n'était question dans la presse anglaise que des incidents du tournage. À présent, Madonna et Sean font les gros titres. En Grande-Bretagne, les Poison Penn sont maintenant la cible de tous les paparazzi du pays.

En outre, nous comprenons maintenant précisément pourquoi George a fait en sorte que Sean et Madonna voyagent séparément.

— S'il avait été à Heathrow aujourd'hui, il les aurait tous massacrés, dit Madonna. Et elle a raison.

Mais j'ai beau mépriser Sean, après cette affreuse expérience à l'aéroport, j'ai un bref moment de compassion pour lui. Après tout, je n'ai eu à supporter les assauts déchaînés des paparazzi que pendant quelques heures, alors que Sean est condamné à les subir aussi longtemps que Madonna et lui seront mariés.

Nous arrivons à Holland Park, où George a loué une maison pour le couple et un appartement pour moi, et à peine nous arrêtons-nous qu'un groupe de voitures tourne le coin de la rue dans un crissement de pneus.

Jamais à cours de ressources, les paparazzi nous ont rattrapés.

La maison est de style élisabéthain. Nous nous y engouffrons avant que les médias aient le temps de nous photographier. L'intérieur est meublé dans le style années soixante-dix, avec de la moquette et un séjour en contrebas dominé par une vaste baie décorée d'un arc-en-ciel.

Je suis soulagé que Sean ne soit pas là. Madonna et moi passons la soirée ensemble. Nous bavardons des difficultés du tournage pour elle, mais nous n'abordons ni l'un ni l'autre le sujet de sa relation avec Sean ou l'incident dans l'hôtel.

Le temps est froid et humide. Je rentre me coucher dans mon appartement en laissant Madonna, protégée par son garde du corps, attendre Sean.

Le lendemain matin, suivis par une troupe de paparazzi qui ont dormi dans leurs voitures devant la maison, nous nous rendons aux Sheperton Studios, où nous devons commencer le tournage des intérieurs. Pendant les mois qui suivent, la routine s'installe : tous les matins, les journalistes nous guettent devant la maison. Chaque soir, ils nous suivent quand nous rentrons. Ils passent la nuit dans leurs voitures, puis ils nous suivent le lendemain matin jusqu'au studio.

Et cela dure pendant presque tout le séjour londonien.

Madonna finit par exploser :

— J'en ai assez d'être une foutue prisonnière !

Nous réservons donc une table dans l'un des restaurants en vue de Londres, Le Caprice. Puis, nous nous organisons. Madonna engage deux figurants, un homme et une femme, qui le soir, sortent de la maison en dissimulant leurs visages et s'engouffrent dans la Daimler qui les attend.

La Daimler démarre et les paparazzi s'élancent à sa poursuite.

— Ça a marché ! Ça a marché ! exulte Madonna.

Ensuite, tous les trois, nous montons dans la Mercedes noire qui nous conduit promptement au restaurant Le Caprice, où nous passons une soirée relativement paisible sans que des paparazzi n'en enregistrent le moindre instant.

Cependant, quand nous quittons le restaurant, nous sommes assiégés par les paparazzi et nous comprenons que quelqu'un a vendu la mèche. Mais, au moins, nous aurons profité de quelques heures de liberté.

Chaque jour, la presse anglaise attaque Madonna et Sean dans les termes les plus orduriers. Pour l'instant, le *Daily Mail* l'a épinglée comme « la reine du rock salope qui joue les Garbo – mais tellement mal ». Le *Daily Express* a fait mine de s'interroger : « Madonna et son mari vont-ils enfin rectifier le tir ? » D'innombrables articles au vitriol paraissent dans la presse et Madonna est blessée et perplexe.

— Christopher, je ne comprends pas pourquoi on écrit ces saloperies sur moi.

Je ne peux pas lui en vouloir. Après tout, jusqu'à présent, la presse anglaise a été parmi ses meilleurs alliés et s'est toujours montrée positive à son égard. Mais, à cause de Sean, qui n'est pas la moitié de la star qu'elle est devenue, tout le monde s'en prend à elle.

Finalement, George Harrisson convoque une conférence de presse pour défendre ses acteurs. L'après-midi du 6 mars 1986, au Roof Gardens – un élégant restaurant au sixième étage dominant Kensington High Street, où des flamants roses se promènent dans de splendides jardins – soixante-dix-sept journalistes se pressent pour rencontrer Madonna.

Sean devait à l'origine y assister également, mais, à la dernière minute, on décide qu'il est beaucoup plus sage qu'il s'abstienne.

Madonna et George sont assis côte à côte à une petite table. Quatre gardes du corps veillent non loin. George, vêtu d'une chemise bleue et blanche et d'un costume bleu, mâche du chewing-gum. Madonna porte une robe noire à poignets blancs, cheveux dénoués, rouge à lèvres vermillon.

Elle est exceptionnellement belle.

George commence la conférence en saluant l'assemblée puis il demande le silence. À l'écart, je regarde Madonna répondre à la première question :

— Quel genre de patron est George Harrisson et étiez-vous une fan des Beatles ?

La question est inoffensive et la réponse de Madonna tout autant :

— Je n'étais pas une fan. Je crois que je n'ai apprécié leurs chansons qu'une fois plus âgée. J'étais trop jeune pour avoir été prise dans cet engouement. Mais c'est un patron génial, très compréhensif et à l'écoute.

Pour le moment, tout va bien. Madonna et moi nous sommes laissés endormir par un sentiment de fausse sécurité, ignorants que nous sommes de l'intrépidité de la presse anglaise devant une superstar mondiale et de son don de poser des questions directes, pour ne pas dire impertinentes. George, lui, le sait – d'où sa décision de ne pas soumettre le bouillant Sean à cet interrogatoire. À la troisième question – « C'est amusant de travailler avec votre mari Sean Penn ? » – tout devient clair. D'abord, Madonna esquive habilement tous les problèmes en répondant de manière neutre :

— Bien sûr que oui. C'est un professionnel. Il a travaillé sur plusieurs films et son expérience m'a aidée.

La question suivante est un peu plus cinglante :

— Cela a-t-il causé des problèmes personnels en dehors du plateau ? Vous vous disputez ?

George intervient avant que Madonna ait pu répondre :

— Et vous, vous vous querellez avec votre femme ?

Le journaliste a temporairement le bec cloué. Les questions redeviennent plus générales, mais cela ne dure pas. Elles visent de nouveau à susciter de George ou Madonna des commentaires sur les colères de Sean.

S'attendaient-ils au genre de couverture médiatique qu'ils ont reçue ? George retravaillerait-il avec Sean ?

— Bien sûr, il se trouve que je l'apprécie beaucoup, riposte George.

Madonna ne dit rien jusqu'à ce qu'un journaliste demande pourquoi Sean n'assiste pas à la conférence de presse.

Je formule silencieusement ma réponse : *S'il avait été là, la plupart des journalistes réunis ici seraient déjà réduits en purée.*

— Parce qu'il est occupé, répond George.

— Il joue dans plus de scènes que moi, renchérit Madonna – ce qui est exact.

C'est alors que la presse passe directement à l'offensive. Un journaliste interroge :

— Madonna, j'aimerais savoir si vous ou votre mari souhaiteriez présenter des excuses pour les incidents dus à votre comportement.

— Il n'y a rien dont je doive m'excuser, répond Madonna en se redressant de toute sa hauteur.

George se débat avec la presse. Quand un journaliste le défie d'un : « Nous avons des tas de stars de cinéma ici, mais jamais nous n'avons connu une telle violence », Madonna se défend toute seule et je suis fier d'elle.

— Quand Robert De Niro arrive à l'aéroport, y a-t-il vingt photographes qui s'assoient sur sa limousine et l'empêchent de quitter les lieux ? demande-t-elle.

La situation tourne au vinaigre quand George déclare :

— Nous ne nous attendions pas à une attitude aussi insolente.

Sur ce, un journaliste bondit et s'écrie :

— Puisqu'on parle d'insolence, c'est vrai que Sean Penn donnait des ordres sur le tournage ?

George contre-attaque. Puis le journaliste évoque l'incident à l'aéroport et déclare :

— Ce n'est pas la presse qui était en tort.

Madonna a l'air sincèrement fâchée.

J'ai envie de lui coller un pain. Je me lève et déclare :

— J'étais dans la voiture. Il s'est relevé puis rallongé pour les autres photographes.

Madonna me murmure silencieusement un *merci.*

Devant les assauts implacables de la presse, elle est calme et polie et le courant d'opinion commence à se retourner en sa faveur.

Mais quand en août *Shanghai Surprise*, qui finit par revenir à dix-sept millions de dollars, sort dans quatre cents salles aux États-Unis, l'accueil de la presse est effroyable. Le critique du *Times* écrit : « Madonna a l'air prisonnière de son rôle comme d'une camisole et, pour une fois, Sean Penn à l'air de s'ennuyer. » Pauline Kaid le qualifie dans le *New Yorker* d'« ennuyeux et sans intérêt ».

Mais au lieu de se laisser abattre, Madonna reporte toute son attention sur sa carrière musicale, qui ne cesse de progresser. « Live to tell », thème musical du *Comme un chien enragé* de Sean Penn, sort et devient N° 1 aux États-Unis. Madonna fait la couverture de *Rolling Stone*. « Papa Don't Preach » (dont les paroles, malgré tout ce qui a été supposé, n'ont strictement rien à voir avec notre père) sort et reste N° 1 des charts américains pendant deux semaines, tandis que « True Blue » y reste cinq semaines.

Je finis par voir *Shanghai Surprise* et je suis gêné que ce soit si mauvais. Madonna et Sean n'ont aucune alchimie à l'écran. Ce qui ne me surprend pas, étant donné que dans la vie il n'y a pas beaucoup de tendresse entre eux non plus.

Il est clair que ni l'un ni l'autre n'a réfléchi à son jeu. Au final, le film est victime de la mainmise artistique que Sean et Madonna ont exercée sur lui.

Cependant, Madonna refuse tout net d'endosser la moindre responsabilité dans cet échec.

— C'est la faute de Sean, me dit-elle d'un ton qui ne souffre pas la réplique.

Après le fiasco de *Shanghai Surprise*, Sean et Madonna commencent à mener des vies séparées. Étant donné qu'au moins quinze paparazzi rôdent quotidiennement devant l'appartement de New York sur Central Park West qu'ils ont récemment acheté, Sean passe le plus de temps possible à Los Angeles.

Madonna s'y rend de temps en temps pour être avec lui, mais ils finissent toujours par se disputer, principalement à cause de la constante présence dans la maison de Bukowski, sans cesse bourré. Madonna veut qu'il déguerpisse, mais Sean refuse.

Chaque fois que Sean vient à New York, nous allons au Pyramid, un petit bar sombre et miteux sur l'Avenue À entre la Neuvième et la Dixième, où Madonna, Erika et moi avions fait autrefois un show case. Mais avant que nous puissions nous rappeler avec émerveillement tout le chemin que nous avons fait, à peine nous passons la porte, que Sean est obligé de lutter pour conserver l'attention de Madonna, tout comme Danny doit souvent le faire pour la mienne. Madonna et moi nous sommes épris d'hommes jaloux et possessifs et nous en payons le prix.

Que cela lui plaise ou non, Sean est mis au pied du mur : nous sommes sur le territoire de Madonna, à présent, et tout le monde veut un peu d'elle : il n'est plus le centre d'attention. Et, quand nous quittons le bar, les photographes attendent dehors, prêts à la mitrailler. Tout ce qui entoure Madonna n'est que frénésie. La presse est en train de les séparer. En plus, elle est désormais nettement plus célèbre que lui. Elle l'éclipse totalement, ce qu'il doit vivre comme une véritable émasculation. Je ne peux m'empêcher de songer à l'ironie de cet homme qui a toujours aspiré à être le James Dean de sa génération et qui est maintenant réduit au rôle d'un consort maussade obligé de rester dans le sillage étincelant de son épouse.

Octobre 1986. Madonna m'appelle et m'annonce la terrible nouvelle : Martin Burgoyne, l'un de nos plus anciens amis et son premier road-manager, est gravement malade du sida. Bien que l'on ne sache pas grand-chose de la maladie à l'époque, nous connaissons déjà quelques personnes touchées et nous en comprenons tous les deux les implications tragiques. Madonna paie les frais médicaux de Martin au St. Vincent's Hospital. Un jour nous allons ensemble lui rendre visite. Pendant qu'elle s'assoit à son chevet, je reste dans le couloir. Elle en ressort le visage ruisselant de larmes. Il meurt un mois plus tard. Il n'avait que vingt-quatre ans.

Outre qu'elle a financièrement soutenu Martin pour soulager ses derniers instants, Madonna a déjà un passé impressionnant dans le domaine du financement de la recherche contre le sida et elle affronte un ouragan médiatique en participant comme mannequin à un défilé de charité chez Barneys New York au profit du laboratoire de recherche contre le sida de St. Vincent's. Jusqu'au milieu des années quatre-vingt-dix, elle restera passionnément et résolument impliquée dans la lutte contre le sida et la levée de fonds au profit des malades.

Comme la princesse Diana, elle ne craint pas le sida et son engagement auprès des victimes permettra la prise de conscience générale de cette affreuse maladie.

À la fin de l'année, la sortie du clip et du single « Open Your Heart » – où elle simule un baiser avec un garçon mineur – provoque une nouvelle controverse typique de Madonna. La vidéo du *Virgin Tour* est couronnée dans *Billboard* du titre de Meilleure Vidéo Musicale de 1986 et elle remporte le AMA Award de Meilleure Artiste Pop/Rock Vidéo pour « Papa Don't Preach », avant de faire une apparition surprise au Shrine Auditorium pour y recevoir la distinction en personne. En dehors du Grammy qui ne lui a toujours pas été décerné, recevoir des récompenses devient une habitude pour elle.

Quand les répétitions de la tournée suivante – *Who's That Girl ?* – commencent, j'accepte d'être de nouveau son habilleur. Mieux vaut être sur la route qu'à Manhattan, où le sida décime à présent la communauté gay de la ville et où une tristesse démoralisante imprègne notre existence autrefois insouciante.

Danny, évidemment, est très opposé à ce nouveau départ avec Madonna. Mais il n'a aucune chance de me retenir. Bien que nous soyons ensemble depuis quatre ans et que je l'aime, je veux faire ce que je veux. Contrairement au *Virgin Tour*, ce sera une tournée mondiale et je vais pouvoir me rendre en Europe et au Japon. Et puisque Sean a un peu disparu de la circulation, Madonna et moi sommes plus proches que jamais et j'ai vraiment envie de l'aider à affronter cette tournée.

Chaque fois que quelqu'un a la sottise d'affirmer que le succès de Madonna est dû à la chance, je suis scandalisé. Pendant toutes ces années, j'ai assisté à la rigueur des préparatifs. Dès qu'une tournée est prévue, elle commence à s'entraîner sans relâche. Quand la tournée *Who's That Girl ?* commence, elle court dix kilomètres chaque matin, puis se produit pendant deux heures sur scène le soir. Son autodiscipline est impressionnante, son endurance surhumaine et la suivre est loin d'être facile.

Le temps que la tournée commence, elle a perdu les petites rondeurs qu'elle avait durant le *Virgin Tour* et est désormais svelte, avec un dos nerveux et musclé. Son corps est mince, mais toujours tendre et féminin. Elle est beaucoup plus sportive, bien dans sa peau, sûre d'elle.

Who's That Girl ?, beaucoup plus théâtral que le *Virgin Tour*, a un thème espagnol. Elle vient de sortir « La Isla Bonita », qui est N° 4 aux États-Unis et restera une des chansons préférées de ses fans. Toutes les scènes ne sont cependant pas colorées de ce thème hispanique. Quand Madonna chante un medley de « Dress You Up », « Holiday » et « Material Girl », elle arbore des lunettes papillon constellées de strass et sa robe, décorée de dés, d'amulettes et de jouets en plastique, est extrêmement difficile à porter à cause des baleines de soutien. Elle n'arrête pas de râler qu'elle ne peut pas danser avec ce « foutu harnachement », mais elle le fait quand même. La robe est extrêmement serrée et, quand je la déshabille, elle a le corps couvert de marques rouges comme une martyre médiévale qui porte un cilice pour éprouver sa foi.

Désormais, je maîtrise parfaitement les changements de costumes et toutes les procédures de coulisses. Je suis blindé contre les récriminations auxquelles j'ai droit chaque fois que Madonna sort de scène. Je sais comment tout affronter et elle me fait implicitement confiance, sachant qu'elle peut totalement se reposer sur moi.

Je dois toujours récupérer les costumes des danseurs après le concert, les bagages à l'aéroport et faire livrer les costumes dans chaque chambre. Je déteste cela, mais je serre les dents parce que j'adore chaque instant de mon travail sur la tournée, voyager dans le monde entier et m'assurer que tout se déroule sans anicroche.

J'ai beau avoir parfaitement maîtrisé ma fonction et ma sœur avoir besoin de moi, elle ne me témoigne d'aucun favoritisme. Quand nous sommes en tournée, elle a toujours une penthouse-suite de quatre pièces, mais moi, alors que je travaille pour elle depuis plus longtemps que quiconque, je n'ai toujours pas droit à une suite. Même son assistante personnelle a une meilleure chambre que moi. Le reste du personnel de la tournée, cependant, me témoigne un grand respect et beaucoup de déférence, simplement parce que je suis le frère de Madonna. J'ai pris l'habitude de mon rôle et je m'en contente.

Durant le *Virgin Tour*, nous jouions dans des lieux qui n'accueillaient pas plus de quinze mille spectateurs par soir. Sur *Who's That Girl ?*, nous remplissons des stades de quatre-vingt mille personnes. L'époque des showcases est loin derrière nous. Avec le recul, même le *Virgin Tour* paraît un jeu d'enfants. Maintenant que Madonna se produit dans des stades, elle gagne des millions de dollars par soir, l'enjeu est beaucoup plus grand et la vie en tournée devient beaucoup plus sérieuse.

La tournée commence le 14 juin 1987 au Nishinomya Stadium d'Osaka, premier des cinq concerts japonais de Madonna. Plus de vingt-cinq mille fans se pressent au spectacle à raison d'environ quarante-cinq dollars le billet, beaucoup vêtus de tenues identiques, cuir noir et lunettes de soleil, pensant probablement que c'est encore le style actuel de Madonna. Bien que l'armée soit présente en cas d'incident, je m'aperçois que les fans japonais sont civilisés et calmes. Durant le show, au lieu de se lever en hurlant, ils restent assis bien sagement, les bras croisés, et ne se lèvent ni ne crient jamais. Quand le concert est terminé, ils ne se bousculent pas pour sortir, mais sortent en rang, et si quelqu'un oublie quelque chose, c'est immédiatement rapporté aux objets trouvés. Madonna et moi nous sentons relativement en sécurité au Japon.

À Osaka, nous entendons parler d'un restaurant de nouilles génial et Madonna, cheveux cachés sous un foulard, enfile un pantalon et une chemise d'homme, puis nous sortons discrètement de l'hôtel. L'endroit est bondé, nous mangeons au milieu de la foule, mais personne ne la reconnaît.

Un soir, tous ensemble – Madonna et moi, les danseurs, Liz et Freddy – nous rendons dans une maison de geishas, immense, tout en bois sombre et très jolie. Nous sommes assis à une table de six mètres de long où l'on nous sert un dîner de dix plats. Une fois que nous avons terminé, les geishas font leur apparition, chantent, dansent et jouent de différents instruments.

Madonna observe leur prestation comme un rapace. Plus tard, elle s'appropriera les costumes de geisha, leur maquillage, la musique et même les mouvements, dans ses spectacles et ses clips.

Après cette soirée, nous décidons que nous voulons goûter à d'autres mystères du Japon et notre guide nous propose d'aller à Kyoto. Là-bas, nous visitons un temple shinto entouré de bambous bleus et de petites collines couvertes de mousse comme de fourrure. Madonna et moi sommes ravis d'avoir enfin trouvé le Japon mystérieux entraperçu dans les films de Kurosawa, mais notre impression est un peu mitigée quand nous prenons le train high-tech qui nous ramène à Osaka.

Sean ne nous rejoint pas durant la partie asiatique de la tournée. Madonna passe la plupart de son temps avec un danseur hétéro de sa troupe, Shabadu. Je ne sais pas si elle trompe Sean, et je ne connais pas la nature de sa relation avec Shabadu, mais je ne peux pas imaginer qu'il lui reste après le concert la moindre énergie pour du sexe.

Le 27 juin 1987, la partie américaine de la tournée (dix-neuf villes) commence à l'Orange Bowl de Miami, et soixante mille fans affrontent une averse tropicale pour voir Madonna. Nous séjournons au Turnberry Club, où Madonna, comme toujours, a pris une penthouse. Sean, dans les meilleures dispositions, remplit la suite d'orchidées et de lis blancs et passe quelques jours avec elle. Ils prennent le soleil dans leur solarium privé sur le toit, mais même s'ils séjournent dans la suite nuptiale, je sens que c'est le chant du cygne de leur mariage, et que Madonna ne fait d'effort que parce que, le 7 juillet, Sean doit purger une peine de prison de soixante jours pour avoir agressé un photographe qui le mitraillait sur le tournage de son dernier film à Los Angeles. Un instant, j'ai de la peine pour lui, puis je me dis qu'à en juger par son comportement passé, la prison lui fera peut-être du bien.

Après Miami, nous passons à Atlanta, Washington, Toronto, Montréal, Foxboro, puis Philadelphie, et le 13 juillet, au Madison Square Garden, Madonna donne un gala de charité en mémoire de Martin, durant lequel plus de quatre cent mille dollars sont recueillis pour l'amfAR, la fondation américaine de recherche contre le sida.

Martin nous manque à tous les deux et je sais que ce concert est émotionnellement stressant pour elle. Pourtant, nous savons tous les deux que le spectacle doit continuer. Immédiatement après, nous partons pour Seattle, Anaheim, Mountain View, Houston, Irving, St. Paul-Minnepaolis, Chicago, East Troy et Richfield.

La tournée est physiquement éprouvante pour Madonna, mais nous nous disputons rarement. Parfois, elle se plaint de la fatigue, de sa voix et de sa gorge. Elle travaille depuis des semaines, chante, danse et projette sa personnalité surdimensionnée sur son public, sans jamais montrer ni ennui ni lassitude, et s'il lui arrive parfois d'être au bord de l'épuisement, je ne peux pas lui en vouloir.

Je ne compatis pas trop, parce que je sais que si ma sœur est demandeuse, elle n'est pas vraiment à l'aise quand on la console et ne veut pas perdre son temps à jouer les victimes. Donc, au lieu de m'apitoyer sur elle, je la serre brièvement dans mes bras et je plaisante :

— Je sais, Madonna, mais songe à tout ce que tu empoches.

Elle est aussitôt requinquée.

Le 7 août, elle doit jouer à Pontiac, mais provoque un drame en passant à l'émission *Today* et en déclarant en plaisantant que Bay City est « une petite ville qui pue ». Après l'émission, elle m'appelle paniquée en me demandant si je me rappelle le nom de l'usine à côté de la maison de grand-mère Elsie. Je le lui donne, elle le cite dans ses excuses aux quarante-deux mille fans qui vont assister au concert de Pontiac, et tout est pardonné.

Après le concert, nous allons à un barbecue chez notre père. C'est un jour de relâche pour Madonna, qui préférerait nettement le passer à notre hôtel. Moi, je suis soulagé de ne pas rester enfermé dans ma chambre, mais il faut dire qu'elle est loin d'être aussi belle que sa suite.

Mon père a invité tout le personnel de la tournée chez lui, et nous nous y rendons en car. Il s'occupe du barbecue tandis que Joan prépare un gâteau à l'ananas. Madonna est polie avec elle, mais distante, comme toujours devant notre père. Heureusement, comme Joan et elle ne sont jamais seules ensemble, Madonna n'a pas l'occasion de laisser libre court à l'aigreur qu'elle éprouve depuis toujours pour Joan.

Quelqu'un a informé la presse de notre visite et quelques journalistes nous guettent devant la maison. Madonna porte des lunettes noires, un jean, une chemise blanche et de petites ballerines marocaines, et ses cheveux sont retenus par un serre-tête. Moi, comme d'habitude je suis en tee-shirt et jean. Comme elle a l'air fatiguée et ne veut clairement pas que la presse la prenne en photo aujourd'hui, nous restons derrière la maison. Sans compter qu'elle s'ennuie visiblement.

Certains voisins sont venus, notamment ma première « petite amie ». Elle est un peu pompette et se met à pleurnicher qu'elle m'aime toujours et qu'elle regrette que nous ne soyons pas mariés. Madonna et tout le monde – sauf mon père et Joan – éclatent de rire. L'ancienne petite amie n'imagine même pas que je suis gay, ni mon père et Joan, du moins à cette époque.

Mon père fait de son mieux pour que nous passions une bonne journée. Nous jouons au volley, mangeons beaucoup, parlons du bon vieux temps, mais je sais que Madonna et moi éprouvons la même chose : le passé est bien loin. Nous avons un mal fou à revenir sur les lieux de notre enfance, revoir le bac à sable et la cabane en prétendant que cela nous plaît alors que ce n'est pas le cas.

Pendant ce temps, Danny a démissionné de chez Fiorucci et, comme nous vivons tous les deux sur mon salaire (environ cinquante mille dollars pour cette tournée), il est bien obligé d'accepter que je travaille de nouveau pour Madonna. Le 6 août, il m'accompagne à Times Square à la première du film *Who's That Girl ?* où elle joue le rôle d'une ex-taularde du nom de Nikki Finn.

Madonna est magnifique dans une robe Marilyn Monroe vintage brodée de baguettes dorées. Plus de dix mille fans en transes l'acclament. Avant d'entrer dans le cinéma, elle prononce pour le public quelques mots au micro dressé tout exprès :

— C'est vraiment une ironie du sort. Il y a dix étés, quand je suis arrivée à New York, je ne connaissais pas un chat. J'ai demandé au taxi de me déposer au milieu de Times Square. J'étais complètement sous le choc. Et je le suis tout autant ce soir devant vous tous. Merci, j'espère que le film vous plaira.

Sa fierté est tangible, et si exagérée que soit la légende de son arrivée ici, c'est vrai en essence, et elle peut légitimement être fière de tout ce qu'elle a accompli. Après tout, qui d'autre pourrait arrêter la circulation sur Times Square à l'heure de pointe ? Son pouvoir de star est immense.

En entrant dans la salle, elle est heureuse. En ressortant, beaucoup moins.

Le film, encore une comédie légère, est atroce, et elle s'en est rendu compte beaucoup trop tard. Bien que la projection ait lieu devant un public invité d'amis et partenaires professionnels et que tout le monde rie poliment là où il le faut, j'ai du mal à me joindre à ce concert. Même Madonna a dû le sentir et affronter la vérité : ce film catastrophique est voué à l'échec.

Elle ne m'a jamais demandé mon avis quand il s'agissait de choisir un rôle. Je commence à me dire qu'elle ne doit pas non plus consulter ses partenaires professionnels comme Freddy, Liz ou Seymour lorsqu'elle prend ses décisions en la matière. Tout comme elle a cherché à atteindre le succès dans la musique armée de sa seule assurance et d'un optimiste presque dément, en restant aveugle à toute possibilité d'échec, elle semble s'efforcer d'atteindre la gloire au cinéma sans avoir le moindre recul sur ses talents d'actrice ou les rôles qu'elle choisit.

Elle se voit comme une nouvelle Judy Holliday et ne s'est pas encore rendu compte que Judy était une actrice authentiquement drôle – qui a remporté un Academy Award pour son rôle dans *Comment l'esprit vient aux femmes* – et que ce n'est pas son cas. Elle n'a pas retenu la leçon de *Shanghai Surprise*, et il semble peu probable qu'après l'échec de *Who's That Girl ?* elle prenne le temps de réfléchir et d'évaluer objectivement ses talents d'actrice ou plutôt son absence de talent.

La partie américaine de notre tournée se termine quelques jours plus tard, le 9 août, au Giant Stadium d'East Rutherford, dans le New Jersey, près de la frontière de l'État de New York. Durant le *Virgin Tour*, nous avons inauguré la tradition de jouer un tour à l'un des membres du personnel. Je décide que je vais en jouer un à Madonna. En l'habillant avec sa jupe espagnole et son boléro, je fourre le bout d'un rouleau de papier toilette dans son short. Il traîne derrière elle alors qu'elle s'apprête à entrer en scène. Mais à peine entend-elle les musiciens et l'équipe rire qu'elle s'en rend compte et l'arrache juste avant que le public le voie. Elle ne m'adresse pas la parole pendant deux jours et je ne peux pas lui en vouloir.

Beaucoup de mes amis assistent au dernier concert de la tournée américaine, mais je ne veux pas qu'ils s'aperçoivent que je ne suis que son habilleur et non pas, comme je leur dis toujours, son assistant personnel. Durant la scène dans laquelle elle jette son gant dans la fosse et où je dois me mettre à quatre pattes pour le trouver et le lui tendre, je cache mon visage pour que mes amis ne me reconnaissent pas. Ce n'est pas le moment le plus glorieux de ma vie, mais être l'habilleur de ma sœur, c'est un peu dégradant, ce n'est pas un travail qui convient à un homme adulte et je n'ai tout simplement pas envie de le crier sur les toits. Ce n'est pas que je regrette d'être l'habilleur de Madonna ; après tout, je fais partie d'une énorme entreprise artistique et j'ai l'occasion de voyager dans le monde entier et surtout d'aider ma sœur.

La partie européenne de la tournée s'ouvre le 15 août à Leeds, en Grande-Bretagne, puis nous continuons par le stade de Wembley à Londres, où Madonna donne trois concerts à guichets fermés. À Francfort, les salles sont également complètes, tout comme à Rotterdam.

À Paris, le 28 août, Madonna offre à Jacques Chirac un chèque de quatre-vingt-cinq mille dollars au profit des associations de lutte contre le sida en France. Le 31 août, au parc de Sceaux, près de Paris, elle joue devant l'un des publics les plus nombreux de sa carrière à cette date : cent trente mille fans. Nous sommes escortés par la police à l'aller et au retour. Quand je jette un coup d'œil au public, je n'en reviens pas que tous ces gens soient là pour voir ma sœur.

Sean ne semble déjà plus qu'un lointain souvenir. En Italie, quand nous faisons notre jogging quotidien, trois voitures roulent devant nous, cinq autres derrière, et au moins cinquante fans et journalistes nous suivent en trottinant. Cela aurait été agréable de pouvoir parcourir les vieilles rues de Rome sans être suivis par ce cirque. Mais le pire, ce sont les fumées des tuyaux d'échappement des voitures qui nous précèdent.

Madonna et moi plaisantons sur la manière dont Sean aurait géré la situation, convenant qu'il aurait probablement adoré tirer dans le tas, et cela nous fait rire. Au lieu de dégainer une arme, je vais voir les gens, je leur demande de nous laisser et ils obéissent. Nous continuons notre jogging comme si de rien n'était. La presse et les fans font partie de notre métier, nous l'avons accepté tous les deux depuis longtemps, et, en vérité, l'attention qu'on nous voue est une drogue dont nous ne pouvons plus nous passer.

Le 4 septembre, à Turin, Madonna charme un public en délire de plus de soixante-cinq mille personnes par sa maîtrise de l'italien. Elle commence par leur demander : « *Siete già caldi ?* » (« Vous êtes chauds ? »), puis annonce : « *Allora, andiamo !* » (« Alors on y va !), avant de soulever un rugissement approbateur en déclarant : « *Io sono fiera di essere italiana !* » (« Je suis fière d'être italienne. »). Ensuite, il y a une émeute et la police nous évacue de l'auditorium. Nous sommes tous les deux un peu effrayés, mais nous rentrons à l'hôtel sans autre problème.

La tournée se termine le 6 septembre au Stadio Communale de Florence. Un mois plus tard, *Forbes* élira Madonna l'artiste féminine ayant fait le plus gros chiffre d'affaires en 1987. Quand je repense à la tournée *Who's That Girl ?*, je me dis qu'elle en a mérité jusqu'au dernier sou.

Je trouve également bonne sa performance de secrétaire d'un magnat des affaires, dans la nouvelle pièce de quatre-vingt-huit minutes de David Mamet, *Speed-the-Plow*, qui ouvre le 3 mai 1988 au Royale Theatre de Manhattan. Je lui en fais part après avoir assisté à la première. Elle est contente, elle a l'air heureuse, mais déclare qu'elle a du mal à jouer devant un public qui écoute en silence et ne crie pas durant les entractes. La pièce continue d'être jouée et

Katharine Hepburn, Sylvester Stallone et Sigourney Weaver viennent tous la voir. Cependant, elle me confie que cela l'ennuie souvent de faire la même chose soir après soir. Dans son propre spectacle, elle peut changer les chorégraphies ou les paroles quand cela lui chante, mais pas au théâtre. Finalement, elle en conclut qu'elle préfère l'extravagance du show-biz. Je suis bien d'accord.

À la mi-septembre 1987, après la sortie de prison de Sean au bout de trente-trois jours, Madonna et lui tentent vainement de ressusciter leur mariage. Elle demande le divorce, mais se ravise et décide d'essayer quand même de le sauver.

Elle me prête deux cent mille dollars – sans intérêts, mais que je conviens de rembourser sur deux ans, ce que je fais – pour acheter un atelier sur la Quatrième Avenue entre la Onzième et la Douzième Rues, un espace ouvert avec cinq mètres sous plafond qui donne sur Chinatown et le pont de Brooklyn, et où je commence à peindre régulièrement. Pour moi, la peinture est ma vocation et, si je devais faire figurer ma profession sur mon passeport, je ferais écrire sans hésiter « peintre » et certainement pas « habilleur ».

À propos d'art, le 8 mai 1987, Madonna m'emmène à un dîner au Met donné en l'honneur de l'exposition égyptienne. Lauren Hutton, l'une des premières top-models et vedette d'*American Gigolo*, est assise à côté de moi et elle est incroyablement belle. Nous engageons la conversation et le déclic se fait. Nous échangeons nos numéros.

Elle m'invite dans son loft au-dessus d'un ancien théâtre de Jones Street et du Bowery. Sur une grande table de réfectoire sont étalées toutes ses couvertures de magazine. Durant nos nombreuses conversations sur la vie, l'amour et le métier de mannequin, comme elle me confie qu'elle adore la peinture et meurt d'envie de s'y mettre, je lui conseille d'acheter une toile et de se lancer. Je lui explique que personne n'a besoin de voir le résultat et que si cela ne lui plaît pas, elle pourra toujours peindre par-dessus.

La semaine suivante, elle m'invite de nouveau chez elle. Elle a acheté une toile vierge de deux mètres cinquante sur trois et tout ce qui se fait en matériel de peinture. Je m'apprête à lui demander à quoi elle joue, pourquoi elle veut peindre sur un format aussi grand et comment elle a fait rentrer la toile chez elle, quand elle me tend un croquis représentant en coupe une femme enceinte avec un fœtus.

— Je voulais te montrer ce dessin, me dit-elle.

Il est étonnant, parfaitement dessiné et quasi parfait.

Elle m'explique qu'elle veut peindre cette image sur sa toile et me demande si je peux l'aider en la commençant à sa place. J'accepte après quelques hésitations. Elle sort faire du shopping quelques heures.

Pendant ce temps, je copie le dessin sur la toile et je suis si absorbé par ma tâche que je ne l'entends pas rentrer et ne me rends pas non plus compte que j'ai pratiquement terminé la peinture.

Elle arrive à grands pas devant la toile, y jette un coup d'œil et éclate.

— Comment tu as pu oser finir mon tableau ? Comment tu as pu me faire une chose pareille ? mais qu'est-ce que tu as fait, qu'est-ce que tu as fait ? Je voulais la peindre entièrement, mais tu as recommencé comme d'habitude. Tu dois te défouler à cause de Madonna.

Mais qu'est-ce qu'elle raconte ?

— Tu es folle. Repeins par-dessus. Je m'en fiche. Et ne me rappelle qu'une fois que tu auras repris tes esprits. Madonna n'a rien à voir avec ça.

En plus, je n'ai fait que ce qu'elle m'a demandé : j'ai copié le dessin sur la toile.

Je m'en vais, stupéfait.

Cinq jours plus tard, elle me rappelle à mon atelier et me présente ses excuses pour cet éclat, mais répète qu'elle pense tout de même que je me défoule à cause de Madonna. Je lui demande ce qu'elle a fait de la peinture.

— Je l'ai montée sur le toit et je l'ai brûlée.

— Tu es timbrée.

Et je raccroche.

Quelques semaines plus tard, alors que Danny et moi nous promenons dans le Village, je trouve une carte postale où figure le dessin que m'a montré Lauren. Je m'en empare et je la retourne. Au dos, une légende : Picasso, période bleue. J'aurais dû m'en douter. Je me jure d'étudier l'œuvre de Picasso de plus près. Et Lauren a beau me rappeler et me proposer d'aller déjeuner, je ne la reverrai jamais.

Plus tard, l'étude de Picasso va payer. Deux ans après, Madonna m'annonce qu'elle veut commencer une collection de tableaux et me demande si je veux bien la conseiller. J'apprends qu'un Fernand Léger va être mis en vente, je m'en procure une diapo et je la montre à mon amie Darlene Lutz, une diplômée en art qui travaillait autrefois avec Maripol. Je lui dis que je ne sais rien de l'artiste ni de la peinture, mais que je le trouve génial et je lui demande de se renseigner dessus.

Ce qu'elle fait. J'apporte la diapo et les informations à Madonna, je lui dis que la peinture est fantastique et parfaite pour chez elle. Elle devrait l'acheter. Elle m'écoute et, avec son approbation, je monte jusqu'à un million de dollars pour son compte et je remporte l'enchère.

Peu après, elle me fait part de son intérêt pour Tamara de Lempicka, qui la fascine, parce qu'elle a lu un livre sur elle. Je lui réponds que Lempicka irait parfaitement avec le style Art Déco de son appartement et elle se met à collectionner ses œuvres. Dès lors, mon rôle auprès de Madonna prend de l'ampleur : avec Darlene Lutz, sa conseillère en peinture officielle, je suis son éminence grise en la matière. Je feuillette régulièrement les catalogues, visite les galeries et enchéris généralement pour son compte avec Darlene.

Après le Lempicka, Madonna achète *Ma naissance* de Frida Kahlo et mon préféré de toute sa collection, *Le Cœur voilé* de Dalí.

Le *Buste de femme à la frange* de Picasso, représentant Dora Maar, est mis sur le marché. Je l'annonce à Madonna qui nous autorise, Darlene et moi, à assister à la vente et à enchérir.

Le tableau est magnifique. Darlene et moi sommes chez Sotheby's, conscients que Madonna ne veut pas aller au-delà de cinq millions de dollars. Je meurs d'envie de remporter l'enchère pour elle. Elle s'ouvre à deux millions. Je propose trois. Quelqu'un en propose quatre. Je renchéris de nouveau et il y a un silence. Le commissaire-priseur annonce :

— Vendu au monsieur au numéro 329.

Tout le monde applaudit dans la salle. Le tableau est à moi. Ou plutôt à Madonna. C'est un moment d'exaltation irréel. Je signe le contrat avec Sotheby's et je sors en marchant sur un nuage.

J'appelle Madonna.

— Tu l'as, ma chérie, tu l'as. Il est sacrément beau.

— Youpi, s'écrie-t-elle avant de soupirer longuement.

Je sais exactement ce qu'elle se dit.

— Il les vaut, Madonna. Tu possèdes un magnifique Picasso.

Elle décide que le tableau doit être accroché au-dessus de son bureau en bois de rose. Je supervise l'équipe chargée de cette tâche. Quelques jours plus tard, elle revient à New York et voit la peinture pour la première fois.

— Je le trouve splendide et je l'adore, me dit-elle. Et je ne regrette pas l'argent dépensé : tu as raison, il les vaut.

Au cours des années, avec Darlene, je dépenserai environ vingt millions de l'argent de Madonna pour acheter des tableaux pour son compte. Aujourd'hui, sa collection doit sans doute valoir plus de cent millions.

*
* *

Madonna ne vient jamais dans mon atelier de peinture jusqu'à un soir, quelques mois après mon emménagement, où elle y arrive avec JFK Jr. Apparemment, son stratagème consistant à le rendre jaloux lors de sa visite dans sa loge a fonctionné. Je ne suis pas surpris. Elle ne m'a pas dit qu'ils se voyaient. Mais en l'amenant à l'atelier, elle veut manifestement me faire comprendre que John et elle sont ensemble. J'ai aussi le sentiment qu'elle veut m'impressionner – et elle y parvient. Je suis plus qu'impressionné. Je suis sur le cul. J'ai peine à croire qu'un Kennedy se trouve dans mon atelier. John est beau garçon et poli, mais il est évident que leur relation est légère et sans conséquence.

— J'ai l'impression de rejouer Marilyn et le Président, me dit-elle quand elle m'appelle plus tard.

Je n'en reviens pas qu'elle soit sérieuse.

— Vas-y, amuse-toi, lui dis-je. Tu n'es pas Marilyn et il n'est pas le Président.

Une fois qu'elle a raccroché, je me demande si elle se sert du prestige de John pour enjoliver encore sa légende. Puis je me rappelle que John, conformément aux souhaits de sa mère, est l'assistant du Procureur de Manhattan, mais aussi un aspirant acteur qui doit faire ses débuts professionnels quelques mois plus tard dans *Winners*, à l'Irish Arts Center de Manhattan. Il se peut qu'il pense que sortir avec Madonna serve ses ambitions théâtrales.

Au final, ils se voient, sortent brièvement ensemble, vont au sport et font du jogging ensemble à Central Park, puis se séparent. Cependant, ils restent amis et, quand John fonde son magazine *George*, Madonna accepte de poser pour la couverture.

6

Avant tout, sois loyal envers toi-même ; et, aussi infailliblement que la nuit suit le jour, tu ne pourras être déloyal envers personne.

William Shakespeare, *Hamlet*

Depuis un moment, Danny et moi sommes installés dans nos habitudes. Sa famille sait qu'il est gay et m'accepte totalement. Le grand moment, c'est chaque année à Noël. Au Réveillon, nous prenons ma vieille Range Rover verte avec deux de ses frères qui habitent aussi à Manhattan, pour aller passer la soirée chez ses parents dans le Queens. Ses parents décorent toujours la maison dans le plus pur style Noël américain : avec exubérance. Mais j'adore y aller et jamais je n'imaginerais faire le moindre commentaire. Je suis bien trop heureux d'avoir l'impression de faire partie de la famille.

Chaque année, je prépare selon la recette de grand-mère Elsie une terrine dont tout le monde raffole. Puis, le matin de Noël, je prends l'avion pour le Michigan pour passer Noël avec ma famille. Même si celle de Danny est new-yorkaise et la mienne typique du Midwest, il n'y a pas beaucoup de différence, sauf que la sexualité de Danny ne pose pas de problème à sa famille alors que la mienne – Marty,

Melanie et Madonna mis à part – n'est absolument pas au courant.

L'après-midi de Noël 1987, mon père décide enfin d'affronter le problème. Il me demande de venir dans le garage l'aider à changer l'huile de sa vieille Ford F-150. Ce qui n'a rien de saugrenu, étant donné que je suis un garçon né et élevé à Detroit.

Nous sommes seuls.

Alors que je me glisse sous la voiture pour vidanger le réservoir, mon père se tait, puis il demande :

— Es-tu homosexuel ?

Je lâche la clé et me cogne le front sur le pare-chocs en me redressant.

— Quoi ?

Un silence extrêmement lourd.

— Tu n'as pas de petite amie. Tu ne parles jamais de filles... Je voudrais savoir si tu es, eh bien ! gay.

Je réfléchis à mes choix. J'ai vingt-sept ans et je vis une relation sérieuse et amoureuse avec un homme. Pourquoi avoir peur d'avouer la vérité ?

L'image de Martin flotte devant moi et me défie. Je serre les dents et la balaie.

— Oui, réponds-je. Oui, je le suis.

Je retiens mon souffle, attendant que mon père, diacre d'église et catholique conservateur, explose de fureur et de déception.

Mais, à mon grand soulagement, il se met à rire.

— J'aurais dû m'en douter depuis longtemps, mais ça ne m'a traversé l'esprit que récemment.

Je suis extrêmement surpris par cette réaction bienveillante et je me sens tout drôle. Mais je suis heureux de ne plus avoir à cacher ma sexualité.

Nous reprenons notre tâche.

Je me dis que nous allons pouvoir vivre sans nuages, mon père et moi, maintenant qu'il est au courant.

Je rentre à New York. Un mois passe. Puis arrive une lettre de mon père : « Christopher, j'ai longuement réfléchi après notre discussion. Je ne crois pas que tu sois sain. Je pense que tu devrais voir un psychiatre qui t'aidera à résoudre ce problème. Et je serai heureux de payer ses honoraires. »

Je suis consterné. Je m'attendais à ce que mon père réagisse ainsi lorsque je lui ai annoncé que j'étais gay, mais pas un mois après. Sur le coup, il a joué au libéral tolérant, mais là, ses sentiments véritables ont fait surface et je suis profondément déçu. Car si je comprends sa position sur l'homosexualité, ce qui me blesse vraiment, c'est qu'il suggère que je suis un malade mental et implicitement, que Danny l'est aussi. Et ce faisant, il ravale mon amour pour Danny au rang de simple symptôme d'une maladie dont nous souffrons tous les deux.

Je réponds en ces termes : « Cher Papa, va te faire foutre. Je ne suis pas un malade mental et je ne chercherai pas à "soigner" un mal qui n'existe pas. Je suis le plus stable de tes enfants. Le seul qui vit une relation depuis plus de deux ans. Tu ne m'as jamais vu nu dans *Playboy* et je n'ai pas fait d'enfants hors des liens du mariage. Si tu as envie de donner des cours de morale, je te suggère de t'occuper de tes autres enfants. Tant que tu n'auras pas accepté ma vie et mes choix, ne te fatigue pas à m'écrire ou à me téléphoner. Au revoir. Les ponts sont coupés. »

En partie, je comprends la position de mon père, mais je ne l'accepte pas notamment parce que Danny est rabaissé au rang de maladie. C'est donc lui plutôt que mon père que je préfère choisir.

Mon père et moi ne nous parlons pas pendant un an. Je suis surpris et touché quand Joan appelle plusieurs fois pour me dire qu'elle est au courant de ce qui se passe et qu'elle me soutient, mais que je dois comprendre le point de vue de mon père. Éducation catholique, etc. J'écoute, mais je ne suis pas convaincu.

Un an plus tard, sans crier gare et à ma grande surprise, mon père m'appelle et me déclare :

— Je ne veux pas que ce soit une cause de brouille. Je veux que tu fasses partie de notre vie. Je peux t'accepter comme tu es et je t'aime.

Je suis incroyablement ému par ces paroles et ravi que mon père finisse par m'accepter. Et je lui réponds que je l'aime aussi et que je suis désolé de la lettre que je lui ai écrite. Il m'invite alors à venir le week-end suivant avec Danny.

Danny et moi nous envolons pour le Michigan. C'est la fin du printemps et il fait un temps idéal. Les fleurs et les feuilles sont sorties et je suis heureux de revoir les six énormes peupliers de notre jardin. Mes parents nous accueillent et, à mon grand dam, je m'aperçois que nous allons être seuls avec eux pendant tout le week-end.

Pendant le séjour, mon père en fait des tonnes, raconte des blagues et agit exactement comme il le ferait avec le petit ami d'une de mes sœurs. Il se donne vraiment du mal.

— Papa, tu me gênes, dis-je.

C'est vrai, mais en même temps je suis très touché qu'il m'aime au point de balayer tout un tas de préjugés et de croyances profondément ancrées en lui. En fait, pour montrer qu'il accepte mon style de vie, il est allé plus loin encore, car si j'étais venu avec une fille, il ne nous aurait jamais permis de dormir dans la même chambre. Plus tard, il ira même jusqu'à ignorer le statut à part de Madonna dans le monde comme dans notre famille, en lui interdisant de dormir dans la même chambre que Carlos Leon parce qu'ils ne sont pas mariés.

Pourtant, avec moi, il a levé toutes les barrières psychologiques et a même demandé à Joan de préparer la chambre voisine de la leur pour Danny et moi. Je sais que les murs sont quasiment du papier à cigarette et que mes parents vont tout entendre. Je propose à Danny de faire l'amour, mais nous en sommes incapables tellement nous rions. Nous nous contentons de faire des bonds dans le lit, histoire de mettre mes parents mal à l'aise. Malgré cette espiègle manifestation d'immaturité, le week-end se passe merveilleusement bien. Après cela, mon père et moi commençons à nous reparler régulièrement et le sujet de mon homosexualité ne revient jamais sur le tapis.

Plus tard, Danny et moi sommes invités par Melanie à son mariage dans le Michigan. Je sais que toute ma famille sera là. J'accepte. Une semaine plus tard, mon père m'appelle pour me demander si je viens avec Danny. Je réponds que c'est évident. Il me dit qu'il préférerait que je m'abstienne parce que le reste de la famille n'est pas au courant.

— Tu sais quoi, Papa ? Je viens et Danny aussi. Melanie nous a invités tous les deux et point barre.

Je me rends compte qu'il faut plus de temps à mon père pour accepter ma sexualité que je ne le pensais. Au mariage, je présente Danny comme mon ami et mon père nous évite. Nous ne nous embrassons devant personne et nous ne nous tenons pas la main. J'ai compris le message. Il va falloir attendre encore un peu.

Nous sommes en 1988 et Sean tourne un film sérieux et grave, *Outrages*. Il est totalement en décalage avec Madonna, sa vie, ses tableaux et en particulier ses amis. Il est également loin de s'amuser avec sa dernière camarade de jeux, la lesbienne avouée et comédienne branchée Sandra Bernhardt. Quand je vois Madonna et Sandra ensemble, celle-ci semble toujours fascinée par ma sœur – c'est presque de l'idolâtrie. Alors que, pour moi, Madonna s'amuse simplement avec elle. Elles sortent en boîte dans toute la ville, parfois avec Jennifer Grey, qui vient de quitter Matthew Broderick, et elles fêtent ensemble l'anniversaire de Sandra au World. Madonna et Sandra sont ravies de poser toutes les deux pour la presse. Clairement consciente que les objectifs vont immortaliser ce tableau, Sandra pose la tête sur l'épaule de Madonna, qui passe les doigts dans ses cheveux.

Le 1ᵉʳ juillet 1988, Madonna fait une apparition surprise et impromptue dans le *Late Night with David Letterman* dont Sandra est l'invitée. La raison est évidemment la publicité : *Ciao Italia: Live from Italy* vient de sortir en vidéo et se trouve catapulté N° 1 quelques semaines à peine après le passage chez Letterman. Cette manière de faire la promotion, c'est du Madonna tout craché.

Comme convenu avec les producteurs, au milieu de l'interview de Sandra par David, Madonna apparaît soudain sur le plateau et défie Dave :

— Parlons de Sandra et moi.

Letterman leur demande comment elles passent leur temps et s'il pourrait se joindre à elles.

— Seulement si vous changez de sexe, plaisante Madonna.

Je vois bien qu'elle se croit drôle.

Et cela empire.

Sandra déclare à Letterman que Madonna et elle fréquentent le Cubby Hole, un bar lesbien très connu du Village.

— Je crois qu'il est temps de voir la réalité en face, dit Madonna. Elle n'en a rien à fiche de moi... Elle est amoureuse de Sean. Elle se sert de moi pour le séduire.

Cette déclaration grotesque mise à part, elle essaie clairement de donner l'impression que Sandra et elle ont une liaison. Pour moi, ce n'est pas vrai. Je pense que Madonna exploite simplement la publicité.

Sandra et elle continuent leur numéro quand, en juin 1989, elles chantent ensemble le « I Got You Babe » de Sonny & Cher lors d'un gala de charité pour la forêt amazonienne. J'y assiste et je ne les trouve pas aussi drôles qu'elles aimeraient l'être.

1988 se termine avec la signature de Madonna pour un contrat de deux films avec Columbia Pictures et sa citation dans le *Guinness des Records 1988* pour avoir vendu onze millions d'exemplaires de *True Blue*, N° 1 dans vingt-huit pays.

À présent, Madonna passe la plupart de son temps dans son appartement de Central Park West. Au début, j'étais vraiment déçu qu'elle achète cet appartement, parce que je trouve laid l'immeuble en briques de 1915 de style *arts and crafts*.

Comme Sean et elle n'ont pas réussi à acheter un appartement au San Remo ou au Dakota, cet endroit semblait être un bon deuxième choix. D'ailleurs, elle voulait habiter en bordure du parc. L'appartement est au sixième, sur le parc, mais à mesure que les années passent, les arbres grandissent et cachent totalement la vue. Cela dit, Madonna s'en soucie assez peu. Elle préfère de loin New York à Los Angeles et, jusqu'à son déménagement à Londres, Central Park West restera sa résidence préférée.

Maintenant qu'elle est sur le point de divorcer de Sean – sujet que, dans la plus pure tradition familiale, nous évitons d'aborder – elle me demande de décorer son appartement new-yorkais pour qu'elle puisse y habiter de manière permanente. Pour elle, j'ai fait mes preuves et je suis digne de sa confiance : elle me donne une carte de crédit à mon nom débitée sur son compte et ne fixe aucune limite budgétaire.

Je vais donc acheter des meubles, deux canapés simples et quelques fauteuils d'aucun style en particulier, une table à dîner et quelques tabourets. Sans me rendre compte à l'époque que, grâce à ma sœur, comme toujours instrument de mon destin, je suis en train de devenir décorateur d'intérieur.

Finalement, elle achète l'appartement mitoyen, le réunit au premier, puis un troisième et un quatrième, que je vais tous décorer et aménager.

Pour le premier, je choisis un gris neutre pour l'entrée ; un tirage des années trente de la photographe française Laure Albin-Guillot, intitulé *Nu,* est accroché au mur au-dessus d'un fauteuil russe doré de la fin du XIXᵉ siècle.

Les Deux Bicyclettes de Fernand Léger, première œuvre majeure que j'ai encouragé Madonna à acquérir, trône au-dessus de la cheminée. Ma sœur adore les cheminées et en a une autre dans sa chambre, face à son théâtral lit en érable guilloché de cuivre, éclairé par un plafonnier en cuivre patiné ovale que j'ai dessiné pour elle.

Je dessine également le hall voûté, où sont exposés plusieurs nus féminins, dont le *Nu 1929* de George Platt-Lynes et une série de distorsions d'André Kertész, ainsi que le bureau en bois de rose de Madonna et sa cuisine en acier pourvue d'un micro-ondes où elle aime préparer du pop-corn. Les biscuits de Rice Krispies composent le reste de son répertoire de cuisinière. Généralement, quand elle reçoit, c'est moi qui cuisine ou bien elle engage un traiteur ou, plus récemment, un chef macrobiotique français. Lors de ces soirées, elle éclaire les pièces avec sa bougie préférée au gardénia de chez Diptyque.

Pendant que je dessine la cuisine, Madonna me demande de faire un coin petit déjeuner dans le style des alcôves des cafétérias années cinquante, qu'elle juge idéal pour les petites réunions intimes.

En janvier 1989, Liz me demande de venir à Los Angeles. Apparemment, la veille, Madonna et Sean se seraient violemment disputés et Madonna a besoin de moi. J'appelle aussitôt ma sœur et lui demande comment elle va. D'une petite voix, elle me répond que ça va, mais je sens que ce n'est pas le cas. Sans entrer dans les détails, elle me dit que Sean s'est de nouveau montré violent et injurieux avec elle.

— Si tu veux que je le tue, j'en serai ravi, lui dis-je.

Elle rit faiblement et me dit qu'elle séjourne chez Freddy à Beverly Hills et qu'elle se sent relativement en sécurité.

— Mais tu ne rentres pas chez vous ?

Elle répond que non, car elle veut éviter Sean et qu'elle doit se trouver une maison indépendante au plus vite. Est-ce que je peux l'aider ? Je réponds que j'en serai heureux.

Dès mon arrivée le lendemain, je prends une chambre au Bel Age Hotel. Elle vient me chercher dans sa Mercedes décapotable 560SL noire qu'elle adore. Mais comme elle tient absolument à protéger sa peau, durant les dix ans qu'elle l'aura, jamais elle ne décapotera.

Je la trouve pâle et affaiblie et je vois bien qu'elle ne dort pas depuis des jours. Elle semble déprimée, mais quand je lui demande si elle veut en parler, elle redresse les épaules et refuse.

— Concentrons-nous sur les maisons.

En quelques jours, je visite plus de vingt-cinq maisons pour elle. La dernière est sur Oriole Way. Bien que perchée sur le bord d'Hollywood Hills, elle a des allures de penthouse new-yorkais et je sens que Madonna y sera heureuse. Elle est immédiatement disponible et n'a besoin que de meubles.

Je lui en parle, la lui montre et elle signe sur-le-champ pendant que je me mets en devoir de la meubler.

Elle a la plus grande confiance dans mes goûts et me dit d'acheter ce qui me plaît, peu importe le prix. Je vais donc au Design Center, bien conscient qu'il est impossible d'acheter directement ce qui est exposé. Mais, comme je le soupçonnais, quand j'annonce que le mobilier est pour Madonna, on me vend tout ce dont j'ai envie.

Je vais ensuite à Melrose Place chercher des antiquités – principalement italiennes, notamment des fauteuils du

XVIIIe siècle et une paire de chandeliers – puis je parcours la ville pour acheter draps, serviettes, vaisselle, savon, jusqu'au moindre ustensile de cuisine. Deux semaines plus tard, Madonna emménage et se déclare ravie que j'aie pu en faire autant en si peu de temps.

Le 25 janvier 1989, elle signe un contrat de cinq millions de dollars pour une publicité de deux minutes pour Pepsi, qui sera le sponsor de sa prochaine tournée. Elle doit figurer dans le film dont la bande-son sera « Like a Prayer ». C'est un accord financier parfait et un excellent moyen de lancer le morceau. Comme Michael Jackson avait signé un contrat du même genre en son temps, j'imagine que c'est Freddy qui a proposé d'en faire autant et a tout négocié.

Le 22 février 1989, durant la diffusion des Grammy, Pepsi passe une publicité télévisée *pour* la publicité à venir, ce qui ne s'est jamais vu auparavant. Et, le 2 mars, environ deux cent cinquante millions de téléspectateurs du monde entier découvrent Madonna dans la pub. Chez Pepsi, on doit se dire qu'on en a eu pour son argent.

Peu après, le clip de « Like a Prayer » sort, avec Madonna qui danse dans un champ où brûlent des croix, simule des stigmates et pleure des larmes de sang avant d'embrasser un saint noir. Pour moi, ce qui arrive est prévisible.

Le 5 avril, Pepsi annonce l'abandon de la pub utilisant Madonna et la chanson en raison des menaces de boycott déclenchées par l'imagerie religieuse du clip.

Je vais à Oriole Way et elle me le fait voir.

— Tu te rends compte ? Ils ont retiré la pub !

— Eh bien ! lui dis-je le plus diplomatiquement possible, tu montres des croix en feu, tu fais semblant d'avoir des stigmates et tu embrasses un saint noir. Tu pensais que ça ne poserait pas de problème ?

— Mais je ne comprends pas pourquoi.

Elle n'imagine pas du tout que ce qu'elle a fait est éminemment choquant parce qu'elle ne l'a tout bonnement pas fait pour choquer. Elle se soucie peu que la pub soit retirée – après tout, elle a déjà touché cinq millions de Pepsi – mais elle est sincèrement surprise.

Peu après, je reviens voir Madonna et je manque m'évanouir de surprise. Ses lèvres sont énormes.

— Tu t'es fait tabasser ? demandé-je.

— Non, j'ai un truc aux lèvres.

Inquiet, je demande des précisions.

— Je ne sais pas. C'est peut-être une allergie.

Évidemment, elle ment, mais je ne soupçonne rien. Je n'ai pas encore entendu parler du collagène. Sinon, j'aurais très bien compris pourquoi elle veut arborer des lèvres pleines et sensuelles ; elle est sur le point de rencontrer le séducteur le plus célèbre du monde : Warren Beatty.

Madonna est déterminée à décrocher le rôle de Breathless Mahoney dans *Dick Tracy*, film inspiré de la bande dessinée que Warren Beatty doit produire et diriger. Breathless – une femme fatale qui complote pour détourner Dick de sa petite amie légitime, Tess Trueheart – est le rôle rêvé pour Madonna, et elle le sait.

À l'origine, c'est Sean Young qui devait jouer le rôle, mais elle s'est retirée, prétendant que Warren lui a fait des avances. Sans se laisser abattre, il jette son dévolu sur Kim Basinger ou Kathleen Turner pour le rôle. C'est alors que Madonna entre en lice. Cependant, Warren est loin de se laisser faire. Il fait courir le bruit qu'il envisage Michelle Pfeiffer pour le rôle. Madonna riposte en annonçant qu'elle se contentera du cachet syndical – 27 360 dollars seulement – plus un pourcentage sur les recettes en salle.

Warren tient bon. Puis Madonna et lui dînent à l'Ivy et l'accord est signé – tout comme, selon moi, Warren en a toujours eu l'intention. Selon la réalisatrice de *Cherche Susan désespérément*, Susan Seidelman, dès 1984, Warren avait demandé à voir les rushes quotidiens du film et s'était montré intrigué par Madonna. Celle-ci a toujours eu un petit faible pour Warren. Je revois sa chambre dans le Michigan et je me souviens que, lorsque nous étions adolescents, si je n'avais que des cartes de géographie sur mes murs, Madonna avait un poster de Warren Beatty. Et quand son film *Les Rouges*, histoire du révolutionnaire John Reed, qui a écrit *Les Dix Jours qui ont ébranlé le monde*, sort en 1981, elle insiste pour que nous allions voir le film ensemble.

Ils se rencontrent finalement pour la première fois en 1985 quand Sean les présente à une soirée.

Madonna m'annonce qu'elle a obtenu le rôle de Breathless Mahoney et sort avec Warren. Cela ne m'étonne pas, étant donné qu'il est connu pour coucher avec ses partenaires féminines, comme Julie Christie, Diane Keaton et Natalie Wood. Quant à Madonna, elle est intriguée par les fantômes de ces anciennes petites amies et relèvera comme un défi – qu'elle trouve extrêmement excitant – de devoir marcher dans les traces de Brigitte Bardot, Vivien Leigh, Joan Collins, Carly Simon, Barbra Streisand, Susan Strasberg, Britt Ekland et toute une cohorte de beautés plus ou moins légendaires qui ont été aimées par Warren et l'ont aimé.

Madonna est une grande star, à présent, plus que Warren, mais elle est curieuse de voir ce que cela fera de le fréquenter. Par-dessus tout, ma sœur étant ce qu'elle est, elle se rend très bien compte qu'une liaison avec Warren Beatty sera idéale pour sa légende, son statut à Hollywood – sans parler des conséquences positives sur le montage final qu'il choisira, en tant que réalisateur, pour *Dick Tracy*.

Quant à Warren, il a cinquante-deux ans, et une histoire d'amour avec la plus grande star du monde – de plus de vingt ans sa cadette – est manifestement une astucieuse stratégie professionnelle pour lui.

Pendant ce temps, fidèle à elle-même, Madonna ne laisse pas cette idylle avec le play-boy la détourner du plus important pour elle : sa carrière. Le tournage de *Dick Tracy* commence le 28 février 1989, à la même époque où elle tourne le clip d'« Express Yourself », filmé avec un budget de cinq millions de dollars, record historique en ce domaine, et trouve encore l'énergie de participer à un « danséthon » au profit de la recherche contre le sida au Shrine Auditorium.

Au plus fort de sa romance avec Warren, Madonna me dit qu'il veut faire ma connaissance. Je suis à la fois flatté et immensément curieux. J'accepte l'invitation de le retrouver, avec quelques-uns de ses amis, à dîner dans sa maison de Mulholland Drive qui domine la vallée de San Fernando. J'arrive par l'allée en contrebas. Pas de vigiles. Je sonne et l'assistant de Warren vient m'ouvrir et me conduire dans un espace reliant la salle à manger et une véranda vitrée dont le toit s'ouvre sur le ciel.

Une longue table de vingt couverts est recouverte d'une nappe toute simple, sans décoration, et d'une vaisselle assez quelconque. *Douillet* n'est pas le mot que j'emploierais pour cette maison. Il n'y a ni plantes, ni peintures ou photos, tout est austère. Une chanson de Sinatra – où il est question de femmes et de conquêtes – passe en sourdine, mais en dehors de cela, rien n'indique que c'est là la maison du Don Juan légendaire qui compte parmi ses conquêtes les femmes les plus désirables du monde, ma sœur y compris. La maison sans âme de Warren ne trahit en rien la nature de son charme, sa capacité à séduire pratiquement quiconque croise son chemin.

Puis je lui serre la main et, en dix secondes, j'éprouve à mon tour toute l'ampleur de sa séduction.

Il glisse lentement sa grosse main dans la mienne avant d'appuyer légèrement. Il garde le contact un quart de seconde de plus que l'habitude. Le geste a un côté nettement sexuel.

Il me fixe droit dans les yeux, nous nous saluons.

— Alors, Christopher, dit-il sans perdre un instant de sa voix grave et mesurée. Je peux te demander quelque chose ?

Je hoche la tête, déjà totalement sous le charme.

— Qu'est-ce que ça fait vraiment d'être gay ? demande-t-il, avec autant d'intensité que s'il avait attendu toute sa vie pour me rencontrer et me poser la question. Penses-tu que tu as eu le choix ou que tu es né comme ça ? ajoute-t-il en m'entraînant vers un canapé où nous nous asseyons.

Il ne faut pas longtemps avant que je lui confie toutes sortes de détails concernant ma sexualité.

— Alors, est-ce que ça a été difficile pour toi, d'être gay ? demande-t-il en plongeant son regard dans le mien.

Entre-temps, Debi Mazur, Jennifer Grey et quelques-uns des danseurs de la tournée sont arrivés et se trouvent non loin de nous, mais Warren me donne la sensation que nous sommes seuls dans la pièce.

Je suis complètement conquis, aspiré dans le tourbillon de cette irrésistible personnalité, totalement soumis à son charme fatal, alors que je ne le connais que depuis dix minutes.

Ce charme s'estompe graduellement quand, lors de notre deuxième entrevue, il me pose des questions du même genre sur ma sexualité. Et lors de la troisième. Et de la quatrième. J'en ressors avec la nette impression que Warren est obsédé par l'homosexualité, ou bien que toutes ces questions sont simplement destinées à me mettre à l'aise et qu'il est charmant avec moi parce qu'il veut que je sois de son côté – au cas où il deviendrait mon beau-frère.

Retour à notre première rencontre chez lui. Au dîner, la conversation est légère ; Warren boit peu. Son chef nous sert une cuisine californienne ordinaire. Madonna, en jupe courte et petit top noirs, est assise à côté de lui, mais ne se comporte absolument pas en chatte et ne s'accroche pas du tout à lui.

— Waaaren Beaaatty, geint-elle au milieu du repas. Je m'ennuie.

Évidemment. Warren s'est étendu sur les chances de son ami le Sénateur Gary Hart de parvenir à la Maison Blanche et ma sœur s'ennuie toujours, sauf quand la conversation tourne autour d'elle, son prochain spectacle ou son dernier album.

Cependant, Warren n'est pas le moins du monde vexé. Il sourit avec indulgence. Je vois clairement que Madonna l'amuse, mais que leur relation est beaucoup plus du type père/fille que fougueuse passion. Durant tout le dîner ils se touchent rarement. Et toutes les autres fois où nous serons réunis, jamais je ne verrai Warren et Madonna s'embrasser, se serrer l'un contre l'autre ni même se tenir la main.

On sert une mousse au chocolat. Ma sœur l'engloutit, se lève, annonce : « Terminé pour moi » et quitte la pièce.

Je me souviens du Monopoly. J'ai neuf ans, elle en a onze. J'ai réussi à acheter la deuxième rue la plus chère, mais comme je ne suis pas encore au fait de l'ordre naturel des choses dans mon petit monde, je refuse de la lui céder. Maintenant, je m'apprête à gagner et je suis content.

— Terminé pour moi, déclare ma sœur en quittant la pièce après avoir jeté son pion sur le tapis – toujours le haut-de-forme, alors que moi, c'est toujours le fer à repasser.

La partie est immédiatement finie.

Des années plus tard, rien n'a changé. Cependant, Warren ne se laisse pas troubler pour autant.

Il ne tente aucunement de diriger Madonna. Et elle est bien trop sage pour essayer de le mener par le bout du nez. Elle ne sait que trop bien que d'innombrables femmes avant elle ont vainement essayé et n'a aucune intention de commettre la même erreur.

Quelle que soit sa stratégie, elle lui réussit totalement, car un matin, alors que nous prenons le café dans la cuisine, elle m'annonce que Warren l'a demandée en mariage.

Je pose ma tasse, totalement surpris.

— Tu crois que je devrais, Christopher ?

— Eh bien, tu l'aimes ?

— Je crois. Qu'est-ce que tu en penses ?

J'hésite. Elle témoignait plus de passion à Sean, et en aura plus tard davantage pour son petit ami John Enos et pour Carlos Leon, le père de sa fille.

Je lui réponds donc que j'apprécie Warren et que je pense qu'il fera un excellent père, mais je n'insiste pas parce que je sens que ma sœur n'est pas vraiment amoureuse de lui, malgré son charme dévastateur, ses appuis politiques et son influence à Hollywood. Elle l'aime bien, elle l'admire, ils s'amusent ensemble, mais l'amour ne fait pas partie de l'équation.

Finalement, elle élude la question du mariage, et l'amusement continue.

Nous allons tous les trois voir un concert de k.d. lang au Wiltern, à Los Angeles. Nous faisons le trajet dans la Mercedes 560SEL or de Warren, que je lui envie. Je me jure de posséder un jour la même en noir, ce qui finira par arriver.

Après le concert, sur le chemin du retour, Warren s'interroge pensivement :

— Pourquoi les femmes qui ont de la voix sont-elles toujours cinglées ?

Question intéressante et, peut-être, un compliment empoisonné à ma sœur.

Je suis extrêmement curieux de la relation de Warren avec sa sœur, l'actrice Shirley MacLaine, son aînée de trois ans, mais il n'en parle jamais. Quand je lui demande en hésitant s'il la voit quelquefois, il y a un long silence.

— Nous vivons dans des mondes séparés, finit-il par répondre.

Cet été-là, Danny et moi louons notre maison habituelle à Fire Island – un bungalow années cinquante en bois sur la baie. Fire Island fait quarante-deux kilomètres de long sur cinq cents mètres de large et est parsemée de petites communautés séparées. Plus on s'éloigne à l'est, plus elles deviennent gay et « rustiques », Cherry et Pines étant totalement gay.

Comme les voitures sont interdites, les résidents utilisent de petits chariots pour transporter bagages et courses sur les planches étroites. Fire Island est magnifique et c'est le seul endroit au monde où je me sens à l'aise en tant que gay. J'invite Warren et Madonna à venir y déjeuner et – à ma surprise – ils acceptent. Je leur explique qu'ils peuvent monter en voiture jusqu'à Sayville et prendre le ferry jusqu'à Pines, ou prendre un hydravion depuis la Vingt-Troisième Rue Est à Manhattan. Ils choisissent la seconde solution.

Je vais les accueillir au quai. Ils descendent de l'hydravion, verts.

— Jamais on ne refera ça, disent-ils. Pourquoi tu ne nous as rien dit ?

Apparemment, l'espace dans la cabine était très exigu et l'avion volait si bas qu'il n'a cessé de tressauter durant tout le trajet.

Une fois qu'ils sont remis de leur équipée, nous déjeunons puis nous allons nous baigner.

C'est le milieu de l'après-midi et l'île est remplie de monde.

La rumeur de la présence de Madonna et Warren sur l'île se répand comme une traînée de poudre. Ce sont probablement les plus grandes stars à venir ici depuis plus de cinquante ans. Après ce jour, mon statut sur Fire Island monte d'un cran.

À la fin de la journée, j'emmène Warren et Madonna au ferry, qui les ramènera à Sayville, où une voiture les conduira confortablement à Manhattan. Danny et moi retournons en souriant à la maison, car tout le monde sait que nous venons d'avoir Warren Beatty et Madonna à déjeuner chez nous.

Madonna ressent tout de même assez d'affection envers Warren pour vouloir lui acheter un cadeau d'anniversaire. Elle me montre une peinture années trente, dans le style de Lempicka, représentant un homme assis dans un cockpit et intitulée *L'Aviateur*, et me demande s'il l'appréciera. Connaissant la fascination de Warren pour Howard Hughes, je lui réponds que je pense que oui et elle la lui achète. Il l'accroche dans l'entrée et c'est maintenant le seul tableau qui se trouve dans sa maison.

Durant le tournage de *Dick Tracy*, je rends visite à Madonna sur le plateau. Elle tourne la première scène, qui se passe dans la loge de Breathless Mahoney lorsqu'elle fait la connaissance de Dick et lui demande s'il va l'arrêter. Vêtue d'un peignoir luisant qui descend jusqu'au sol, donnant l'illusion qu'elle ne porte rien dessous hormis une petite culotte noire, Madonna est suprêmement belle. Son maquillage est tout aussi impeccable : peau transparente, lèvres rouges et brillantes, boucles platine.

Nous bavardons pendant que son coiffeur rectifie ses cheveux. Je demande à ma sœur comment se passe le tournage.

— Difficile. Éprouvant, en fait. J'ai l'impression d'être une gamine.

Je compatis.

— Je joue une vilaine fille.

Je tente de hausser les sourcils.

— Alors, ça fait quel effet de travailler avec Warren ?

— Fantastique. Il m'aide, et avec quelle patience ! Ce n'est pas comme avec Sean.

Bien des soirs, après le dîner, Warren, Madonna et moi sortons ensemble en boîte. Durant toute sa carrière,

Madonna s'est toujours fait un point d'honneur de visiter tous les clubs, notamment les clubs blacks, où les nouvelles tendances de danses apparaissent généralement. Ainsi, elle peut surveiller ce qui se fait.

D'où sa découverte du *voguing*. En gardant le contact avec le monde de la nuit et en se tenant au courant des dernières tendances, Madonna est restée au sommet dans son métier. Évidemment, ses expéditions dans les boîtes prennent fin quand elle découvre la Kabbale, mais à l'époque de sa relation avec Warren, elle sort encore, saisit les nouvelles danses au bon moment et les incorpore dans ses albums et ses clips.

Nous allons souvent tous les trois au Catch One, un club black avec un salon pour les drag-queens. Il est situé dans le genre de quartier de Los Angeles où on ne peut laisser sa voiture dehors que si on a payé un mec pour la surveiller.

Nous allons également au Club Luis de Pico, une minuscule boîte tenue par l'acteur Steve Antin, avec un bar qui ressemble à un séjour dans une maison, et décoré de posters de noirs à coupe afro. Très branché. Madonna et moi adorons y aller, comme des tas d'autres célébrités.

Nous passons la soirée sur la piste à refaire les chorégraphies de nos showcases et à en inventer d'autres par la même occasion. Ma sœur danse avec moi et si certains de nos danseurs nous accompagnent, nous dansons tous ensemble. Sur la piste, Madonna n'est pas préoccupée que d'elle-même. Elle ne veut pas danser seule, mais avec moi ou quiconque nous accompagne. Nous finissons par tous danser de concert les mêmes pas.

Pendant ce temps, Warren reste en retrait, tantôt souriant, tantôt crispé, mais il ne nous quitte pas des yeux, toujours indulgent et se souciant peu d'être entouré de tant de gays.

— Viens, Warren, viens danser avec nous, lui proposé-je.

Avec son petit demi-sourire habituel, il répond :

— Non, merci, vous êtes plus doués que moi. Amusez-vous.

C'est le seul hétéro du lieu et je crois que cela lui plaît. Cela ne le gêne pas que tous ces garçons dansent ensemble. Il est bien trop sûr de sa virilité pour cela.

Il ne réagit pas davantage à ma sexualité en s'en moquant ou en laissant entendre qu'elle me dévirilise. Il me traite toujours avec le plus grand respect, s'assure de ne pas me laisser de côté et ne s'interpose pas entre Madonna et moi. Au final, je l'aime bien et je l'admire.

Pendant ce temps, ma sœur le trompe.

Je ne sais pas grand-chose de l'autre homme, sinon qu'il est latino.

Elle m'a dit qu'elle ne faisait pas confiance à Warren. Elle est convaincue qu'il est infidèle, mais n'a aucune preuve tangible.

D'après ce que je sais de lui, je crois qu'elle fait erreur et qu'il est fidèle.

Warren est assez fin pour sentir que Madonna a d'autres intentions en tête et que, pour elle, il n'est pas le seul mec de la ville.

À cette époque, nous répétons pour la prochaine tournée, *Blond Ambition*. Madonna m'a promu directeur artistique, bien qu'elle veuille toujours que je l'habille, et je suis plus impliqué que jamais dans l'organisation de la tournée. Durant les quatre mois qui précèdent, je séjourne avec elle à Oriole Way, où j'ai ma chambre.

Nous faisons du jogging quotidiennement et travaillons ensuite quatorze heures par jour, et nous restons ensemble même quand nous ne travaillons pas.

Warren assiste rarement aux répétitions. À plusieurs reprises, lorsque nous sommes dans la cuisine en fin de journée à discuter du spectacle, Madonna me dit que Warren passera plus tard. Le temps qu'il arrive, je suis généralement couché. Le lendemain matin, nous partons courir et à notre retour il est déjà parti.

Une nuit, je suis réveillé par la soif vers 3 heures du matin et je vais me chercher un verre d'eau. La maison est plongée dans l'obscurité et le sol dallé est froid sous mes pieds. La maison est en forme de fer à cheval, la chambre de Madonna se situe à une extrémité et la mienne à l'autre. Entre les deux se trouvent bureau, bibliothèque, séjour et cuisine, où l'on parvient en passant devant le bureau. En descendant le long couloir qui y mène, du coin de l'œil, dans la pénombre, j'aperçois Warren dans le bureau. Il me semble bien qu'il est en train de fouiller dans la corbeille à papiers de ma sœur.

Je file dans la cuisine et me sers un verre d'eau en faisant le plus de bruit possible.

Quand je repasse devant le bureau, Warren a disparu.

Le lendemain matin, je décide de garder toute cette affaire pour moi. Mais dans mon for intérieur, je crois que Warren, en habile manipulateur depuis toujours, a eu le bon sens de reconnaître qu'il avait trouvé son égal en Madonna. Séducteur volage impénitent, il a trouvé à qui parler et il le sait. Il ne lui reste plus qu'à dénicher une preuve. Et c'est là pour moi l'explication de son geste : il cherche une preuve de son infidélité, mû par un désir compréhensible de connaître la vérité.

On peut se demander s'il l'a trouvée. Ce qui est certain, c'est qu'à peine elle débute le tournage de *In Bed with Madonna* que leur relation commence à battre de l'aile. Warren fait montre du plus grand dédain pour le projet et – en dehors d'une brève scène – refuse d'y participer. Ce refus lui vaut encore plus d'admiration de ma part.

Chaque matin avant les répétitions, Madonna et moi courons nos habituels dix kilomètres. Sur le retour vers Oriole Way, nous devons gravir une colline très escarpée. Un matin, arrivé en haut, je me sens étourdi. Je n'en dis rien à Madonna, la conduis à ses répétitions, mais toute la matinée, je ne cesse d'oublier des choses et je me sens très bizarre. J'ai du mal à reprendre mon souffle.

À l'heure du déjeuner, j'ai l'esprit agité. Je vais donc voir David Mallet, le directeur de la tournée, lui annonce que je ne me sens pas bien et que je pense devoir aller à l'hôpital, précisant qu'il ne faut rien dire à Madonna, car je ne veux pas qu'elle panique.

Je vais au Centre Médical Providence Saint Joseph, sur South Buena Vista, à côté des Studios Warner, et je passe un électrocardiogramme. Les résultats indiquent que je suis en pleine arythmie. Mon rythme cardiaque est irrégulier et mon cerveau n'est plus correctement irrigué. Je reste allongé sur la table en me demandant comment la répétition se déroule sans moi.

Une infirmière à taches de rousseur passe la tête par le rideau et, avec un air surpris et curieux, annonce :

— Il y a Madonna au téléphone pour vous. C'est la *vraie* Madonna ?

J'acquiesce et lui demande de m'apporter le téléphone.

Madonna me demande ce qui se passe.

Je réponds que j'ai un problème cardiaque et que je dois passer d'autres examens.

Elle me dit de ne pas m'inquiéter pour les répétitions et qu'elle me rappellera pour prendre des nouvelles.

Et elle repart à ses répétitions.

Un quart d'heure plus tard, la même infirmière revient et m'annonce, totalement incrédule :

— Warren Beatty vous demande au téléphone ! Vous en connaissez, du monde !

Je souris faiblement et prends la communication.

— Christopher, dis-moi exactement ce qui se passe.

J'explique et, aussitôt, Warren déclare :

Michelina Ciccone, ma grand-mère
paternelle, née en avril 1902.

Gaetano Ciccone, mon grand-père
paternel, né en janvier 1900.

Silvio « Tony » Ciccone, mon père,
en 1952.

Ma mère, Madonna, en 1953.

*Ma mère dans
sa jeunesse, chevauchant
un bison, en 1951.*

*Ma sœur Madonna à un an,
janvier 1959.*

Madonna à deux ans, sur une balançoire dans notre jardin de Thors Street, août 1959.

Moi en train d'exhiber mes atours, avril 1961.

*Ma mère dans le jardin,
juste avant d'apprendre
qu'elle est atteinte
d'un cancer, février 1964.*

Mon père dans la cuisine, jeune et beau gosse, avril 1958.

La première communion de Madonna, 1967. Elle faisant la belle et moi la tête, comme d'habitude, tandis que ma sœur Melanie et mon frère Marty sourient à l'objectif.

La photo familiale de Noël, 1967 : moi à gauche, suivi de Madonna, mon oncle Trevor, Melanie, puis Paula, et derrière, Marty à gauche, mon oncle Ed et mon frère Anthony au sommet de la pyramide.

La photo de classe de Madonna à l'école élémentaire.

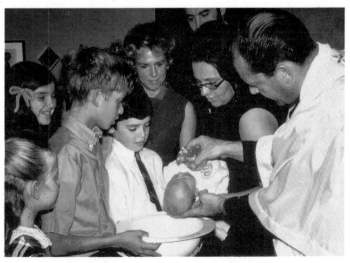

Le baptême de Jennifer, 1968. Je suis avec la cravate,
Madonna avec le ruban orange et Joan est en bleu.

Une photo de famille à San Matteo, prise en 1970 durant notre traversée
de l'Amérique en voiture. Au premier rang de gauche à droite,
Paula, moi, Madonna, Melanie – les filles dans leurs robes d'été Butterick –
et derrière, mon oncle Chris, Marty, Joan et mon père.

Notre maison sur Oklahoma Avenue.

*Madonna et Paula à une réunion de famille en 1977 –
toutes les deux en robe signée Joan.*

*Histoire de faire les imbéciles : devant, Mario, puis Madonna
suçant son pouce, moi avec un béret et mon frère Anthony à droite, 1979.*

Ma grand-mère maternelle Elsie, Madonna et la mère de Joan, Rose, photographiées après le passage de la tournée Like a Virgin à Detroit en mai 1985.

Madonna dans un restaurant de Shanghai, avant le tournage de Shanghai Surprise, sorti en août 1986.

Madonna, le jour de la première de Dick Tracy, *1990.*

Madonna et Jean-Paul Gaultier à Tokyo avant la tournée Blond Ambition, *1990.*

Carlos et moi à l'anniversaire de Madonna au Delano, Miami, en 1996.

Même soirée, avec Gianni Versace.

L'inauguration du Planet Hollywood à Cannes en mai 1997 – moi, Demi, Naomi et Kate.

Madonna enceinte de Lola,
moi à l'arrière-plan, dans la cuisine
de la maison d'Oklahoma Avenue
dans le Michigan en 1996.

Madonna et Marty à la fameuse soirée
de Thanksgiving, en 1996.

Dan Sehres et moi à une fête
à l'Atlantic, en 1997.

Moi et Daniel Hoff lors
de son anniversaire, 1997.

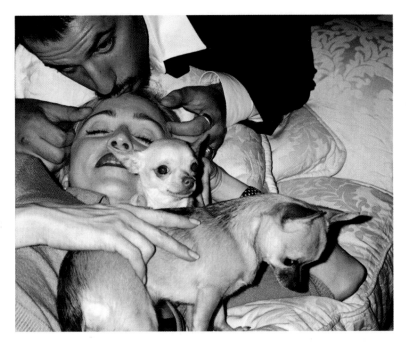

Madonna are Guy Oseary, Evita et Chiquita à Miami, Thanksgiving 1997.

Moi et Niki Harris, 1997.

Lori Petty, moi,
Gwyneth Paltrow
et Chris Lee,
Halloween 1999.

John Enos et moi,
Atlantic Restaura
1998.

Alek Keshishian, Daniel Hoff, Ingrid Casares et Kate Moss
à une fête à New York, 1998.

*Ingrid, Madonna, Stephen Dorff et Chris Paciello à une fête au club d'Ingrid,
Liquid, à Miami, en 1999.*

*Nouvel An à la résidence Versace, en 1999. Ingrid donnant la becquée
à Madonna, comme d'habitude.*

*Madonna et Carlos en visite dans le vignoble de mon père en 1995.
De gauche à droite, moi, assis, Jennifer, mon neveu Levon, Madonna assise sur une chaise
au centre – exactement comme une reine. Debout derrière elle de gauche à droite,
Melanie, la petite amie d'Anthony, Anthony, Joan, mon père, Carlos, et Paula.*

Le Vignoble et les Caves Ciccone de Traverse City, Michigan, 2003.

— Je vais appeler mon cardiologue. Il va te contacter dans cinq minutes.

Il tient parole.

Le lendemain matin, je vois le cardiologue, qui diagnostique un ballonnement de la valve mitrale. Quelles que soient les relations de Warren et ma sœur, en tout cas il s'occupe de moi. Je le trouve plus sympa que jamais. (Six ans plus tard, la même chose se reproduit, mais mon problème cardiaque est diagnostiqué comme étant lié au stress – à cette époque de ma vie, rien de surprenant.)

La dernière fois que je vois ma sœur et Warren ensemble, c'est à la première de *Dick Tracy* à Washington. Ensuite, nous rentrons tous avec les danseurs à l'hôtel. Je descends prendre un verre et Warren et Madonna montent ensemble. Après cela, leur relation s'effiloche tout simplement. Ils sont restés ensemble pendant juste quinze mois. La fin de leur romance n'est annoncée par aucun éclat ni récrimination. Elle se fane lentement, discrètement.

Je revois Warren pour la dernière fois il y a quatre ans, lorsque nous déjeunons ensemble dans un petit restaurant japonais au-dessus de Beverly Hills, près de sa maison de Mulholland. Il me conseille sur un scénario que j'ai écrit, moi sur la rénovation de sa maison, puis il me demande des nouvelles de Madonna.

Nous parlons un peu d'elle. Mais Warren, toujours sympa, ne mentionne pas une seule fois du déjeuner mon beau-frère actuel, Guy Ritchie. Et durant tout ce déjeuner, je regrette que ce ne soit pas Warren qu'elle ait épousé.

Le successeur de Warren dans la vie de ma sœur n'est pas une sommité d'Hollywood, mais un acteur de vingt-sept ans, Tony Ward – qui figure dans la vidéo Pepsi et a également tourné dans des pornos gays et hétéros. Non que Madonna se soit jamais intéressée de près ou de loin au porno. L'image qu'elle projette si laborieusement dans son livre *Sex* n'est rien de plus que cela : une image concoctée dans un but commercial. Elle n'a jamais eu de porno chez elle. Mais comme Warren, Tony est incroyablement sexy et je comprends parfaitement que Madonna soit attirée par lui, même si en l'occurrence je ne le suis pas.

À la fin des années quatre-vingt, Madonna reçoit un déluge de récompenses. Les téléspectateurs de MTV l'élisent Artiste de la Décennie, *People* la fait figurer parmi les « Vingt personnalités qui ont influencé la décennie », elle surpasse les Beatles sur la liste des singles consécutifs dans les charts américains (elle en a eu seize à la suite) et elle est couronnée comme la chanteuse gagnant le plus d'argent au monde. La légende de Madonna va continuer longtemps durant les dix années suivantes.

7

*Ce qui importait, c'était la légende personnelle,
barbouillée à grands traits.*

Wallace Stevens

La veille du début de la tournée mondiale *Blond Ambition*,
au Marine Stadium de Makuhari, à Tokyo, le 12 avril 1990,
Madonna arpente la scène en râlant sur la sono, tapant du
pied et beuglant « espèces de connards ». Du Madonna classique, entièrement capté par la caméra d'Alek Keshishian
pour son documentaire *In Bed with Madonna*. J'hésite
cependant à qualifier de *documentaire* la performance de ma
sœur dans ce film, car c'est en réalité un numéro où elle
déploie plus de talent que dans toute sa carrière au
cinéma. Et quiconque pense qu'*In Bed with Madonna*
révèle quoi que ce soit de la vraie Madonna se fourre le
doigt dans l'œil.

Le titre anglais (*Madonna: Truth or Dare* – allusion au jeu
où l'on doit soit répondre par la vérité à une question, soit
subir un gage) induit gravement en erreur, car quiconque
cherche la vérité sur la vraie personne cachée derrière la
façade méticuleusement construite de ma sœur ne la trouvera pas dans ce « documentaire ». Une exception dans la

scène du Marine Stadium, puis dans la scène où elle prend le petit déjeuner avec Sandra Bernhardt. Vêtue d'un kimono de soie, elle est détendue et naturelle. Sandra lui pose des questions sur son enfance après la mort de notre mère, et Madonna lui dit que pendant les cinq ans qui ont suivi, elle rêvait que quelqu'un l'étranglait, se réveillait trempée de sueur et se réfugiait dans le lit de son père pour trouver du réconfort. Sandra lui demande comment elle dormait dans le lit de son père et Madonna répond en blaguant :

— Parfaitement bien. Je m'endormais juste après qu'il m'avait sautée. (Puis elle rit de sa propre « blague » et ajoute :) Non, je plaisante.

La scène illustre parfaitement Madonna dans l'un de ses moments les plus aberrants quand – dans sa tête – elle est tellement au-dessus de tout et de tout le monde qu'elle croit qu'elle peut dire ce qui lui chante. Je n'en parle pas avec elle, car cela m'irrite trop.

Pour le reste du film, ce travestissement de la réalité commence avec Madonna se lamentant que la fin de la tournée est proche. « Je me débarrasse seulement de la dépression qui me gagne quand la tournée finit... Je sais que ça va me faire quelque chose plus tard. »

D'après ses paroles, cela la rend sentimentale. En réalité – et là, c'est une citation exacte de Madonna, telle qu'elle me l'a dit à la fin de la tournée – ce qu'elle a éprouvé, c'est : « Dieu merci, c'est fini. »

En général, la fin d'une tournée est loin d'être un moment nostalgique pour Madonna. Pour les danseurs, qui ont nourri le sentiment qu'ils étaient chaque jour plus proches d'elle et qu'ils vont le rester, c'est différent. Cependant, durant les derniers jours, ils commencent lentement à se rendre compte qu'une fois que ce sera terminé, ils ne la reverront jamais.

Dans la première scène d'*In Bed with Madonna*, Madonna apparaît comme quelqu'un de très attentionné qui mesure ses paroles. En réalité, elle est nettement plus portée à tout débiter sans réfléchir du tout. Pourtant, là, elle calcule clairement ce qu'elle va dire et récite manifestement, comme si c'était mémorisé d'après un scénario.

Le coup de fil à mon père pour l'inviter au spectacle, qui commence par « Écoute, je me rends compte qu'on ne s'est pas parlé depuis un moment. Tu sais que j'espère que tout va bien, mais je ne sais pas du tout quand vous comptez venir me voir sur scène, quel soir… Bon, alors, qui veut venir et quand ? » est également monté de toutes pièces et filmé avec la permission de mon père. Dans la vraie vie, c'est Melissa, l'assistante de Madonna, qui aurait passé le coup de fil, pas Madonna.

Quand elle arrache les pétales d'une marguerite en récitant pensivement « Il m'aime, un peu, beaucoup… » à propos de Warren, c'est totalement du cinéma. À ce stade de leur relation, Madonna ne se soucie plus du tout de Warren. De même, jamais elle ne le dénigrerait comme elle le fait à l'écran ou le traiterait de « fou de la chatte ». Dans la vraie vie, elle serait beaucoup plus polie et respectueuse. Quant à Warren, il fait clairement comprendre dès le début qu'il déteste le concept du film. Il n'est absolument pas lui-même dans les rares scènes où il consent à figurer. Lorsque Madonna lui confie qu'elle a enregistré l'une de leurs conversations téléphoniques intimes et lui annonce qu'elle compte l'intégrer dans le film, il lui envoie ses avocats et la scène est coupée.

Durant la scène de Toronto, où nous jouons au SkyDome les 27 et 28 mai et que son manager, Freddy DeMann, et moi, apprenons que la police risque d'arrêter Madonna pour comportement obscène, on me voit lui annoncer la nouvelle. Tout est mis en scène du début à la fin. Le réalisateur m'a demandé de parler à Madonna devant sa caméra et, contre toute raison, j'ai accepté. En réalité, jamais je n'aurais parlé de la menace de la police avant le spectacle et j'aurais réglé la situation par moi-même.

Les scènes de coulisses du Palace, dans le Michigan, où Madonna joue du 30 mai au 2 juin, sont également artificielles. D'après mon expérience, Madonna n'aurait jamais laissé Marty venir la voir en coulisses, pas plus que son amie d'enfance Moira McPharlin. Pas plus qu'elle n'aurait adressé la parole aux familles des danseurs. Elle est trop concentrée sur la tournée pour s'intéresser, même de loin, à la famille de quiconque, quand elle est sur la route.

Durant le deuxième concert à Detroit, elle clame : « Rien n'est meilleur que de revenir chez soi. Il n'y a personne qui arrive à la cheville de cet homme. » Notre père monte sur scène, elle s'incline devant lui et amène le public à chanter pour lui « Joyeux Anniversaire », et là, elle est sincère.

Le poème que Madonna récite en hommage à son assistante Melissa Crowe, qui passe extrêmement bien dans le film, vient peut-être du cœur, mais peu de temps après, Melissa démissionne, parce qu'elle en a par-dessus la tête.

Après le départ de Melissa, je voulais rester en contact avec elle parce que nous sommes amis, mais Madonna a décrété que ce n'était pas possible. Pour elle, une fois que les employés ont quitté les lieux, ils sont éternellement bannis. Et quiconque a la témérité de leur parler est qualifié de traître.

Voici toute la vérité sur la tournée *Blond Ambition*, telle que je l'ai vécue.

Madonna m'appelle et me dit :

— Je pars en tournée et bien sûr, je veux que tu m'habilles, mais je pense que tu devrais concevoir la scène et prendre aussi la direction artistique du show.

Silence abasourdi de mon côté.

— Tu as conçu mon appartement de New York et ma maison d'Oriole Way, tu devrais être capable de t'occuper aussi du show.

Je suis vraiment ravi, mais légèrement déçu de devoir encore être son habilleur. Mais, au moins, je peux dire à mes amis que je suis le directeur artistique de la tournée de Madonna. Et le cachet est maintenant de cent mille dollars, beaucoup plus que ce que j'ai touché lors des deux autres tournées.

Mes responsabilités comprennent désormais la supervision des costumes, l'agenda de la tournée, le décor et, évidemment, l'habillage de Madonna. Maintenant, comme les membres de son équipe sont conscients que j'ai beaucoup d'influence sur elle, lorsqu'ils ont peur de lui dire quelque chose en face, ils me demandent d'être leur intermédiaire. Je finis par servir très fréquemment de messager.

Avant que la tournée commence, nous rencontrons Jean-Paul Gaultier et étudions les concepts des costumes, notamment le célèbre bustier. Il nous envoie plusieurs esquisses, Madonna et moi faisons la sélection finale. Le bustier et tout ce que nous choisissons doit être fabriqué en trois exemplaires. Tout doit comporter des doubles coutures avec des fils élastiques et renforts en divers endroits, notamment pour sa poitrine. Les bretelles sont renforcées et toutes les attaches sont remplacées par des crochets ou des zips pour que tous les costumes tiennent solidement en scène.

Je propose un harem comme décor pour cette version de la chanson « Like a Virgin ». Cependant, le costume pour la scène se révèle problématique, car le fil est en métal doré massif et l'alourdit. Et les six versions que nous faisons fabriquer finissent par se corroder au point d'être méconnaissables.

Madonna chante « Like a Virgin » sur un lit en velours rouge, flanquée de deux danseurs, et la chanson se conclut par un simulacre de masturbation. Mes sentiments concernant la scène varient selon les soirs. Soit j'ai le fou rire, soit je dois me détourner de dégoût. J'ai dû la voir au moins cinquante fois, mais j'ai toujours du mal à regarder. Je suis peut-être son directeur artistique, mais Madonna reste ma sœur.

Je suis avec elle quand elle fait passer les auditions des danseurs. Bien que j'aie appris à tenir ma langue, de temps en temps, Madonna me demande mon opinion sur la scène et certains danseurs. Elle choisit Oliver Crumes comme l'hétéro pour cette tournée. Dans *In Bed with Madonna*, elle le traite comme un enfant. Ils passent beaucoup de temps ensemble chaque soir après le concert, mais je ne sais pas si leur relation est allée plus loin.

Quelques jours avant la première date, le réalisateur Alek Keshishian vient à Tokyo commencer à tourner *In Bed with Madonna*. Il a du mal au début, car Madonna ne le laisse filmer que certaines choses et elle se méfie des inconnus. Il finit par venir me demander conseil sur la manière de traiter avec elle.

Voici en résumé ce que je lui dis :

— Tu ne peux pas faire irruption dans la pièce et te lancer. Il faut que tu entres délicatement et que tu voies d'abord de quelle humeur est Madonna. Observe son visage. Dis-lui bonjour et note sur quel ton elle te répond.

Si elle dit : « Salut, comment ça va ? », c'est meilleur signe qu'un simple : « Salut ». Si elle ne te regarde pas ou ne répond pas, c'est que ce n'est pas un bon jour. Tu ne dois jamais entrer en conflit avec elle. Il faut que tu lui donnes l'impression que toutes tes idées viennent d'elle.

Il suit mes conseils : elle se détend et lui laisse pratiquement carte blanche. Maintenant, il filme tout. Bien plus qu'il ne devrait à mon goût.

En tournée, Madonna met un point d'honneur à traiter les danseurs comme s'ils faisaient partie de sa famille et appelle même cela « materner » – mais ce n'est pas vraiment fait de manière conventionnelle. Elle fait en sorte qu'ils soient assez proches et dévoués pour lui rester loyaux et utiles, mais ce n'est pas une affection et une sollicitude sincères. Parfois, elle me rappelle comment Joan maintenait l'ordre dans sa marmaille.

Quand nous jouons à Detroit et qu'Alek filme les coulisses, je m'affaire autour d'elle, mais je ne ramasse rien et je n'éponge pas la sueur sur son corps. Alek me demande de le faire, mais je refuse tout net de l'habiller ou la déshabiller devant l'objectif. Maintenant que je suis directeur artistique, je refuse plus que jamais que mes amis ou ma famille me considèrent comme un simple habilleur.

Pour Madonna, l'un des moments les plus gênants et les plus accablants du film est la visite de Moira McPharlin en coulisses à Detroit. Moira est invitée tout exprès pour qu'Alek puisse filmer sa rencontre en tête-à-tête avec Madonna. S'il n'avait pas voulu cette scène, la rencontre n'aurait jamais eu lieu, étant donné que Madonna évite toujours ce genre de confrontation intime, surtout au beau milieu d'un spectacle.

Avant de rencontrer Moira – qu'elle n'a pas vue depuis la terminale – Madonna se remémore devant la caméra leur adolescence, prétendant que Moira lui a appris à utiliser les tampons hygiéniques et à emballer. Moira nie énergiquement ces deux déclarations. Madonna se lance dans le récit de ses expérimentations sexuelles avec Moira, qui dément.

Madonna accorde à Moira une brève audience en tête-à-tête. Manifestement mal à l'aise devant les caméras, Moira demande à Madonna de s'asseoir, mais celle-ci répond : « Je ne peux pas, là, je suis vraiment désolée ». Moira lui dit que quatre ans plus tôt, elle lui a écrit pour lui demander si elle acceptait d'être la marraine de son enfant à naître. Madonna se hâte de répondre qu'elle s'en souvient, mais qu'elle a reçu la lettre beaucoup trop tard. Moira lui déclare qu'elle est de nouveau enceinte et lui demande à brûle-pourpoint si elle accepte cette fois. Madonna est visiblement mal à l'aise.

Moira lui annonce qu'elle veut que l'enfant porte son nom et lui demande de le bénir d'avance, et Madonna reste un instant sans voix. Normalement, gérer une situation pénible est de mon ressort, Madonna se contenterait de me dire « Occupe-t'en », et je le ferais. Jusqu'à maintenant, elle n'a jamais eu à se salir les mains, mais avec Moira, elle n'a pas le choix.

Elle abrège au plus vite, promet de l'appeler, elle est manifestement contrariée. Après tout Moira a dépassé les bornes : elle a mis Madonna au pied du mur, qui déteste cela, et la caméra a tout enregistré. Préoccupée comme elle l'est par le film, elle n'a aucun égard pour les sentiments de Moira, et je trouve cela déprimant.

Pendant que nous sommes à Pontiac, Melissa m'appelle, m'annonce que Madonna va se rendre sur la tombe de notre mère le lendemain matin et me demande si je veux l'accompagner. J'accepte. Elle me demande d'être dans le hall à 11 heures, sans me préciser que cette visite sur la tombe de notre mère sera filmée. Si elle me l'avait dit, jamais je n'y serais allé.

À 11 heures, je monte dans la limousine. Ma sœur, collant et top noir, lunettes supernoires, m'y attend déjà. Elle ne prononce pas un mot. Je me dis qu'elle est simplement fatiguée du concert de la veille. En réalité, soit elle est en train de ruminer sa prochaine scène dans *In Bed with Madonna*, soit elle a hâte de la tourner et se sent un petit peu coupable. Ou les deux à la fois.

Nous roulons pendant une heure et demie jusqu'au Calvary Cemetery de Bay City. La limousine quitte l'autoroute déserte pour un chemin de terre cahoteux qui ne semble mener nulle part. J'ai le vague souvenir d'avoir pris cette

Christopher Ciccone

route quand j'étais petit, mais ni Madonna ni moi ne sommes revenus au cimetière depuis des années.

Nous franchissons les grilles, dont un battant oscille dans le vent, et nous arrivons dans le petit cimetière que je trouve mal entretenu et envahi par la végétation. Les pierres tombales ne sont pas rangées et il nous faut une heure pour trouver la sépulture de notre mère. Au même instant, Alek et l'équipe arrivent dans la camionnette de tournage.

Mon cœur s'emballe et je suis furieux.

— Qu'est-ce qu'ils foutent là ?

— Oh, tu ne savais pas ? répond Madonna en ouvrant de grands yeux. Ils filment.

— Mais tu as perdu la tête, Madonna ?

Comme je sais qu'elle ne va pas répondre, je la plante là.

— Chris, je t'en prie, ne fais pas ça.

Je continue sur mon chemin.

Madonna s'élance derrière moi et s'arrête. Elle a même cette sagesse.

J'ai la nausée.

Les caméras s'allument.

Je me retiens d'arracher à l'un des cameramen son engin et de le fracasser sur le crâne de Madonna.

C'est alors que commence son numéro – qui, au montage final sera accompagné de la chanson « Promises to Try », qu'elle a coécrite, et d'un flash-back d'images de Madonna en tournée.

Je m'appuie contre un arbre, blême de fureur, et je regarde ma sœur jouer sa petite comédie.

D'abord, elle erre dans le cimetière, pour faire semblant de chercher la sépulture. Elle dépose un bouquet de fleurs sur la tombe, s'agenouille et y dépose un baiser.

Dans le commentaire en voix off qu'elle enregistrera ensuite, mais dont elle a pris soin de ne rien me dire, elle récite : « Je n'étais pas allée au cimetière depuis ma jeunesse. J'y allais souvent après sa mort. Le décès de ma mère

207

était un grand mystère pour moi, quand j'étais petite : personne ne me l'avait vraiment expliqué.

Ce que je me rappelle le plus clairement de ma mère, c'est qu'elle était douce, gentille et très féminine. Je ne sais pas, je crois que pour moi, elle avait simplement l'air d'un ange, mais j'imagine qu'à cinq ans, tout le monde croit cela de sa mère. Je sais aussi qu'elle était très pieuse.

Je n'ai jamais compris pourquoi elle a été ravie à notre affection ; cela me semblait si injuste. Je me disais qu'elle ne pouvait pas avoir fait de bêtises, et que ce devait être moi qui en avais fait une. »

Puis, dans ce que j'estime être le pire moment, elle s'interroge pensivement : « Je me demande de quoi elle a l'air, à présent. Ce n'est sûrement plus qu'une poignée de poussière. »

Elle continue ses simagrées et s'allonge auprès de la tombe : « Je vais me faire enterrer ici, on me couchera sur le côté », déclare-t-elle.

La caméra est ensuite coupée, puis elle se redresse et s'adresse à moi :

— OK, Christopher, maintenant à ton tour.

Le ton qu'elle a pris veut tout dire : léger, enjoué. Cela sous-entend : « Il n'y a pas de quoi en faire tout un plat. »

Alek et elle s'attendent maintenant à ce que je me rende sur la tombe de notre mère uniquement pour la caméra. Je ne risque pas de me laisser faire. J'oblige Alek à ranger son matériel dans la camionnette.

Je leur tourne le dos à tous les deux.

Je leur demande de me laisser seul devant la tombe.

Il faut que j'use de beaucoup de persuasion pour qu'ils s'éloignent enfin et me laissent seul rendre hommage à ma mère dans une relative intimité.

Je reste un moment assis près de la sépulture en regrettant que ma mère ne soit plus là. Puis, rempli de tristesse, je retourne à la limousine.

Madonna et moi rentrons ensemble à l'hôtel sans un mot.

Ce soir-là, je n'arrive pas à dormir. Que ma sœur se soit servie de la tombe de ma mère comme lieu de tournage et de sa mort comme inspiration pour cette scène entièrement jouée me blesse profondément.

Je suis horrifié des extrémités auxquelles Madonna est prête à aller pour promouvoir sa personne et sa carrière. Je redoute qu'elle n'ait plus le sens des limites. Tout et tout le monde est de la chair à canon pour sa machine publicitaire – même notre défunte mère.

Et si elle éprouve une peine sincère pour la mort de notre mère, elle l'a depuis longtemps enfouie sous le poids de son énorme ego, effacée sous sa légende et sa supercélébrité. Peut-être que la comédie d'aujourd'hui est sa manière de gérer son chagrin. Je dis bien peut-être.

Tout ce que je sais, c'est que pour Madonna, plus rien n'est sacré. Pas même notre défunte mère, qu'elle a reléguée au rôle de figurante dans son film. Alors que, pour moi, il n'y a rien de plus sacré.

Je ne reparle pas de la scène du cimetière à Madonna. Cela ne sert à rien, parce que je suis sûr qu'elle ne comprendra jamais pourquoi son comportement m'a fâché à ce point. Je préfère sublimer ma colère. Par chance, les exigences de la tournée sont telles que je n'ai pas le temps de m'appesantir sur mes sentiments ni discuter de quoi que ce soit de grave avec ma sœur. De Pontiac, la troupe part à Worcester, puis Landover, Washington, au Coliseum de Nassau, à Philadelphie, pour se terminer à la Meadowlands Arena d'East Rutherford, où Madonna donne deux concerts à guichets fermés, suivis d'une troisième en mémoire de Keith Haring, décédé en début d'année, et qui recueille trois cent mille dollars au profit de l'amfAR.

Le 30 juin 1990, la partie européenne de la tournée *Blond Ambition* commence à Gothenburg, en Suède. Les 3, 4 et 5 juillet, Madonna donne trois concerts parisiens devant une salle comble au Palais Omnisports de Bercy. Nous séjournons au Ritz sur la place Vendôme.

Jean-Paul Gaultier a accepté d'exposer mes peintures dans sa galerie du Faubourg-Saint-Honoré. Il a choisi vingt de mes tableaux religieux et je suis aux anges.

Ce soir, c'est le vernissage. À bout de nerfs, il me faut beaucoup de temps pour me préparer. Quand j'arrive en bas, Madonna est déjà dans le hall et me presse à grands cris.

Dehors, l'hôtel est assiégé par les paparazzi et les fans hurlants. Madonna et moi sommes escortés par une porte qui donne à l'arrière du Ritz dans une petite rue où nous attend notre voiture.

Nous partons dans un convoi de trois véhicules, chacun avec un garde du corps. La première voiture part. Nous la suivons. Une troisième nous suit. Alors que nous débouchons de la rue, les paparazzi nous repèrent et se lancent sur nos traces.

Notre chauffeur va si vite qu'il manque d'emboutir la première voiture, puis il finit par comprendre et la dépasse pour rouler encore plus vite. Nous sommes maintenant au tunnel de l'Alma, celui-là même où la princesse Diana trouvera la mort. Et notre chauffeur conduit de plus en plus vite.

La presse klaxonne.

Notre chauffeur écrase l'accélérateur. Nous nous engouffrons en trombe dans le tunnel.

— Ralentissez, putain ! hurle Madonna.

Elle se recroqueville sur son siège. Je la serre contre moi. Nous sommes tous les deux pétrifiés.

Je suis persuadé que nous allons avoir un accident.

Madonna continue de crier au chauffeur de ralentir.

Il n'écoute pas.

Finalement, nous sortons du tunnel et, dans un crissement de pneus, nous nous arrêtons devant la galerie Gaultier.

Quand nous descendons de la voiture, encore éprouvés par cette poursuite, Madonna est assaillie par la foule.

Elle sourit, fait des signes et ouvre la marche, me laissant la suivre, un peu agacé.

Une fois dans la galerie, elle se pavane devant les objectifs et ne jette qu'un vague regard à mes œuvres.

Je me retiens de lui dire : « Madonna, ce soir, c'est moi la vedette. »

En effet, à l'origine, la soirée devait être la mienne. Avec les années et la maturité, je me fais à l'idée que – si talentueux que je sois peut-être – Jean-Paul Gaultier ne m'aurait probablement pas exposé si je n'étais pas le frère de Madonna. Et quand bien même il l'aurait fait, si Madonna n'était pas venue, pas un seul journaliste n'aurait pris la peine de se déplacer. Ce soir-là, je vends douze de mes tableaux.

Après Paris, nous partons pour Rome, où le deuxième concert de Madonna est annulé à cause d'une grève et d'une vente de billets pas très glorieuse – peut-être à cause d'associations catholiques qui ont condamné la tournée *Blond Ambition* comme blasphématoire. Sans nous laisser abattre, nous partons à Turin, puis nous nous envolons pour l'Allemagne, où nous jouons à Munich et à Dortmund. Après quoi, les 20, 21 et 22 juillet, Madonna joue devant trois salles combles au stade de Wembley, où, comme toujours, les fans sont parmi les plus enthousiastes du monde.

Après Londres, nous jouons à Rotterdam, puis nous partons en Espagne avec des dates à Madrid, à Vigo et à Barcelone. Le 5 août, la tournée *Blond Ambition* se conclut au stade de l'Ouest, à Nice. Quand HBO diffuse le concert en direct, il est vu par plus de 4,3 millions de foyers, devient l'émission spéciale de divertissement la plus regardée de toute l'histoire de la chaîne en dix-huit ans et remporte le Grammy du Meilleur Long-Métrage Musical.

Aux États-Unis, *I'm Breathless: Music from and Inspired by the Film Dick Tracy* connaît des ventes certifiées de deux millions d'exemplaires, Madonna chante « Vogue » aux septièmes *MTV Video Music Awards*, où le clip remporte trois récompenses, et, le 7 septembre, Madonna reçoit une distinction, le « Commitment to Life » et interprète « Vogue » au bénéfice d'une association de lutte contre le sida, l'AIDS Project Los Angeles. Jusqu'à maintenant, je n'ai aucune raison de douter de la sincérité de ma sœur vis-à-vis des galas contre le sida ni de son soutien de la communauté gay en général.

Le 27 octobre 1990, Christopher Flynn, notre premier professeur de danse et mentor de Madonna, meurt du sida. Madonna n'assiste pas aux obsèques, mais je comprends et j'accepte qu'elle ne veuille pas éclipser les autres personnes présentes. Mais je suis certain qu'elle a de la peine. Tout comme moi.

*
* *

Madonna termine l'année en sortant « Justify My Love » qui, le 3 décembre 1990, est diffusé pour la première fois sur *Nightline*. *Rolling Stone* la couronne « Image des Années Quatre-Vingt ». *The Immaculate Collection* sort et est N° 1 en Grande-Bretagne pendant neuf semaines. Aux États-Unis, l'album est certifié double platine et *Forbes* élit Madonna chanteuse la plus riche de 1990 avec un revenu de 39 millions de dollars. Le magazine l'élit également « Femme d'Affaires la plus Habile d'Amérique ».

Je me rends compte que *Forbes* ne s'est pas trompé quand, le 7 mai 1991, alors qu'*In Bed with Madonna* doit sortir sur les écrans, *Advocate* publie une interview de Madonna dans laquelle elle dévoile mon homosexualité.

Cherchant apparemment à promouvoir le film en se faisant mousser auprès de ses fans gays, elle déclare : « Mon frère Christopher est gay et nous sommes depuis toujours les plus proches dans notre famille.

C'est drôle. Quand il était tout jeune, il était très beau et toutes les filles lui couraient après, il avait plus de succès que mes autres frères. Je savais qu'il avait quelque chose de différent, mais je ne savais pas très bien quoi. Je me disais : *Je sais qu'il est entouré de beaucoup de filles, mais il ne me semble pas qu'il a une petite copine.* Il les attirait toutes. Elles avaient toutes l'air de l'apprécier énormément et d'être proches comme je n'avais jamais vu l'être un homme et une femme.

Je vais vous raconter quand j'ai compris. Quand j'ai fait la connaissance de Christopher [Flynn], j'ai amené mon frère aux cours de danse parce qu'il voulait commencer à en prendre. J'ai vu qu'il y avait quelque chose entre eux. Je ne pourrais même pas vous dire exactement quoi, mais sur le moment, je me suis dit : *Oh, j'ai pigé. D'accord. Il aime les hommes, lui aussi.* Ça a été une révélation incroyable, mais je n'ai rien dit à mon frère sur le moment. Je n'étais même pas sûre qu'il en soit conscient. Il a deux ans de moins que moi. C'était encore un bébé. Mais j'ai senti quelque chose. »

Je suis furieux. De mon point de vue, ma sœur a décidé que dévoiler mon homosexualité, m'*outer* pour les lecteurs d'*Advocate* est un moyen idéal de faire la promotion de son film. Regardons les choses en face : dans *In Bed with Madonna*, il est – directement ou indirectement – question de sadomasochisme, lesbianisme, viol, un soupçon d'inceste, une mère morte. Alors pourquoi pas un frère gay, pendant qu'on y est ?

Après tout, Madonna a utilisé la tombe de ma mère comme lieu de tournage, alors pourquoi ne pas se servir de ma sexualité comme d'un outil publicitaire ? Je m'aperçois qu'il y a une autre raison. La communauté gay était depuis l'origine le noyau de ses fans dans les années quatre-vingt. Seulement, à présent, certains fans gays commençaient à estimer qu'elle était devenue trop commerciale, trop hétéro. Sa riposte ? Sa manière de les récupérer ? « Mon frère Christopher est gay. »

Cependant, à l'époque, je ne m'attarde pas sur ses raisons d'agir ainsi. Je sais seulement à quel point je suis furieux. Sans me demander mon avis sur la question, elle a pris sur elle de m'*outer*. Je sais qu'elle ne s'est pas demandé un seul instant si mon homosexualité est de notoriété publique pas plus qu'elle n'a songé au fait que notre grand-mère n'est pas au courant, ni le reste de la famille ou quiconque de notre cercle d'amis. D'ailleurs, depuis toujours, c'est à moi de décider si, quand et où, je dois faire mon *coming out*. Pas à Madonna. Mais pourquoi faudrait-il que cela me surprenne ? Elle ne s'est pas retenue d'exploiter notre chagrin pour la mort de notre mère, alors pourquoi se retiendrait-elle de m'exploiter, moi ?

— Comment as-tu pu me faire une chose pareille, Madonna !

Un instant de silence, pendant lequel elle continue de mâcher son chewing-gum.

— Je ne vois pas pourquoi tu es si fâché, Chrissy.

Elle sait que je déteste qu'on m'appelle Chrissy. Elle sait que je m'appelle Christopher. Si le sujet n'était pas aussi grave, je l'appellerais Mud [« Boue »], rien que pour l'énerver.

— C'est vrai, quoi, tout le monde sait que tu es gay. Je ne vois pas pourquoi tu en fais tout un plat, continue-t-elle.

Une demi-heure à essayer de lui expliquer, de lui faire comprendre que ce devrait être à moi et non à elle de décider si j'en parle publiquement ou pas, mais cela ne sert à rien.

— Mais où est le problème ? Tu es bien gay, non ?

J'essaie de ne pas en faire tout un drame. Il est clair qu'elle ne comprend pas ce qu'elle a fait. Comment voulez-vous vous disputer avec quelqu'un qui ne comprend pas ?

Une semaine après la parution d'*Advocate*, je reçois un coup de fil à mon numéro qui est sur liste rouge. C'est l'*Enquirer*, qui m'annonce qu'il va publier un article disant que j'ai le sida. Je suis fidèle. Tout comme Danny. Bien que j'aie déjà fait le test et que je sache que je ne suis pas séropositif, je le refais et j'envoie le résultat à l'*Enquirer*. Je suis séronégatif. L'article ne sort pas.

En juillet 1991, Madonna tourne *Une équipe hors du commun*. Madonna étant Madonna, elle ne peut pas s'empêcher de susciter la controverse en exprimant ses sentiments sur Evansville, dans l'Indiana, où le film est tourné, et se plaint que la maison qu'elle a louée n'ait pas le câble. Pas moins de trois cents habitants d'Evansville se réunissent pour manifester contre elle. Étant donné que c'est loin d'être la protestation la plus virulente qu'elle ait eue à essuyer durant sa longue et très mouvementée carrière, elle en sort indemne.

Rosie O'Donnell joue dans le film avec elle. Rosie et Madonna deviennent amies. Je pense qu'elles se sont rapprochées d'abord parce que l'une et l'autre ont perdu leur mère jeune, mais je sais que Rosie ne s'est jamais servi de la mort de sa mère dans sa carrière.

En novembre 1991, je fais ma deuxième exposition – cette fois à la Wessel and O'Connor Fine Art Gallery de Broome Street, dans SoHo. Durant cette période, mon travail tourne autour de dessins académiques au trait de torses sans bras. Bien que je ne m'en rende pas compte sur le moment, le choix de mon sujet – passif et désarmé – est extrêmement révélateur.

J'invite Madonna à l'exposition. Elle vient et c'est un remake du vernissage chez Gaultier. Elle entre, toute la salle s'immobilise, puis tout le monde s'agglutine autour d'elle. J'espère vainement qu'elle va ensuite venir vers moi et regarder les tableaux en ma compagnie, mais elle n'en fait rien.

Elle reste simplement au milieu de la salle, ravie de l'attention des gens. Je continue de sourire, parce qu'elle a au moins pris la peine de me soutenir en venant. Et je suppose qu'une demi-Madonna vaut mieux que rien du tout. Je sais tout cela et je l'accepte, mais même quand je vends huit de mes œuvres, dont trois à David Geffen, ce n'est pas facile. Bien qu'ayant toujours eu foi en mes talents de peintre, vivre dans l'ombre de ma sœur m'amène souvent à me demander si mon travail est de qualité ou si mon succès est tout au plus lié à sa célébrité.

À la fin de l'année, le 10 décembre, Madonna reçoit de l'amfAR l'Award of Courage.

Dans la vie privée de Madonna, Sandra Bernhardt est encore présente, mais Madonna et moi trouvons que c'est quelqu'un d'un peu trop négatif, triste et pas très heureux. Cependant, Madonna l'invite tout de même à sa soirée pour le réveillon du Nouvel An 1991. Sandra vient avec sa petite amie Ingrid Casares. Version un peu garçon d'Audrey Hepburn, Ingrid a de grands yeux de biche en amande. Elle est grande, mince et extrêmement sympa. Depuis un an, ayant fait la connaissance de Sandra après l'un de ses spectacles, Ingrid et elle sont ensemble. Mais dès qu'Ingrid est présentée à Madonna, pour Ingrid en tout cas, Sandra n'est plus qu'un souvenir. Et Madonna va s'embarquer pour la liaison la plus profonde et la plus durable de toute sa vie.

Ingrid et moi devenons des amis proches et même aujourd'hui, malgré tout le mal qu'elle a causé à ma relation avec ma sœur, je l'aime encore autant que je peux. Elle m'a aidé dans ma carrière de réalisateur de clips, elle est amusante et, par-dessus tout, vraiment originale.

Née en 1964 dans le quartier de Little Havana, à Miami, Ingrid est la fille d'un couple fortuné – son père possède RC

Aluminium, qui fabrique des fenêtres pour les gratte-ciel – qui a fui Cuba durant la révolution.

Élevée au couvent, excellente basketteuse, Ingrid a connu l'enfance typique des petites filles riches de Coral Gables. Elle a fréquenté l'université de Miami, pris pour la première fois de la cocaïne à quinze ou seize ans, et, dès 1994, s'est efforcée plusieurs fois de se guérir de cette dépendance. Pendant ce temps, elle étudiait l'anglais et les relations publiques, puis elle a déménagé pour Los Angeles, où elle est devenue booker pour l'agence Wilhelmina et a fait la connaissance de Sandra.

Depuis lors, elle est consultante image pour Moon Records, le label d'Emilio Estefan – qui possède dans son écurie des artistes comme Jon Secada et Albita – et copropriétaire du Liquid et de la Bar Room, deux clubs de Miami. À la fin des années quatre-vingt-dix, elle a vainement essayé d'ouvrir un club à Manhattan. Elle a toujours été une acharnée du travail, mais elle a malgré tout suscité l'ire de féministes comme Camille Paglia, qui a écrit d'elle : « Elle s'est transformée en laquais béni-oui-oui de Madonna. Je crois que la dépendance de Madonna envers Ingrid Casares est une maladie invalidante. Madonna devrait aller à la clinique Betty Ford pour se soigner de cette dépendance et se désintoxiquer d'Ingrid. »

À l'époque de la première rencontre entre Madonna et Ingrid, la femme dans la vie de Madonna est Sandra, mais – que leur relation ait ou non été physique – Madonna ne pouvait pas contrôler Sandra. Ayant sa propre carrière, une personnalité et des opinions affirmées, Sandra n'a jamais été le petit chien de Madonna. En revanche, Ingrid, c'est une tout autre affaire.

Madonna n'a jamais supporté les critiques. À l'époque de sa rencontre avec Ingrid, elle a fermement l'intention de se trouver une femme qui opine à tout. Maintenant qu'elle est une star, elle n'a plus la patience de supporter qu'on la contredise. Ingrid ne le fera jamais.

Un petit aperçu : Madonna et Ingrid prennent le petit déjeuner chez Madonna. Celle-ci lit *Vogue*. Elle tombe sur la photo d'une actrice et déclare à Ingrid :

— Regarde-moi ça, ce qu'elle peut être moche.

Ingrid jette un coup d'œil à la photo.

— Je ne la trouve pas si laide que ça.

— Sûrement que si.

— Tu as tout à fait raison, Madonna, dit Ingrid. Elle est vraiment laide.

Ingrid est une nymphe Écho pour Madonna. Elle n'amorce aucune conversation et a le chic pour saisir la température et endosser les opinions de la personne la plus importante qu'elle fréquente : en l'occurrence Madonna. C'est un caméléon parfait, qui ne remet rien en question, n'affronte jamais et elle est incroyablement douée pour questionner ou répondre en disant exactement ce que Madonna a envie d'entendre.

Ingrid sait parfaitement comment se rendre indispensable à Madonna. Elle a d'excellents réseaux et recueille tous les racontars que, dès le début, elle est ravie de transmettre à Madonna. Elle est toujours disponible et, n'ayant aucun souci d'argent, règle toujours ses propres dépenses. Elle arrive à la maison de bonne heure pour faire du sport avec Madonna. Ingrid est un gros poisson dans la petite mare de Miami, toujours prête à faire des courses avec Madonna ou pour elle. Elle peut rapporter les vêtements que veut Madonna, et, si Madonna a envie d'un homme, Ingrid lui en trouve un.

En fait, jusqu'au jour où Madonna épouse Guy – qui, me dit Ingrid, ne l'aime pas – Ingrid est l'homme de la vie de Madonna. Le mot *garçon* serait peut-être plus adapté. Ingrid a des allures de garçon, mais comme c'est une fille, elle est contente de faire des trucs de filles avec Madonna : aller faire une manucure, un massage ou un nettoyage de peau ensemble. Et elle est discrète, ce qui est capital pour Madonna.

Par-dessus tout, Ingrid n'est pas en compétition avec Madonna. Ni pour les hommes, ni pour les femmes. Pendant plus de quinze ans, Ingrid va rester dans la vie de Madonna, étant donné qu'elle ne dépend pas d'elle financièrement, qu'elle sait tenir sa langue et qu'elle lui voue une admiration sans bornes. Je ne serais pas étonné que ma sœur et Ingrid aient eu des relations intimes. Mais Madonna ne le confirmera ni ne l'infirmera jamais.

La relation de Madonna et d'Ingrid ne me pose aucun problème. D'une certaine manière, c'est le couple idéal. Visiblement, Ingrid et Madonna n'ont rien en commun en dehors d'une seule chose : elles sont toutes les deux amoureuses de Madonna. Du moins, Ingrid tombe-t-elle clairement amoureuse d'elle dès leur première rencontre et, à ce jour, reste encore sous le charme.

En public, Ingrid n'est jamais loin de Madonna et la protège. Madonna en fait rarement autant. De temps en temps, elle flirte un tout petit peu avec Ingrid, juste assez pour qu'elle reste accro. Si elles sortent en boîte, Madonna lui fait un gros baiser sur les lèvres ou la joue et Ingrid est satisfaite pour les cinq mois qui suivent. Mais, quand elles regardent des films ensemble, par exemple, elles ne sont pas assises l'une sur les genoux de l'autre, même si Ingrid est parfois aux pieds de Madonna, comme son esclave. Dans une certaine mesure, elle l'est. Et Madonna sait exactement comment la maintenir dans cette situation. À bien des reprises, quand elles vont à une fête ensemble, à la dernière minute, Madonna informe Ingrid qu'elle ne peut pas monter dans la voiture avec elle parce qu'il n'y a pas de place. Ingrid est effondrée.

Un soir, nous allons tous les trois à un grand dîner. Ingrid s'apprête à s'asseoir à côté de Madonna.

— Non, Gridy, ce soir, tu ne peux pas t'asseoir à côté de moi, dit Madonna.

Ingrid fait une grimace qu'elle s'empresse de dissimuler par un faible sourire.

Puis elle va s'asseoir à l'autre bout de la table.

Mais à mesure que la soirée s'avance, elle se rapproche doucement de Madonna. Le moment venu, elle s'assoit à côté d'elle comme elle le voulait depuis le début. Et elle est contente.

En général, je trouve pénible de voir Madonna humilier Ingrid et celle-ci se laisser faire sans protester.

En janvier 1992, Madonna et le photographe Steven Meisel commencent à shooter pour le livre *Sex* à Coconut Grove, en Floride. À partir de cette date, Ingrid et Madonna s'installent dans la demeure de Coconut Grove – six chambres, quatre salles de bains – que Madonna loue durant le shooting, puis finit par acquérir pour 4,9 millions de dollars.

Je déteste vraiment le livre, publié le 16 octobre 1992. Avant que sa production ne commence, je dis à Madonna qu'elle aurait dû demander à Helmut Newton de faire les photos et n'en publier que cinq cents exemplaires reliés en cuir.

— Pour qu'il soit spécial, unique. Un collector, dis-je.

— Et moi je veux le faire comme ça, dit-elle.

Et elle tient parole.

Aux États-Unis, le livre connaît des ventes record de cinq cent mille exemplaires en une seule semaine, tandis qu'en Europe, il s'en vend cent mille en seulement deux jours. Donc, au niveau commercial, elle ne s'est manifestement pas trompée.

La maison de Coconut Grove date des années trente et faisait à l'origine partie de la propriété de la Vizcaya. Madonna m'ayant demandé de la décorer, je descends à Miami, où la première personne que je rencontre est Ingrid, venue la visiter pour le compte de Madonna, accompagnée de Eugene Rodriguez, l'agent chargé de la gérer.

Les anciens propriétaires de la maison ont remplacé l'intérieur espagnol datant des années trente par du chêne clair italien et ont tout fait encastrer, même les lits. Atroce. Je me mets en devoir de restaurer la maison. Elle finit par comporter six chambres, de nouvelles salles de bains – celle de Madonna est en marbre noir et blanc – un vaste séjour au plafond sculpté, une longue salle à manger avec des arches à clés de voûte en corail, une salle de sport, un bureau et une salle de projection. Au final, un endroit idéal.

Sylvester Stallone habite dans la même rue et Madonna et moi rions devant la prétention de la plaque CASA ROCKO enchâssée dans la grille de sa demeure.

Bien qu'elle soit initialement prévue comme une maison de vacances, Madonna l'utilise souvent toute l'année, principalement parce que c'est là qu'elle est la plus détendue. La presse ne peut y accéder. Nous nous prélassons au bord de la piscine, je cuisine beaucoup – pâtes et salades – et Madonna, Ingrid et moi, ainsi que d'autres gens, regardons tous ensemble de vieux films – *Orange Mécanique, 2001, Laura, L'Impossible Monsieur Bébé.*

Souvent, une prêtresse new-age, Elsa Patton – une grande blonde lourdement maquillée qui conduit une Rolls-Royce dernier modèle – vient à la maison avec sa fille, Marisol, et asperge d'eau bénite toutes les portes. De temps en temps, elle emmène Madonna et Ingrid dans son petit hors-bord, *Lola Lola* et leur administre un baptême rituel dans l'océan.

Une fois, Elsa procède à l'un de ses rituels iconoclastes sur moi – traitement que subit régulièrement Madonna et qui, m'explique celle-ci, est censé laver l'âme. Je suis allongé sur un lit, entièrement vêtu de blanc, et Elsa me frictionne avec de l'huile chaude aromatisée de romarin et d'autres herbes. Puis elle entre en transes et commence à me parler dans une langue bizarre. Cela dure exactement trente-cinq minutes. Une fois que c'est terminé, elle m'annonce que je dois garder l'huile sur moi pendant vingt-quatre heures. Je trouve que j'empeste comme un poulet rôti et je prends aussitôt une douche.

Mais Madonna croit en Elsa et ses traitements. Question religion et rituels, la politique de Madonna – être du côté le plus sûr – consiste à ne rien laisser de côté. À Coconut Grove, il y a des récipients d'eau lustrale près des portes, un banc d'église italien du XIXᵉ siècle en acajou sombre incrusté d'ivoire que je lui ai offert pour Noël, un petit autel pour notre mère et des rosaires accrochés un peu partout.

Elsa et Marisol viennent fréquemment et l'âme de Madonna est régulièrement lavée. Quand j'y songe, passer de cela à la Kabbale n'a pas dû être compliqué.

Bien qu'Ingrid soit désormais très impliquée dans la vie de Madonna – un peu dans le genre servante de Cléopâtre ou poupée parlante, mais dont les piles sont usées et qui ne fait que répéter ce qu'elle entend – Madonna continue d'avoir des relations successives avec plusieurs hommes.

Elle en a une brève avec Vanilla Ice, mais rompt parce qu'elle le juge intellectuellement inférieur à elle et je suis bien d'accord. Elle commence alors à voir l'acteur John Enos, qui a joué dans *Melrose Place* et qui est un vrai mec-mec. Comme mon frère Marty, John Enos est le genre d'homme que Sean et Guy aimeraient tant être. Il fait lui-même la vidange de son moteur, conduit un pick-up des années cinquante qu'il a lui-même retapé, et a aménagé un stand de tir dans le sous-sol de sa maison. Il est grand, jovial, plutôt beau gosse, et c'est l'un des propriétaires du Roxbury, une boîte de Los Angeles.

Bien qu'étant aussi masculin, John est, comme Warren, tout à fait à l'aise avec les gays, et nous sortons souvent ensemble. Cherchant une fois de plus à me lier avec l'homme que voit ma sœur, je vais avec lui chez Tattoo's By Lou, à South Beach, où je me fais tatouer une ancre et le mot « MOTHER » sur l'épaule. Si nous ne mélangeons pas nos sangs comme naguère avec Sean, John et moi sommes potes et je l'aime bien autant que je l'admire. Un an plus tard, Madonna, John et moi allons à une soirée dans les Hollywood Hills, avec Guy Oseary, qui travaille dans la maison de production de Madonna, Maverick, et qui est hétéro. Marky Mark – Mark Wahlberg – est également présent. Je danse avec un mec sur la piste et Marky marmonne un commentaire à mi-voix. Guy Oseary se porte à ma rescousse et commence à se quereller avec lui. La situation menace de dégénérer. John s'avance vers Marky, qui, à peine il l'a vu, détale à toutes jambes. Enos se lance à sa poursuite en criant : « Ramène-toi, trouillard, je vais te démonter la gueule. » Mais Marky continue de courir.

Si viril que soit John, ce n'est pas encore assez pour Madonna, qui commence à faire des cabrioles avec son garde du corps de vingt-deux ans, Jim Albright. Il me suffit d'une heure en sa présence pour conclure que l'attirance est sans doute purement physique.

Ingrid, Madonna, Jim et moi prenons *Lola Lola* pour aller à Key Biscayne. Ce sont des hauts fonds. Nous avons souvent fait la traversée, et je sais qu'il faut prendre un itinéraire précis. Je le dis à Jim, qui ne m'écoute pas.

Au retour, je lui dis de nouveau quel trajet suivre, mais il persiste à garder le cap qui lui chante. À sept cents mètres du quai au bout de notre jardin, il n'y a que soixante centimètres d'eau. J'essaie de guider Jim, mais là encore, il me prête aucune attention.

Deux minutes plus tard, nous sommes échoués sur un banc de sable.

— Putain, Jim, mais pourquoi tu n'as pas écouté mon frère ? braille Madonna.

De mon portable, j'appelle un bateau pour qu'on vienne nous remorquer.

Nous restons à attendre dans le bateau.

Au bout de vingt minutes, Madonna se lève.

— J'en ai marre d'attendre.

Elle entreprend d'enjamber le bord pour sauter dans l'eau.

— Ne fais pas ça, Madonna, lui dis-je avant de lui parler des requins dormeurs qui hantent habituellement la baie. Ils mesurent deux mètres et ne sont pas particulièrement placides, donc je ne pense pas que ce soit une bonne idée de patauger dans l'eau.

Elle se rassoit.

Le soleil tape dur. Dans un remake de notre voyage au Maroc, elle commence à se plaindre de la chaleur.

Finalement, un bateau s'arrête pour nous dégager.

— C'est toi qui prends la barre, Christopher, dit-elle.

Et je ne reverrai plus jamais Jim Albright.

Madonna et moi passons Thanksgiving et Pâques dans la maison de Coconut Grove et, pendant l'année, elle y donne souvent des fêtes.

Une fois, David Geffen, Rosie O'Donnell, Ingrid, Madonna, John Enos et moi sommes dans le salon. Madonna propose un jeu – version hybride de « action ou vérité » – dans lequel il faut se faire passer une allumette allumée. Celui qui l'a en main quand elle s'éteint doit répondre à une question.

Les questions ?

« Si tu devais embrasser l'une des personnes présentes, ce serait qui ? »

« Qui est le plus beau dans la pièce ? »

« Si tu devais coucher avec l'une des personnes présentes, ce serait qui ? »

Tous les autres répondent : « Madonna », « Madonna », « Madonna ».

Moi : John Enos.

Le centre d'attention de l'assemblée est Madonna, toutes les questions portent sur elle, comme les réponses – et tout le monde s'en accommode. Elle est l'alpha et l'oméga de toutes nos existences et nous ne cessons de proclamer notre allégeance.

À Coconut Grove, Madonna possède maintenant trois chihuahuas, Chiquita, Rosita et Evita – tous choisis par Ingrid. Mais Madonna n'est pas une amatrice de chiens ou de chats. Elle ne veut pas promener les chiens et les considère tout au plus comme des accessoires vivants. Elle leur permet de courir partout dans la maison et, même s'ils chient partout, leur accorde très peu d'attention.

Je découvre en avril 1992 que Madonna voit toujours Jim Albright. John Enos est lui aussi au courant et n'apprécie pas. Mais il est tellement amoureux d'elle qu'il ne rompt pas.

De lui, elle dit :

— Il est beaucoup trop facile à avoir et trop ordinaire, même s'il est extrêmement utile dans la maison.

John est particulièrement excédé par un incident précis. Madonna ne travaille pas le Vendredi Saint. Enos pense qu'elle va passer la journée avec lui. Mais elle lui annonce qu'elle veut aller se promener à South Beach avec Ingrid et déjeuner avec elle, en tête-à-tête. Comme par hasard, Sean était également à South Beach avec Robin Wright à ce moment-là.

Pauvre John. Non seulement il doit s'accommoder de Madonna et Albright et de sa relation passionnée avec Ingrid, mais également de sa fascination éternelle pour son ex-mari Sean Penn. Ensuite, il y a Guy Oseary, désormais son manager, avec qui elle flirte pendant longtemps.

La rupture de Madonna et John est inévitable. Après cela, il sortira avec toute une éblouissante série de femmes sexy : Taylor Dayne, Heidi Fleiss et Traci Lords – toutes témoignant de sa masculinité.

Côté carrière, Madonna et moi sommes plus que surpris quand Oliver Crumes, Kevin Stea et Gabriel Trupin, danseurs de la tournée *Blond Ambition*, intentent un procès contre Madonna pour atteinte à la vie privée, escroquerie et tromperie, représentation intentionnellement fallacieuse, etc., l'accusant en gros d'avoir exposé au grand jour leurs vies privées dans *In Bed with Madonna*.

Je n'ai que peu de compassion pour eux. Tous les danseurs étaient conscients, dès le début, qu'ils étaient filmés pour *In Bed with Madonna* et j'ai beau détester la scène du cimetière, tous savaient exactement à quoi ils participaient. Malgré tout, Madonna décide finalement de signer un compromis financier avec eux.

Pendant toute l'année, Madonna et moi sommes extrêmement proches. Nous adorons aller voir des légendes sur scène et les rencontrer après le spectacle, et nous y allons souvent ensemble. Le 24 février 1992, nous allons voir Pavarotti au Lincoln Center. À l'entracte, nous nous rendons dans sa loge. Il est étalé sur le canapé, couvert de serviettes chaudes et humides pour apaiser sa gorge et seule sa tête dépasse. Un interprète est là.

— Magnifique spectacle, lui dit Madonna.

— C'est un honneur, répond Pavarotti.

— *Grazie*.

— Vous êtes italienne ! N'est-ce pas merveilleux ?

— Le monde entier ne devrait-il pas l'être ? répond-elle.

Le 26 août 1992, Madonna, Ingrid et moi allons voir Peggy Lee chanter au Club 53 du Hilton de New York. Peggy est merveilleuse, mais parvient à peine à bouger sur scène. Elle a soixante-douze ans et elle est infirme, mais c'est encore une incroyable chanteuse. Elle porte une perruque maintenue par une grosse broche de diamants qu'on croirait fichée au sommet de son crâne. C'est un curieux spectacle, mais qu'on oublie aussitôt qu'elle entonne « Fever », que Madonna va reprendre dans son album *Erotica*. Après le concert, Madonna

lui offre un bouquet de roses rouges, puis Peggy est emme-
née sur son fauteuil roulant.

En décembre 1992 sort *Snake Eyes* avec Madonna. Je lui
déclare que c'est le meilleur film qu'elle ait tourné et que,
selon moi, elle sait jouer. Cette fois, je suis sincère. Peu
après, *Body* sort et je suis de nouveau affreusement gêné
pour elle.

Malgré la débâcle de *Body*, unanimement descendu par les
critiques, Madonna a maintenant dans sa carrière d'immenses compensations – financières et autres –, en particulier après la signature pour soixante millions de dollars d'un
contrat de sept ans avec Time Warner avec qui elle fonde
une nouvelle entreprise multimédia. Les critiques d'*Une
équipe hors du commun* sont positives – et je suis d'accord
avec elles.

Fidèle à elle-même, elle attise le feu de la controverse en
défilant seins nus pour Gaultier à un gala de charité de
l'amfAR au Shrine Auditorium, mais la cause est noble et le
gala recueille sept cent cinquante mille dollars au profit de
la recherche contre le sida. Je suis heureux que ma sœur se
donne autant de mal pour les fans qui l'ont faite et contre la
maladie dont tant de nos amis sont morts.

8

Ne serait-ce pas affreux si c'était cela, le sommet ?

F. Scott Fitzgerald, *L'Envers du Paradis*

Au début de l'année 1993, Madonna m'appelle : elle repart en tournée et veut que j'y collabore. Elle cherche également une nouvelle maison et me demande de venir à Los Angeles l'aider.

Je prends l'avion, séjourne à Oriole Way, et passe deux semaines à chercher des maisons avec Madonna. Nous visitons Bel Air, Pacific Palissades, Beverly Hills. Mais nous ne laissons jamais les agents immobiliers venir nous prendre à Oriole Way. Madonna ne les supporte pas et je sais qu'ils ne l'aiment pas beaucoup non plus, car, dans ce domaine, c'est une cliente particulièrement difficile.

Du coup, c'est elle qui nous conduit aux maisons que nous visitons. Elle aime être au volant. Elle a une conduite un peu trop rapide et nerveuse. Elle ne s'intéresse pas beaucoup aux voitures, en dehors de sa Mercedes classique blanche décapotable à intérieur en cuir rouge – un modèle ancien qu'elle a d'abord eu à Los Angeles puis fait transporter à Coconut Grove.

Nous allons donc en voiture retrouver les agents. Chaque fois, nous remontons l'allée à pieds, mais nous n'entrons pas, car il suffit à Madonna d'un regard sur l'extérieur pour savoir si telle maison l'intéresse ou pas. Ce qui ennuie beaucoup d'agents, car elle les prive de l'occasion de lui débiter leur argumentaire commercial.

Mais c'est alors que nous voyons Castillo del Lago, ancienne demeure du gangster Bugsy Siegel (qui se trouve être le personnage du film de Warren, *Bugsy*) dominant l'Hollywood Reservoir : on y oublie totalement qu'on est à Los Angeles, et l'on se croirait plutôt dans un palazzo du nord de l'Italie. Madonna et moi nous nous en entichons. Ce manoir de mille huit cent soixante mètres carrés, avec cinq chambres et sept salles de bains, se dresse sur un terrain de presque deux hectares et, avec sa tour de guet de quarante-huit mètres de haut, il semble très sûr.

Madonna l'achète pour environ cinq millions et je commence à le rénover en travaillant vingt-quatre heures sur vingt-quatre et sept jours sur sept. Je n'ai aucune limite budgétaire et je finis par dépenser trois millions en travaux, meubles et accessoires. Puis elle se ravise. Elle m'envoie une lettre où elle m'écrit : « Je ne sais pas combien de temps je vais pouvoir vivre dans cette faillite intellectuelle qu'est Los Angeles » et me demande de ne pas trop consacrer d'argent à Castillo. Je dépense sans doute trop, mais c'est un vrai plaisir. Et, de toute façon, chaque frais est nécessaire et parfaitement justifié.

Nous nous retrouvons pour discuter du budget. Je lui explique que je dois continuer les rénovations. À ma surprise, pour la première fois depuis que je travaille sur ses maisons, Madonna remet en question mon jugement, ce qui me déconcerte. Au final, elle me laisse les mains libres et Castillo del Lago sera l'habitation la plus agréable que je lui aie conçue.

Une partie des travaux consiste à transformer les deux tourelles de la maison et son énorme muraille. Je trouve l'idée de copier une petite église de Portofino que Madonna et moi avons visitée et adorée à la fin de la tournée *Blond Ambition* : elle est peinte de bandes alternées blanches et ocre. Je lui expose l'idée.

— Tu es sûr que ça n'aura pas l'air d'un chapiteau de cirque ? demande-t-elle.

Je lui promets que non, surtout une fois que cela aura vieilli. Elle me laisse faire.

Sur le plus grand mur du salon, nous accrochons un nu de Séléné et Endymion de Langlois, commandé pour le palais de Versailles et que j'avais à l'origine installé au plafond de la maison d'Oriole Way. Avec la permission de Madonna, je me rends à Londres et je dépense une fortune en tissus et meubles. À Lillie Road, je trouve seize chaises époque William & Mary – une acquisition coûteuse, mais qui les vaut. Madonna les adore. Elle les a conservées durant tous ses déménagements jusqu'à aujourd'hui.

Madonna et moi sommes désormais ensemble constamment et – souvenir du passé – chaque fois que je me réveille la nuit, elle est assise par terre au milieu de sa bibliothèque, où elle lit des livres comme *L'Alchimiste* de Paulo Coehlo. Malgré le passage des années, elle conserve ses habitudes. Seuls l'environnement et le style de vie sont plus grandioses.

Pendant que la maison est en travaux, elle me demande d'aller voir Freddy concernant mon rôle dans la tournée. Je lui dis que je veux mettre en scène, assumer la direction artistique, et ne plus être son habilleur comme par le passé. Elle me répond qu'elle va y réfléchir.

Je lui ai pardonné depuis longtemps de m'avoir *outé*. Elle me fait confiance pour sa maison et il y a de grandes chances qu'elle me laisse mettre en scène la tournée. Elle se repose sur moi, je fais partie de son univers et je suis tout à fait satisfait.

Quand j'arrive chez Freddy, il m'annonce la bonne nouvelle : Madonna a décidé que je pouvais mettre en scène le

Girlie Show, mais il en a aussi une moins bonne : elle pose certaines conditions.

Sur la tournée, j'aurai droit à ma voiture personnelle avec chauffeur et je voyagerai en première classe. Cependant, elle ne me paiera pas une suite à l'hôtel, ce qui m'agace, parce que même son assistante y a droit.

Ma sœur va empocher des millions avec cette tournée. Je demande à Freddy pourquoi il marchande pour quelques milliers de dollars.

— Je suis obligé, c'est mon travail et elle y tient, dit-il.

La réponse est un peu obscure, mais je pense comprendre ce qu'il veut dire. Bien que Madonna reconnaisse totalement que je mérite le poste de metteur en scène et me l'ait volontiers accordé, elle semble assez curieusement m'en vouloir de cette générosité. Me refuser une suite est une expression de cette rancune.

Quand nous arrivons à Londres et que je gagne ma chambre, c'est un single et je m'en plains au manager de la tournée. Il me donne une suite. Ma sœur l'apprend et m'envoie une lettre assez méchante. Je la retrouve dans sa suite et pour la première et dernière fois de ma vie, j'y vais d'une petite larme. Je lui dis que je suis désolé si elle pense que j'ai profité d'elle et lui demande de me pardonner. Pour le reste de la tournée, j'ai droit à des suites. Je remporte la bataille, mais le message est passé. Elle pense en termes de coûts financiers, pas d'êtres humains, et ne tient clairement pas compte de moi ni de toutes les années où nous avons travaillé ensemble. À moins que je ne devienne trop proche d'elle et qu'elle commence à se dérober.

Début juillet, nous commençons les répétitions du spectacle aux Studios Sony sur West Washington, à Culver City. Je continue de décorer la maison de Madonna, tout en supervisant l'équipe, concevant les décors, gérant les danseurs, maintenant la paix et – surtout – mettant Madonna en scène.

À ma surprise, cependant, elle m'écoute durant les répétitions et suit mes conseils sur les chorégraphies, costumes, éclairages et jeux de scène. Nous sommes ensemble en permanence et il n'y a plus de conflits. Artistiquement, nous sommes sur la même longueur d'ondes et je passe les meilleurs moments de ma vie, même si je n'ai encore jamais autant travaillé.

Au début, j'ai quelques difficultés avec l'équipe – une centaine de roadies pour qui je ne suis là que parce que je suis le frère de Madonna. Elle ne fait rien pour les détromper. Il me faut deux semaines pour gagner leur respect, mais je finis par y arriver.

Le soir, Madonna et moi discutons du spectacle et, à titre d'inspiration, nous regardons des comédies musicales de Bollywood, de la danse thaï, *Trapèze* avec Burt Lancaster, des films avec Marlene Dietrich ou Louise Brooks. Nous optons pour un thème alliant cirque et revue de music-hall et prenons cinq chorégraphes. Gene Kelly sera l'un d'eux.

Il doit chorégraphier « Rain », mais, dès le début, il est évident qu'il n'est pas à l'aise avec nos danseurs, que nous avons choisis pour leur personnalité et non parce qu'ils sont de formation classique. Il ne comprend pas le concept de grand spectacle music-hall et sa coloration très sexuelle.

Je prends Madonna à part : il faut qu'elle vienne voir ce que fait Gene, car je pense que cela ne fonctionne pas et qu'il faut le virer.

Elle assiste au numéro et n'est pas du tout d'accord avec moi :

— Non, je trouve que Gene conviendra très bien.

Je hausse les épaules et décide de patienter.

Une semaine plus tard, elle vient me trouver.

— Christopher, j'ai revu le numéro de Gene. Je crois que ça ne fonctionne pas. Il faut le virer.

— Vraiment ? Tu es sûre Madonna ?

Elle hoche la tête, contrite d'avoir toute seule décidé d'un destin aussi terrible pour cette vénérable icône américaine.

— Tu veux bien le lui dire ? demande-t-elle, un peu hésitante.

— Pas question, Madonna. C'est ton idée, c'est toi qui le fais ! réponds-je fermement.

— Je vais demander à Freddy de le faire.

Exit Gene Kelly, sans trop de rancune, j'espère. Madonna, en revanche, ne s'attendrit pas : ce n'est pas son genre.

*
* *

En juin 1993, juste avant le début de la tournée, Danny et moi fêtons nos dix ans de vie commune. Pour marquer le coup, je dessine deux anneaux en platine – l'un avec des rubis, l'autre avec des émeraudes, taille carrée – que je fais réaliser chez le vénérable Harry Winston. J'ai également traduit en latin et fait graver à l'extérieur des anneaux les mots : « Comme je suis tien, tu es mien ».

Durant nos dix ans ensemble, une fois que Danny aura maîtrisé ses problèmes d'alcool, la seule cause de désaccord entre nous aura été ma relation avec ma sœur. Bien que Danny et elle soient amis, et qu'il vienne habiter avec moi quand je rénove la maison de Coconut Grove, il me répète qu'elle se sert de moi, qu'elle vampirise mon existence. Je riposte qu'il se trompe et qu'au contraire, elle me donne la vie. Il hait Madonna parce que, pour lui, c'est elle qui m'arrache au petit monde douillet que nous nous sommes créé à New York.

J'essaie de le faire entrer dans mon univers, mais il refuse tout bonnement. Il ne veut pas me retrouver durant la partie américaine de la tournée ; il déteste Los Angeles, ne conduit pas, et ne veut pas me rejoindre là-bas. Je m'efforce de l'encourager à retravailler. Comme il a toujours exprimé un intérêt pour l'architecture, je propose de lui payer des études à l'université de New York. Je me procure les formulaires, l'aide à les remplir, mais, une semaine avant l'entretien, il décide qu'il ne veut plus y aller. Il préfère rester dans notre petite bulle parfaite et tant pis pour le monde extérieur.

Non seulement il n'aime pas Madonna, mais également beaucoup de mes amis, qui d'après lui, m'éloignent de lui. Et quand l'une de mes amies lesbiennes me supplie d'être le père de son enfant, et que j'y songe, il me pique pratiquement une crise.

Je paie pour le quotidien, mais, à la maison, nous vivons vraiment comme l'entend Danny. Je cuisine la plupart du temps, nous donnons régulièrement des dîners, et je crois fermement que notre relation est pour la vie, alors que le fossé entre ma vie avec Madonna et ma vie avec lui ne cesse de se creuser.

Le 1ᵉʳ juin 1993, Madonna et moi allons voir Charles Aznavour et Liza Minelli au Carnegie Hall. Après le spectacle, on nous emmène rapidement dans la loge de Liza. Elle est assise devant son miroir, vêtue de sa robe de scène rouge à paillettes.

— Bonsoir ! s'écrie-t-elle de sa voix si caractéristique. Je suis Liza !

— Et moi Madonna.

— Je sais, je sais. Je suis une immense fan de votre travail.

— Moi aussi, dit Madonna avant de se hâter d'ajouter : je veux dire du vôtre, évidemment.

Elle me présente.

— Vous avez été merveilleuse, dis-je à Liza.

Liza nous gratifie d'un immense sourire tout en dents. La porte de la loge s'ouvre. Son sourire s'évanouit aussitôt. Un groupe de fans entre. Le sourire revient, mais cette fois, ce n'est plus pour nous. Madonna et moi échangeons un regard. L'audience est terminée. Nous sortons discrètement en laissant Liza à ses fans et *vice versa*. Et une légende de plus au palmarès.

Le 25 septembre, le *Girlie Show* s'ouvre au stade de Wembley. Puis nous partons pour Paris, où Madonna donne trois concerts à Bercy, pour Francfort et, le 4 octobre, à Tel Aviv.

Le jour de la relâche, nous faisons un tour à Jérusalem, où Madonna et moi visitons l'église du Saint-Sépulcre. Nous constatons que, dans l'église catholique, chaque courant du catholicisme possède sa propre chapelle. Nous sommes effrayés par la passion religieuse qui parcourt Jérusalem.

— Tout le monde veut un bout de cette ville, dit Madonna. Ce serait tellement difficile de vivre ici et de connaître la paix.

La partie européenne de la tournée se termine à Istanbul le 7 octobre, puis nous retournons en Amérique. Depuis que nous sommes partis, j'ai entièrement vécu au cœur de l'univers de Madonna. Avec elle, j'exprime toute ma créativité et je voyage aussi dans d'autres pays, ce qui me fascine et comble mon désir d'inspiration et d'aventure.

Elle et moi sommes plus proches que jamais, mais cela ne l'empêche pas de nouer son habituelle relation avec le soi-disant hétéro de la tournée – cette fois avec Michael Gregory. Et, comme je me sens seul, comme je l'ai fait à chaque tournée, je fais de même et noue une relation temporaire, cette fois avec un danseur que j'appellerai Richard. Nous avons une relation intime et platonique et je reçois de Richard un peu de l'affection à laquelle je suis habitué chez moi. Notre relation n'est ni sexuelle ni amoureuse, mais tout de même intime.

Avant le début londonien du *Girlie Show*, tous les danseurs me donnent des cartes de remerciement. Je n'en garde qu'une – une photo en noir et blanc des années trente représentant des danseurs classiques – celle de Richard, au dos de laquelle il a écrit : « Merci beaucoup d'être mon ami. Travailler avec toi a été merveilleux. Tu es un stupéfiant metteur en scène. Toute mon affection. Richard. Baisers. »

Quand je reviens d'Europe, je passe deux nuits avec Danny chez nous à New York. Comme Madonna doit donner trois concerts – deux au Madison Square Garden et le troisième à Philadelphie – et que nous repartirons directement pour l'Asie, je ne prends pas la peine de défaire mes valises.

Après le concert de Philadelphie, le 19 octobre 1993, Madonna et moi rentrons directement à Manhattan en voiture. J'arrive à l'appartement vers 2 heures du matin. Et je trouve Danny assis par terre, la carte de Richard à la main. Je n'ai qu'à voir son expression pour comprendre que cela va barder.

Il jette la carte à mes pieds et m'accuse de le tromper. Il exige que j'avoue sur-le-champ. Je lui réponds que je n'ai rien à avouer. Il exige que je jure que je ne lui serai plus jamais infidèle. Je réponds que je ne jurerai rien, parce que ce serait mentir, puisque je ne l'ai encore jamais trompé. Je lui dis que ce qu'il y a eu entre Richard et moi n'était que de l'amitié et que je ne suis pas amoureux de ce garçon.

Danny se précipite sur moi.

— À toi de décider tout de suite. Dis-moi que tu ne me tromperas plus jamais ou va-t'en.

Je suis complètement abasourdi.

Nous passons deux heures à nous disputer.

À 4 heures, Danny va finalement se coucher.

Je reste assis par terre dans la cuisine jusqu'à l'aube en me demandant si je peux continuer. Est-ce que j'ai envie de rester sur cette petite planète isolée avec Danny pour toute compagnie sans jamais plus savourer le reste du monde ? Ou bien ai-je envie de continuer d'explorer, vivre, faire partie du monde que j'adore au lieu de le regarder de loin pendant que je passe à côté de la vie ?

À l'aube, je me décide. Je prends mes sacs et je m'installe dans mon atelier.

Le lendemain matin, j'appelle Madonna pour lui raconter ce qui s'est passé. Comme nous parlons rarement sentiments dans la famille, je sais qu'elle ne risque pas de m'offrir une épaule consolatrice ; malgré tout, j'espère secrètement qu'elle a assez d'affection pour moi pour me montrer ne serait-ce qu'un peu de compassion.

— Ne t'inquiète pas, de toute façon, je ne l'ai jamais aimé, dit-elle.

L'espace d'une seconde, j'en reste sans voix.

— Ne te fais pas de souci, continue-t-elle. Tout s'arrangera.

Fin de la discussion. On reprend le travail.

Elle ne me propose pas de prendre le petit déjeuner avec elle ou de m'asseoir à côté d'elle dans l'avion pour en parler.

Rien.

Dix ans de ma vie envolés.

En cet instant, ma mère me manque comme jamais. Je n'ai personne vers qui me tourner, personne qui me comprenne. Personne.

Je préfère me concentrer sur mon travail et j'y parviens. Le 21 octobre, nous jouons au Palace d'Auburn Hills ; le 23, nous sommes à Montréal. Ensuite, nous partons à San Juan de Porto Rico où, le 23 octobre, Madonna chante devant vingt-six mille fans en se frottant l'entrejambe sur un drapeau du pays, et alors elle se retrouve condamnée par la Chambre des Représentants Portoricaine pour profanation de l'emblème national. Heureusement, on nous laisse quitter le pays.

Nous nous envolons pour Buenos Aires, puis nous jouons à São Paulo et à Rio, où Madonna monte sur scène devant une salle comble. À Mexico, elle donne trois concerts au nez des associations religieuses qui ont vainement cherché à la faire interdire.

Lorsque nous partons le 17 novembre pour l'Australie, où Madonna joue à Sydney, Melbourne, Brisbane et Adelaide, je commence à ne plus trop penser à ma rupture avec Danny.

Après New York, Richard et moi entamons finalement une relation intime. Bien que je sois professionnellement au sommet, je me rends bien compte que ma vie privée s'est écroulée.

Quand j'arrive à Tokyo, où le *Girlie Show* se termine par cinq concerts complets, je ne pense plus qu'à Danny. Richard a eu beau me garder la tête hors de l'eau dans les pires moments, à présent, je suis confronté à la réalité : je vais rentrer en Amérique et Danny ne m'y attendra pas. J'ai l'impression d'avoir renoncé à ma dernière chance d'aimer, au meilleur homme que j'aie jamais connu – et je suis désemparé.

Je repense à ma vie avec Danny et décide que je lui dois une compensation pour toutes les années que nous avons passées ensemble. Je lui envoie presque un quart des économies – cinquante mille dollars – amassées ces quinze dernières années.

J'en parle à Madonna, et je suis profondément ému quand elle m'écrit une longue et réconfortante lettre. Adressée à « Mon plus cher et torturé frère », elle déclare qu'il est bon de découvrir que « l'indécision, le doute, l'incapacité à être seul et le masochisme sont un trait familial dont je n'ai pas l'exclusivité ».

Elle avoue que pas un jour ne passe sans qu'elle éprouve les mêmes sentiments. Avec une perspicacité qui me surprend, elle me dit qu'elle pense que j'ai dépassé Danny et qu'elle comprend que les ruptures sont particulièrement difficiles pour nous parce que nous n'avons pas reçu assez d'amour dans notre enfance.

« Il faut que tu sois avec un homme qui n'est pas du tout d'accord avec toi… Je te lance un défi ! Le premier qui arrive à le trouver a gagné. »

Elle a raison en tous points. En outre, elle m'a témoigné un tel amour que j'en suis profondément touché. Je pense que c'est ainsi entre frères et sœurs : tantôt nous nous décevons affreusement, tantôt nous nous témoignons un amour sans bornes.

Si positive et encourageante que soit Madonna, j'ai tout de même l'impression que ma vie est finie. Par contraste, la sienne redémarre et elle part dans une nouvelle et tout autre direction : elle a l'intention d'être enceinte. Elle n'est pas encore fixée sur le père et se lance donc dans ce qu'elle appelle « La Quête du Papa ».

Elle me dit qu'elle a atteint un carrefour de sa vie où l'instinct maternel commence à s'éveiller. Je crois qu'elle a besoin de quelqu'un issu de sa chair qui lui survivra et je soupçonne qu'elle veuille être la mère qu'elle n'a jamais eue, et que son enfant bénéficie de l'amour maternel qu'elle n'a jamais reçu.

Elle est déterminée à trouver un père pour l'enfant et cette quête devient un thème récurrent entre nous. Aller dans une banque de sperme est impensable pour elle, étant donné que la presse l'apprendrait en deux minutes. Elle décide de choisir un homme qui lui donnera un enfant, qu'elle l'épouse ou non.

Nous inventons l'expression « Chaise à Papa ». De temps en temps, je lui demande : « Qui est assis dans la Chaise à Papa, aujourd'hui ? ». Elle exige que le candidat idéal soit intelligent et beau gosse. Elle n'a aucun préjugé de race ou de religion. Elle veut juste un père pour son enfant et se lance dans des castings pour trouver celui qui sera parfaitement à sa place dans la Chaise à Papa.

Pendant un moment Enos est en lice. Puis elle va à un match des Knicks à Madison Square Garden et jette son dévolu sur Dennis Rodman – le basketteur de deux mètres, célèbre pour ses tatouages et ses cheveux teints de toutes les couleurs. La fois suivante où elle passe à la télévision, elle prend bien soin de déclarer qu'elle a très envie de le rencontrer. Trois mois passent et Rodman ne la contacte pas. Comme ma sœur n'est pas du genre à laisser tomber, elle s'arrange pour être mandatée par *Vibe* pour interviewer Rodman et s'envole pour Miami le rencontrer.

Dans son autobiographie, *Bad as I Wanna Be*, Rodman prétend qu'à peine l'interview terminée et le shoot en route, Madonna et lui « n'arrivaient plus à se lâcher » et qu'ils sont allés tout droit au lit. Selon le livre de Rodman, elle lui dit exactement ce qu'elle veut sans préambule : qu'il lui fasse un enfant. Plus tard, elle me confiera qu'elle est ennuyée que l'emploi du temps de la NBA ne coïncide pas avec son ovulation et que Rodman semble être encore amoureux de la petite amie dont il est séparé.

— De toute façon, conclut-elle, c'est agréable d'avoir quelqu'un à poursuivre, cela change.

La « petite amie séparée » ne se révèle pas du tout séparée. Elle s'appelle Kim et Rodman la voit toujours. Par ailleurs, Rodman ne correspond pas vraiment au style de vie un peu louche que Madonna et moi avons adopté avec tant d'entrain. Nous décidons de donner une soirée à la maison de Coconut Grove pour son anniversaire. Je fais en sorte qu'Albita vienne chanter et j'invite également toute une cohorte de drag-queens : Madame Wu, Damien Divine, Bridgette Buttercup, Mother Kibble – la crème de la crème. Madonna invite sa bande de basketteurs, dont Rodman.

À peine les drag-queens font-elles leur arrivée que la soirée vire à la guerre froide. Basketteurs et drag-queens se tournent le dos et s'évitent. Les deux factions étant désormais fermement campées dans des coins opposés, la soirée aurait pu se dérouler sans incident, sauf que Madonna et moi commettons l'erreur fatale de nous absenter à l'intérieur de la maison un moment. Lorsque nous ressortons, nous nous retrouvons devant un concert de piaillements : les basketteurs ont jeté toutes les drag-queens dans la piscine.

Des faux cils et des perruques flottent çà et là et certaines drag queens ne savent pas nager. Je plonge en récupérer certaines sous les yeux de Madonna qui se retient de ne pas éclater de rire.

Mais, lorsqu'elle jette un coup d'œil aux basketteurs, elle ne peut s'empêcher de remarquer :

— Je crois qu'ils n'apprécient pas trop les drag-queens.

Les jours de Rodman sont comptés et ma sœur reprend sa quête du candidat pour la Chaise à Papa.

Peu après, Danny demande à me voir. Nous nous retrouvons dans mon atelier de New York et parlons de réconciliation. Il me dit qu'il veut se battre pour sauver notre relation et nous étudions la possibilité de nous remettre ensemble. Puis la conversation passe inévitablement à sa situation financière. Comme je me sens coupable, je lui donne encore cinquante mille dollars. Quelques jours plus tard, sa mère m'écrit que je lui dois une pension alimentaire. Je ne réponds pas. Malgré tout, j'aime toujours Danny et je suis désemparé par notre rupture.

Je passe un peu de temps à Miami pour essayer d'oublier, puis je rentre à New York où je tente mon premier coup d'un soir – en me protégeant, naturellement. Cela ne me plaît pas. J'ai toujours l'impression que, lorsque je suis amoureux de quelqu'un, je deviens meilleur. Je sais que j'ai besoin d'avoir une relation stable. Avec le sexe anonyme, j'ai l'impression d'être encore plus seul.

Le 26 avril 1994, *Madonna: The Girlie Show – Live Down Under* sort en vidéo et disque laser. Il sera certifié or, soit

des ventes de cinq cent mille exemplaires. En janvier suivant, Madonna sortira son deuxième livre, *The Girlie Show*,
pour lequel j'ai pris nombre de photos et toucherai cent
dollars par cliché publié. Je m'en moque, j'ai autre chose
à penser. Hanté par tous mes souvenirs de Danny, je
trouve insupportable la vie à New York et j'emménage donc
dans un duplex à Los Angeles. Deux amis cohabitent avec
moi, car je ne suis pas habitué à vivre seul et je n'en ai pas
envie.

Désormais, Madonna se concentre sur sa carrière
d'actrice et ne prévoit pas de tournée dans l'avenir immédiat.
Norman Mailer l'a qualifiée récemment de « plus grande
artiste vivante » et il ne lui reste plus grand-chose à prouver
côté musique.

Grâce à Ingrid – qui me présente à Gloria et à Emilio
Estefan, qui ont adoré mon travail sur le *Girlie Show* – on
me propose de réaliser la vidéo de la légendaire artiste
cubaine Albita.

Je ne l'ai jamais fait, mais, bien qu'ayant un peu le trac, je
saute sur l'occasion. Comme toujours, je suis ravi de relever le
défi de maîtriser un nouveau savoir-faire sans aide ni conseils.
J'accepte donc de tourner la vidéo et c'est un succès.

Après avoir vu une exposition d'anthropométries d'Yves
Klein – des impressions corporelles de modèles nus peints
en bleu directement sur la toile – je convaincs des amis de
me laisser les peindre et d'appliquer des parties de leurs
corps sur les murs et les portes de mon appartement. Plus
tard, lors d'une soirée chez moi, l'un de mes amis baisse
son pantalon et s'agenouille sur le banc d'église de Madonna
– celui que je lui avais offert pour Coconut Grove et dont
elle s'est débarrassée, comme de la plupart de mes cadeaux – et
je peins ses fesses avant de les appliquer contre le mur.
Bientôt, les murs de mon appartement sont couverts

d'empreintes de fesses. Je décide également de prendre des Polaroid des fesses de mes amis.

Je me drogue probablement plus que de raison, conséquence directe de la vie à Los Angeles, ville qui ne m'inspire pas mais qui offre maintes tentations, dont, dans mon cas, la cocaïne.

Je commence à en prendre une fois par semaine, le samedi soir, où je partage un gramme entre quatre personnes, danse jusqu'à l'aube dans un club, prends quelques verres et rentre me coucher. Ce n'est pas énorme, mais cependant, je commence à adopter un comportement autodestructeur.

Madonna n'est pas particulièrement heureuse non plus et m'envoie une lettre où elle semble étonnamment déprimée : « Je n'ai plus d'intérêt pour le travail dernièrement. Ça ne me ressemble pas, mais j'ai juste envie de m'amuser, lire, voir des films, des amis. Qu'est-ce qui m'arrive ? » Je ne le lui dis pas, mais je pense que c'est parce qu'elle n'a pas trouvé le candidat idéal pour la Chaise à Papa.

*
* *

À l'automne 1994, dans Central Park, Madonna fait la connaissance de Carlos Leon, un coach personnel. Peu après, elle me demande de refaire son appartement new-yorkais parce qu'elle a l'intention de fonder une famille. Elle me confie que Carlos est parfait pour la Chaise à Papa et qu'il veut devenir acteur.

— Génial, encore un, dis-je.

— Tais-toi, il est gentil.

Je rencontre Carlos et constate qu'elle a raison : il est gentil. Il est également sexy et beau gosse. Mais elle n'est pas sûre qu'il soit assez intelligent pour la Chaise à Papa.

Je passe un peu de temps avec lui et juge qu'il doit être perdu dans l'univers de Madonna, mais qu'il est loin d'être stupide. Plus tard, je l'observerai sur le tapis rouge avec elle et mes doutes sur la solidité de leur relation se cristalliseront.

Je suis sûr que Madonna l'a préparé à se trouver sous le feu des projecteurs – aux cris, aux bousculades et à l'adulation qui l'entourent. Mais il est terrorisé. Je vois également qu'elle l'écrase complètement, au sens figuré. Et je trouve symbolique qu'il reste en arrière sur le tapis rouge. Il laisse d'autres gens le séparer physiquement de Madonna et n'affirme pas sa position. C'est un garçon bien, mais je crains qu'au final l'insatiable appétit d'attention de Madonna le vide de toutes ses forces vives.

Elle possède désormais dans le même immeuble de New York six appartements qu'elle a réunis. Je dessine un escalier en spirale, une immense salle de sport, une salle de projection, une deuxième chambre de maître et un hammam en marbre rose.

Sa relation avec Carlos progresse. En janvier 1995, nous passons quelques jours à Londres, où elle chante « Bedtime Story » aux British Music Awards, où je conçois le décor et mets en scène son passage. Nous construisons une grille sur laquelle elle se dresse : lumière, fumée et vent passent à travers ; ses cheveux volent. Elle ressemble à un ange qui s'élève dans le ciel et elle est impressionnante.

Peu après, elle signe pour jouer Evita dans le film éponyme d'Alan Parker. Je suis ravi pour elle, car je sais qu'elle a toujours rêvé d'incarner ce personnage, rôle que je considère idéal pour elle.

J'ai un nouveau petit ami, maintenant : Kamil Salah, un svelte et beau garçon d'origine tartare, vendeur chez Prada à Manhattan. Durant les deux années qui suivent, nous nous voyons de temps à autre. Comme Carlos, il est très gentil, et Madonna l'aime bien. Mais, comme elle l'a naguère fait remarquer, il me faut un homme indépendant qui ne soit pas exagérément conciliant ou obséquieux. Kamil ne fixe aucune limite et je sais qu'elles sont nécessaires pour moi si la relation doit durer. Au final, il n'y a pas de défi à relever et nous nous séparons, mais nous restons bons amis.

À la mi-2006, je reçois un coup de fil de Kamil. Je sais qu'il est sur le point de publier son livre *Celebrity Dogs* et je suis enthousiaste pour lui. J'imagine qu'il m'appelle pour m'informer de la soirée que son éditeur et lui ont l'intention de donner pour le lancement du livre.

Mais, au lieu de cela, il m'annonce qu'il a un cancer du côlon qui s'est métastasé jusqu'au foie. Je suis à Miami et je prends le premier avion pour New York pour le voir. Il est visiblement au stade terminal, mais je m'efforce de lui parler de la manière la plus positive possible. Nous passons deux jours ensemble, puis je dois retourner travailler à Miami.

Il meurt deux mois plus tard à trente et un ans. Son livre est publié à titre posthume. J'assiste à ses obsèques à Leesburg, en Virginie. Devant la sépulture, je fais la connaissance de ses parents accablés de chagrin. Et, dans ces circonstances, je ne peux m'empêcher de penser à ma mère, et à certains des merveilleux amis qui sont morts dans la fleur de l'âge, mais, par-dessus tout, je pense à Kamil, qui n'a jamais eu la possibilité de donner libre cours à tout son potentiel.

*
* *

Au début de 1995, je passe quelques mois avec Madonna à Castillo del Lago. En nous réveillant un matin, nous découvrons la disparition d'un petit tapis persan en soie bleue et rouge, qui vaut dans les cinq mille dollars. Je fais le tour de la maison et m'aperçois qu'une porte a été forcée.

J'ai dit plusieurs fois à Madonna qu'elle doit employer des services de sécurité, mais elle n'a jamais écouté. Le vol du tapis prouve en tout cas que j'ai raison.

— Madonna, quelqu'un est entré par effraction et a volé le tapis persan. Au moins, rien d'autre n'a disparu. Il faut vraiment que tu engages un service de sécurité, lui dis-je.

— Non, il n'y a pas eu d'effraction, dit-elle. C'est un fantôme qui l'a pris.

— Tu te fiches de moi ?

— Non, je suis sérieuse. (Et elle l'est.) J'entends constamment des bruits bizarres la nuit. Cette maison est hantée.

Je lui dis qu'elle est folle, qu'elle doit se protéger, mais elle s'obstine. C'est en partie pour des raisons financières et parce qu'elle ne veut pas avoir des gens chez elle en permanence. Malheureusement, il se trouve que j'avais raison.

Le 7 avril 1995, alors que je suis à New York en train de travailler sur l'appartement, Liza m'appelle et m'annonce qu'un rôdeur, un ancien cambrioleur du nom de Robert Dewey Hoskins, a été surpris à Castillo del Lago. Il est totalement obsédé par Madonna et, il y a quelques mois, traînait devant la grille, où il a laissé un mot disant : « Je t'aime. Tu seras ma femme pour toujours » et la menaçant sans équivoque de mort si elle refusait de l'épouser. Madonna avait été tellement terrifiée qu'elle avait fini par engager un garde.

Cette fois, Hoskins a sauté par-dessus le mur et Basil Stephens, le garde nouvellement engagé, lui a logé une balle dans le bras et une autre dans l'aine.

Par chance, Madonna n'était pas à Castillo ce jour-là.

Je l'appelle immédiatement pour prendre de ses nouvelles.

Elle me répond qu'elle va bien et je suis extrêmement soulagé.

Et plus encore lorsqu'elle m'informe qu'à partir de maintenant, elle aura un service de sécurité en permanence à domicile.

Hoskins comparaît en justice et, à la grande horreur de Madonna et la mienne, le juge décrète qu'il peut rester dans la salle quand Madonna vient témoigner. Son avocat, Nicholas DeWitt, s'est efforcé de réclamer qu'Hoskins sorte pendant que Madonna témoigne parce que, je le cite : « Mr. Hoskins ne veut vraiment qu'une seule chose, c'est voir la peur qu'il a instillée en elle. »

C'est bien mon avis, mais après que l'avocat d'Hoskins, John Myers, déclare qu'Hoskins a constitutionnellement le droit de rester en face de Madonna dans un tribunal et affirme qu'il « est autorisé à se trouver dans la salle d'audience, comme dans n'importe quelle autre affaire », Madonna propose d'enregistrer son témoignage sur vidéo, mais le juge refuse.

Le lendemain, elle s'assoit dans le box face à son agresseur. J'ai beaucoup de peine pour elle. Elle paraît légitimement tendue et angoissée, mais elle est bien décidée à ne pas laisser voir sa peur à cet abject Hoskins et Dieu merci, elle y parvient.

— J'ai la nausée. Je suis incroyablement mal à l'aise que l'homme qui m'a menacée de mort soit assis en face de moi et ait réussi d'une certaine façon à réaliser son fantasme. Je suis assise devant lui et c'est ce qu'il cherchait, déclare-t-elle avant de fermer prudemment les yeux pour ne pas avoir à croiser le regard d'Hoskins.

Au tribunal, où Hoskins est accusé de harcèlement, menaces et agression, Basil Stephens témoigne qu'il a vu plusieurs personnes tenter de pénétrer dans Castillo pour voir Madonna en personne, mais que le cas d'Hoskins est différent.

Selon lui, Hoskins était déterminé, sans peur et a refusé de quitter les lieux. Il est démontré que Robert Hoskins est déjà venu à Castillo à trois reprises en deux mois et qu'il a par deux fois escaladé l'enceinte et traversé le jardin en courant.

Totalement intrépide, selon Basil Stephens, Hoskins lui avait déclaré qu'il le tuerait si le garde ne transmettait pas son mot à Madonna. Puis il était allé jusqu'à proférer cette menace glaçante : « Dites à Madonna que je l'épouserai ou que je la tuerai. Je lui trancherai la gorge d'une oreille à l'autre. » Le courageux garde avait appelé la police et expulsé Hoskins de la propriété. Du moins le pensait-il.

Mais, le 29 mai, Stephens était seul et en service quand Hoskins s'est jeté sur lui en déclarant qu'il allait le tuer. « J'ai dégainé mon arme et lui ai dit que s'il ne s'arrêtait pas, je tirerais. Il s'est de nouveau jeté sur moi et j'ai tiré. Il n'est pas tombé. Il s'est retourné et s'est précipité sur moi, j'ai tiré encore et il s'est écroulé. J'étais bouleversé, j'ai cru que je l'avais tué. »

Hoskins est reconnu coupable de harcèlement, agression et menaces. Je suis cependant effaré qu'il n'écope que d'une peine de cinq ans. Heureusement, en septembre, la participation de Madonna à *Evita* l'oblige à partir pour Londres où elle sera loin du danger pendant un moment.

Elle y passe deux mois à enregistrer la bande-son du film et m'appelle de là-bas. Avant son départ, au téléphone et de vive voix, nous avons plusieurs longues conversations sur sa relation avec Carlos.

Je sais qu'elle veut que leur relation dure éternellement et qu'elle a pleuré sur son épaule en se plaignant d'avoir l'impression que tout le monde cherche à la dépouiller et qu'elle veut qu'il comprenne. En apprenant ce qu'elle lui a dit, il me semble évident qu'elle a désespérément besoin de compassion. Car la vérité absolue est que, malgré la longévité de sa carrière, peu de gens ont essayé de la dépouiller. Pour elle, être dépossédée, c'est examiner un livre de comptes et voir que l'un de ses employés touche un gros salaire, même si elle en a elle-même décidé ainsi. Peu importe que les gens le méritent, elle devient folle quand ils gagnent trop d'argent grâce à elle et décrète qu'ils essaient de la « dépouiller ».

Je sais qu'elle a exprimé à Carlos son désir qu'il assume sa place dans leur relation et a même insinué qu'il devrait contribuer financièrement.

Pour moi, c'est une erreur. Carlos n'a pas d'argent et ne peut pas entretenir financièrement une relation avec elle. Mais elle n'est pas disposée à voir en face la réalité de leur situation parce qu'il lui manque énormément. En fait, quand on lit entre les lignes de ses déclarations, elle n'est pas sûre d'elle, pense ne pas pouvoir vivre sans Carlos et l'a supplié de ne jamais cesser de l'aimer.

Jusqu'à maintenant, Madonna et moi avons été très proches, mais avec l'arrivée de Carlos dans sa vie, nous commençons à nous éloigner l'un de l'autre. Je ne lui suis plus autant nécessaire, sauf comme décorateur. Heureusement, ma propre existence m'occupe suffisamment pour que cela ne me gêne pas trop.

À présent, je suis constitué en société, CGC Art + Design, et toutes les acquisitions que je fais pour Madonna sont payées par la société, puis remboursées par elle ou par sa conseillère en art officielle, Darlene Lutz.

Un matin, je feuillette le catalogue de Sotheby's et je remarque trois paysages du XIXe siècle – rien d'important, de simples œuvres décoratives qui coûtent au total soixante-cinq mille dollars, mais qui seront parfaites pour Coconut Grove.

J'envoie le catalogue chez Madonna avec les peintures surlignées. Elle approuve l'achat. Normalement, pour les « petites » acquisitions, j'avance l'argent moi-même pour CGC, puis, quand les objets sont livrés, Madonna me rembourse.

Cependant, cette fois, j'ai quelques réserves, car récemment, avec son approbation, j'ai acheté deux lampes anciennes françaises, payées sur les fonds de CGC, qui étaient évidemment en réalité les miens. Seulement, quand elles lui ont été livrées, elle m'a déclaré qu'elles ne lui plaisaient fina-lement pas du tout, que je n'avais qu'à les rapporter au magasin et me faire rembourser. Après négociation, le maga-sin a effectivement accepté de reprendre les lampes et me rembourser, mais l'expérience a été déplaisante.

Malgré ces réserves, Madonna affirme qu'elle veut les peintures et me demande de faire une offre pour elle. Je vais donc chez Sotheby's, enchéris jusqu'à soixante-cinq mille dollars et les remporte. Puis je les paie avec toutes mes éco-nomies.

Facture à la main, je les apporte chez Madonna et les lui présente.

— Je n'en veux pas.

— Tu te fous de moi, Madonna, dis-je, pendant qu'elle plaisante.

— Non, je n'en veux plus et je ne les paierai pas.

Comme elle le sait très bien, la politique de Sotheby's consiste à remettre en vente dans l'année tout objet rendu qui a été acheté chez eux. Si la vente se fait, Sotheby's en empoche la moitié. Mais Madonna prétend manifestement ne pas le savoir.

— Je ne peux pas les rapporter, Madonna, Sotheby's ne reprend pas les objets. Ils ne me rembourseront pas et si je réussis à les revendre aux enchères, je ne toucherai que la moitié du prix. Je ne peux pas me le permettre. Tu dois me rembourser ces tableaux.

— Je m'en fiche, je n'en veux pas.

Je suis au bord de la nausée.

— Madonna, je les ai payés de ma poche. Je ne gagne pas autant que toi. Je ne peux pas m'asseoir sur soixante-cinq mille dollars. C'est tout mon capital.

— Je m'en fiche.

— Tu ne peux pas dire ça.

— Vends-les à quelqu'un d'autre. S'ils valent tout cet argent, vends-les à quelqu'un. Je me fiche de ce que tu fais.

Je ne veux pas des tableaux. Et, de toute façon, je dois partir à un rendez-vous.

Elle se lève et quitte la pièce en me plantant là avec une facture de soixante-cinq mille dollars, trois tableaux et l'impression d'avoir pris un coup de poing dans le ventre.

Je me laisse tomber dans le fauteuil club violet que j'ai si affectueusement choisi pour son salon, en proie à un mélange de stupéfaction et de consternation devant son attitude, ce que cela signifie et ce qu'elle est devenue.

Je me dis qu'elle doit penser qu'étant son frère, je dois supporter tout ce qu'elle me fait subir. Après tout, je ne suis pas seulement son frère, mais aussi son employé, même si ce n'est officiellement écrit nulle part. Cependant, jamais je n'aurais imaginé qu'elle me traite avec un tel manque de respect et d'égards.

Parce que j'étais son frère et que j'étais honnête, malgré sa célébrité et toutes les sommes qu'on m'a proposées pour cela, je n'ai jamais voulu donner d'interview ou faire de déclaration la concernant. Je l'ai protégée, je me suis excusé pour elle, j'ai menti et viré des gens à sa place, j'étais fidèle, je l'ai conseillée dans sa carrière, soutenue et aimée.

Aujourd'hui est sans doute une étape marquante. Le jour où je fais l'expérience de toute la puissance du côté obscur de ma sœur, de son peu d'affection pour quelqu'un qu'elle prétend aimer.

Notre père nous a inculqué à tous la valeur de la fidélité et de l'honneur. Mais au fil du temps, le sens de la loyauté et de la justice de ma sœur – la faculté de distinguer qui est avec ou contre elle, à qui elle peut se fier ou non – a été manifestement émoussé par l'adulation, les applaudissements et l'impression que tout lui est dû.

Il nous faut six mois, à Darlene et à moi, pour revendre les trois tableaux. Six mois durant lesquels je ne peux pas payer mon loyer, où je suis forcé d'emprunter à mes amis et de tirer le diable par la queue. Pendant que ma sœur, cause de cette situation, est parfaitement au courant et ne lève pas le petit doigt. Lorsque je finis par revendre les peintures et récupérer mon argent, mes sentiments pour elle ont radicalement changé.

9

Les grandes sœurs sont les chardons sur la pelouse de la vie.

Charles M. Schulz

Je ne trouve aucune excuse à Madonna pour la grossiè-reté avec laquelle elle m'a traité. Mais quand, en novembre 1995, elle me dit qu'elle est très malheureuse avec Carlos, j'en conclus que c'est peut-être pour évacuer cette insatisfaction qu'elle m'a traité si injustement.

Madonna se sent méprisée dans sa relation et me dit qu'elle ne supporte pas qu'on la considère comme un paillasson ou qu'on lui manque de respect. Elle trouve que Carlos se comporte comme un enfant gâté. Elle est blessée et malheureuse et je sais, d'après ses dires, qu'elle n'a jamais autant donné d'amour à personne de toute sa vie. Malgré cela, elle fait changer les serrures de l'appartement de New York qu'elle partageait avec Carlos, empaqueter ses affaires et les lui renvoie.

Je me rends compte qu'elle considère Carlos qui, en des temps plus heureux, l'appelait affectueusement « bébé poulet » bien plus que l'étalon qu'elle a choisi pour trôner dans la Chaise à Papa. Qu'elle est vraiment amoureuse de lui et lutte pour la survie de leur relation. Une excuse pour m'avoir laissé dans la panade avec les tableaux ? Peut-être. J'accorde à ma sœur le bénéfice du doute. Et je lui pardonne. Mais je n'oublie pas.

*
* *

Je suis à Miami en novembre 1995 et j'y fête mon anniversaire à l'inauguration du nouveau club d'Ingrid, Liquid, où je fais la connaissance de la top-model anglaise Kate Moss, qui a connu la célébrité à l'âge de quatorze ans en devenant la muse de Calvin Klein. Comme la plupart des enfants-stars propulsés au sommet de la gloire avant l'heure, la frêle Kate semble prête à s'effondrer au moindre incident. Mais cette façade fragile cache une énorme assurance. Le déclic est immédiat avec elle et sa meilleure amie, la top-model Naomi Campbell. Nous devenons de grands amis et, de temps en temps, nous nous défonçons ensemble. Apprenant que je sors avec elles, Madonna me reproche de fréquenter des mannequins droguées.

Ce n'est évidemment pas une description très juste. Kate et Naomi sont toutes les deux élégantes, intelligentes et amusantes. Kate possède un appartement près de Washington Square où nous nous voyons souvent. Naomi habite à TriBeCa dans un grand loft rempli de portants de vêtements offerts après les shootings. Une cuisine ouverte. Un vaste salon et deux chambres, et toujours des vêtements partout. Elle a des livres d'art, mais peu de tableaux en dehors de trois œuvres que j'ai peintes pour l'exposition Wessel and O'Connor et que je lui ai offertes.

Un soir, le magicien David Blaine est chez elle. Il est jeune, inconnu et plein d'enthousiasme.

Alors que nous bavardons dans la cuisine, il me propose de me montrer quelque chose.

Je ne sais pas à quoi je dois m'attendre. Quand il lévite à douze centimètres au-dessus du plancher, j'appelle Naomi.

Il recommence devant elle. Nous sommes tous les deux fascinés. Bientôt, il en fera autant devant le monde entier.

Naomi me confie que l'une de ses plus grandes ambitions est de devenir chanteuse. Elle me fait écouter un enregistrement sur lequel elle a travaillé avec Quincy Jones. Ce n'est pas très bon, mais je me retiens, je lui dis que c'est génial et qu'elle devrait continuer de travailler dessus. Je ne suis pas totalement flagorneur, car je respecte ses tentatives d'expression artistique et je veux l'encourager dans cette voie.

Je vois une version non montée du documentaire sur le voyage qu'elle et Kate ont fait en Afrique. Tout le film les présente sous un jour ridicule. Lors d'une scène dans un avion, un passager veut prendre une photo de Naomi. Comme elle refuse, il s'ensuit une dispute amusante mais absurde.

En Afrique du Sud, entre Naomi et Kate, c'est à celle qui recevra le plus beau cadeau d'un riche Sud-Africain qui les courtise toutes les deux. Il offre à Naomi un très coûteux œuf incrusté de pierreries inspiré de Fabergé. Kate est vraiment agacée. Finalement, elle reçoit également un cadeau qu'il lui dit être coûteux. Elle le rapporte à la boutique où elle s'aperçoit que ce n'est pas du tout le cas. Du coup, elle va trouver le type et se plaint de ne pas avoir eu un cadeau aussi cher que celui de Naomi (cela aurait pu être le contraire).

Ni Kate ni Naomi ne sont satisfaites du film, parce qu'elles y apparaissent sous un jour bien peu flatteur. Je compatis, sans leur dire que j'ai passé plusieurs soirées avec un ami à rire devant telle ou telle scène hilarante.

Kate sort avec Johnny Depp, qui habite l'ancien manoir de Bela Lugosi au-dessus de Sunset Boulevard. Je leur rends visite et, la première chose que je vois en entrant, c'est une chaise électrique. Johnny est dans la bibliothèque et je suis impressionné par l'étendue de ses goûts littéraires, qui vont de *Moby Dick* à une biographie d'Einstein. Je remarque que tous les ouvrages ont été abondamment feuilletés et que ce n'est pas du livre acheté au mètre à but décoratif ou pour épater : Johnny respire l'intelligence et est l'une des stars d'Hollywood les plus érudites.

Nous bavardons un peu du film sur lequel il travaille, puis il va retrouver Liam et Noel Gallagher d'Oasis dans son salon à lambris, rempli de fauteuils clubs en cuir foncé, avec bar en bois sombre, et vue sur West Hollywood. Il me propose un bourbon. Je décline, puis je vais retrouver Kate et Naomi dans le grenier aménagé. Vautrés sur des coussins en velours bleu, nous nous défonçons et buvons du champagne. Au bout d'un moment, je songe que je devrais redescendre retrouver notre hôte, mais Johnny et les deux d'Oasis en sont au bourbon. L'air empeste l'herbe. Je passe le reste de la soirée à faire des allers-retours entre les top-models du grenier et les hommes dans le salon.

En revanche, Johnny et Kate sont rarement ensemble. Ils ne s'embrassent pas, ne se tiennent pas la main, ne se touchent même pas et il me semble – malgré leur beauté et leur sex-appeal – qu'ils sont bien plus copains qu'amants fougueux. Toute la soirée a un côté adolescent : les garçons en bas qui fument et boivent et les filles en haut en train de glousser et de prendre de la coke.

À la même époque, je quitte mon duplex pour un appartement dans une tour d'Hollywood. Un vendredi soir, Ingrid passe avec quelques amis. Durant la soirée, elle sort un flacon de cocaïne et demande un miroir. Je lui en donne un. Ingrid coupe trois ou quatre lignes et m'en propose une. Je suis parano à l'idée de me défoncer en public. Et je ne sniffe pas de lignes « parce que c'est beaucoup trop pour moi », lui dis-je. Je préfère déposer une minuscule quantité de poudre au bout d'une clé et la sniffer comme cela. Si j'aime bien l'effet requinquant de la coke, j'ai toujours été bien décidé à ne pas perdre le contrôle de ma vie comme cela m'est arrivé la première fois que j'en ai pris avec Martin Burgoyne il y a des années. J'ai toujours eu une relation distanciée avec la coke : j'aime bien, mais je n'en ai pas besoin. Je refuse donc la proposition d'Ingrid et me contente d'en sniffer un tout petit peu sur une clé.

Quelques jours plus tard, Madonna m'envoie un e-mail inquiet insinuant qu'Ingrid lui a confié que j'ai peut-être des problèmes d'alcool ou de drogue. Ce qui n'est pas vrai.

Madonna me gronde sur un ton assez maternel : « Je veux seulement que tu sois conscient que je sais que tu es malheureux et que je suis là si tu as besoin de soutien ou d'amitié » et « cela me rend folle que mon frère préféré s'inflige cela. Tu as tant de talent et tellement à offrir. » Mais elle se montre également sévère en me disant que, si je veux m'autodétruire, que ce ne soit pas chez elle. Le message se termine cependant sur une note affectueuse : « Je t'aime énormément et je veux que tu prennes soin de toi ».

Son inquiétude m'attendrit, mais je suis furieux contre Ingrid. C'est elle qui a des problèmes de drogue et c'est moi qu'elle accuse d'être cocaïnomane. Et ma sœur la croit. Dès lors, rien de ce que je pourrai dire ou faire ne fera changer d'avis Madonna.

John Enos est devenu le copropriétaire de l'Atlantic, un restaurant au coin de Beverly et Sweetzer. Il me demande d'en réaliser la décoration. Je n'ai encore jamais travaillé sur un restaurant, mais, une fois de plus, je saute sur l'occasion d'essayer quelque chose de nouveau.

Madonna m'appelle dès qu'elle l'apprend.

— Il est hors de question que tu fréquentes John, Christopher.

— Mais c'est l'un des propriétaires du restaurant : je suis bien obligé, lui dis-je du plus patiemment que je peux.

— Je m'en fiche. Tu ne dois pas le voir.

— Désolée, chérie, mais je fréquenterai John.

Et je tiens parole.

Pendant ce temps, je peins plus que jamais. Le week-end, je suis officieusement directeur de l'Atlantic. Je commence à me sentir indépendant et à sortir de l'ombre de Madonna.

Les célébrités se pressent dans le club, notamment Brad Pitt et Denzel Washington. Un soir que Denzel est là, deux drag-queens font leur entrée.

— Qu'est-ce que c'est que cette saloperie ? demande-t-il.

— Cette saloperie, c'est ce qui fait tourner le monde et le rend intéressant, alors accommodez-vous-en, lui dis-je, indigné.

Il présente aussitôt ses excuses.

En préparation pour *Evita*, Madonna prend régulièrement des leçons de chant. Elle qui a toujours évité les cours, elle y prend goût et apprécie le renforcement de sa voix. Cependant, elle est angoissée à l'idée de tourner et après tous les mauvais films qu'elle reconnaît avoir faits, elle est décidée à tout faire pour que celui-ci soit bon. Je lui assure que c'est le rôle idéal pour elle et que je sais qu'elle sera parfaite. Durant le tournage, elle me confie que tout se passe relativement bien, mais qu'elle ne regarde jamais les rushes parce qu'elle a peur. Sans oublier que le réalisateur Alan Parker ne lui laisse pas la bride sur le cou, ce que j'applaudis en secret.

Peu après, elle se rend compte qu'elle est enceinte de Carlos et qu'elle attend Lola, l'enfant qu'elle baptisera finalement Lourdes. Madonna décide que maintenant qu'elle est enceinte, Castillo del Lago est trop peu commode pour elle et pourrait être dangereux pour un nouveau-né. Elle achète donc une nouvelle maison sur Cockerham, à Los Feliz, et me demande de l'aménager.

Nous nous retrouvons à la maison pour décider de ce que je vais faire. Durant l'entrevue, elle soulève le sujet de ma supposée dépendance à la drogue et me dit qu'elle a peur que cela nuise au travail que je suis censé faire. J'ai une bouffée de colère en songeant que les racontars d'Ingrid causent des problèmes entre ma sœur et moi. Après tout, notre relation est déjà assez difficile comme cela entre la gloire et la fortune de Madonna et le rôle que je tiens dans sa carrière.

Je m'en prends à Madonna. Je lui dis qu'elle se trompe et que, si elle doute de mon professionnalisme, elle n'a qu'à recourir à un autre décorateur qui lui conviendra peut-être mieux. Elle m'assure qu'elle n'en fera rien et nous décidons de lancer les travaux.

Bien que ma rancœur envers Ingrid s'apaise, l'injustice de Madonna lors de l'incident des tableaux de Sotheby's me travaille encore. Je lui ai peut-être pardonné, mais je n'ai pas oublié. Je décide de mieux me protéger cette fois, car il est hors de question qu'elle me mette dans le même pétrin. Dorénavant, je n'avancerai rien pour elle. Je rédige donc mon premier contrat de décorateur. Pour mieux le faire passer, je le baptise « Protocole d'Accord » :

Le présent protocole d'accord est conclu entre Madonna Ciccone (le Client) et CGC Art + Design (le Décorateur) visant des travaux de décoration à [son adresse], Los Angeles, Californie.

Les honoraires de la phase un des travaux, tels que discutés lors de notre rendez-vous du jeudi 11 juillet 1996 à l'adresse concernée seront de 50 000 $ (cinquante mille), dont la moitié sera versée à la signature de cet accord. L'autre moitié sera versée une semaine après l'installation de Madonna Ciccone dans les lieux. Si cet accord est annulé par le Client avant le règlement final, l'avance versée ne sera pas remboursable. Si l'accord est annulé par le Décorateur, les honoraires seront calculés au prorata à partir de la date de signature jusqu'au 15 septembre et payés à ce taux à partir de la date de signature jusqu'à la date d'annulation. Toute somme trop perçue sera remboursée.

Tous les articles facturés par CGC Art + Design doivent être payés préalablement à leur acquisition. Toutes les ventes conclues par CGC Art + Design sont définitives. Le décora-

teur décline toute responsabilité pour tout article acheté directement auprès d'un vendeur de gros ou de détail.

CGC Art + Design supervisera les travaux, mais n'endossera aucune responsabilité pour tout travail effectué par un sous-traitant non facturé par le Décorateur.

CGC Art + Design décline toute responsabilité pour la destruction ou les dommages causés à des articles durant la livraison ou le trajet entre un domicile et un autre.

CGC Art + Design décline toute responsabilité concernant des retards dus à l'impossibilité d'accéder au chantier.

CGC Art + Design s'engage à respecter au mieux les délais afin que les travaux soient achevés aux alentours du 15 septembre, sans apporter de garantie sur cette date.

Ne sachant comment elle va prendre ce contrat, je le lui faxe accompagné d'une lettre :

Chère Madonna,

Je suis conscient qu'il s'agit du premier contrat que nous signons ensemble et qu'au premier abord il peut apparaître direct et univoque, mais c'est un document standard dans le domaine de la décoration.

Je sais que tu t'inquiètes de mon supposé manque d'intérêt pour ce chantier. Rien ne pourrait être plus éloigné de la vérité. Je suis ravi de faire ce travail pour toi si tu le souhaites. Je suis parfaitement conscient de ton « état » et de ses implications, et je serai heureux de vous fournir une maison confortable à toi et à Lola. Je crois avoir donné la preuve de mes capacités par le passé et j'espère que cela te tranquillisera.

Je ne doute pas que la maison sera habitable dans les délais convenus ; il est évident que je ne peux le garantir, mais que je m'efforcerai d'y parvenir.

Je pense devoir ajouter que je ne serai pas offensé si tu désires recourir à d'autres décorateurs pour ce chantier. C'est entièrement à toi de décider. Nous avons accompli de grandes *choses toi et moi, tant personnellement que publiquement, et je ne te priverai jamais de la possibilité d'essayer quelque chose de nouveau et de différent. J'ai vu trop de gens s'accrocher à ton étoile et sombrer lorsque venait le besoin de changement. Bien entendu, je ne suis pas inébranlable et savoir que tu retiens un autre décorateur me blesserait, mais hélas, je suis humain.*

En conséquence, lis cet accord et fais-moi savoir comment tu désires procéder.

Bien à toi
Christopher

Je sors faire quelques courses et rentre une heure plus tard. Mon répondeur clignote. Comme je n'ai pas souscrit au service, j'ignore qui a laissé le message. J'appuie sur le bouton et j'entends Madonna hurler.

Elle est furieuse que je lui aie envoyé un contrat, me traite de saloperie de merdeux et me dit que c'est elle qui m'a permis de devenir ce que je suis. Elle conclut en me disant qu'elle ne le signera pas et que je ne travaillerai plus pour elle. Clic.

Je flippe, furieux que le simple fait d'avoir agi comme n'importe quel autre décorateur ait déchaîné un monstre. Je fixe mon répondeur, blême et atterré, tandis que la colère monte en moi.

Je m'installe à mon bureau, allume mon ordinateur et rédige une réponse où je vais appuyer sur tous les points sensibles que je connais chez Madonna.

Madonna,
Prendre ne serait-ce que la peine de discuter si tu m'as ou non accordé des faveurs dans la vie ou si je profite de toi est une immense perte de temps. Je sais ce que tu as fait pour moi comme je sais ce que j'ai fait pour toi.

En outre, je sais que je n'ai profité de toi à aucun moment et en aucune façon. Le plus souvent, c'est l'inverse qui s'est produit.

Il m'est dernièrement apparu que tu préfères être caressée dans le sens du poil plutôt qu'entendre la vérité. C'est, je suppose, le droit le plus strict d'une pop-star vieillissante. Mais ce n'est pas la voie que je désire prendre, la vérité nous a toujours servis et je ne m'en écarterai pas.

Pas plus que je n'accepterai d'être traité comme les flatteurs qui t'entourent. Je ne suis pas Ingrid.

Il est hors de question que tu t'adresses à moi comme tu l'as fait sur mon répondeur. Personne n'agit ainsi avec moi, ni aujourd'hui ni demain. Ton statut discutable de star ne t'en donne pas le droit et il ne te le donnera jamais.

J'attends de toi des excuses complètes et une explication de ce comportement grossier avant d'accepter de te reparler. Et je tiens à ce que tu saches que cela m'attriste de penser que ton enfant vivra dans le monde que tu sembles vouloir créer autour de toi.

C'est incroyable que l'amour pour quelqu'un puisse se transformer en haine. Pour moi, cela n'a pas été facile, mais si tu persistes à me traiter comme les autres, c'est ce qui se passera, avant qu'un jour, il n'y ait plus que de l'indifférence.

Christopher.

Je connais ses points faibles et je les ai tous frappés. Je suis furieux, je ne réfléchis pas et je ne recule pas ; c'est une simple réaction instinctive.

Peu après l'envoi du fax, j'apprends par Darlene que Madonna est furieuse contre moi et pense que je suis défoncé jusqu'aux yeux. C'est ainsi qu'elle explique cette lettre au vitriol. Je suis forcément un drogué. Je devais être totalement défoncé quand je l'ai écrite. Elle n'imagine pas un instant que j'étais en colère en l'écrivant ni qu'elle m'ait blessé à ce point.

Je me rends compte qu'à présent, elle n'entend que ce qu'elle veut entendre. Rien ne perce sa carapace. Mais je lui ai finalement sorti des choses que je gardais en moi depuis des années : le fait que je ne compte pas. Que je ne sois pas traité comme un individu ; les lampes, les tableaux, les honoraires, Danny qui n'existait pas pour elle. Pire que tout, je comprends après tout ce temps que pour ma sœur, je peux être viré comme tous les laquais qui ont commis une faute.

Elle ne répond pas à la lettre. Au bout d'un mois, il me revient aux oreilles qu'elle raconte à tout le monde que nous ne nous fréquentons plus. Je ne l'appelle pas, mais je commence à regretter d'avoir écrit la lettre.

Songeant aux conséquences sur ma carrière et mon statut à Hollywood, je me rends compte que je suis foutu et que je dois rectifier plus ou moins la situation. Darlene la résume en me disant que je peux continuer d'être fâché avec Madonna, mais que l'avoir comme ennemie ne me vaudra rien de bon. Elle me suggère de ravaler ma fierté, présenter mes excuses, admettre que j'ai dépassé les bornes et faire en sorte que ces aveux semblent sincères.

Et comme lors de l'épisode de la génoise, je suis sur le point d'avouer tout ce dont je suis innocent. J'écris à Madonna une lettre où je me répands en excuses, même si je n'en pense pas un mot.

En gros, je lui dis : « Tu as raison, il faut que je me reprenne. C'est la drogue mon problème. Je vais me soigner. Je regrette totalement le fax que je t'ai écrit et qui t'a blessé. Je ne suis pas moi-même ces temps-ci, je te prie de me pardonner ».

Elle me croit et apprécie mes excuses. Je me rends dès lors compte qu'elle ne me connaît pas du tout. Connaître intimement quelqu'un, ce n'est tout simplement pas son genre. Pourquoi Madonna, qui ne s'intéresse qu'à elle-même, devrait-elle prendre le temps de connaître quiconque ? Ce sont les autres qui doivent apprendre à la connaître. Cependant, je crois qu'elle m'aime encore et que cet amour a une certaine épaisseur.

Elle répond immédiatement en dessinant un cœur à la fin de la lettre et en me disant qu'elle est soulagée et heureuse d'avoir reçu mon fax et qu'elle était « très mal à l'aise et déroutée » que nous ne nous parlions plus. Sans vraiment s'excuser du message qu'elle m'a laissé, elle me fait savoir qu'elle a du mal à faire confiance aux gens et qu'elle a souvent l'impression d'être tiraillée de part et d'autre.

Fidèle à elle-même, elle me dit qu'elle sait que je n'étais pas en colère contre elle, mais que c'est une charge d'être son frère. Puis elle ajoute qu'en dépit de sa compassion, elle ne va pas s'excuser, puisque être son frère m'a également ouvert bien des portes, ce qui est indéniable.

Cependant, dans la moitié de la lettre, Madonna me dévoile ses doutes et m'explique qu'ils sont la cause de sa colère soudaine envers moi. Sur le moment, je me dis qu'elle est sincère.

Et si je suis encore blessé et sur la défensive, elle me désarme totalement en concluant par ces mots : « Je te répète à nouveau que je te pense extrêmement doué et que ton bonheur me tient à cœur. Et évidemment, je t'aime énormément ».

Je l'aime moi aussi, mais cet amour est mis à l'épreuve quand je lui envoie un fax demandant quelle décision elle a prise pour Cockerham, et qu'elle me répond laconiquement et sans explication : « J'ai décidé de prendre quelqu'un d'autre ».

Je suis vexé et irrité, mais c'est surtout à moi que j'en veux. Je me mords les doigts d'avoir envoyé ce fax. Puis, de nouveau, une petite voix me souffle que je l'ai peut-être fait exprès, qu'à un certain niveau je suis trop attaché à ma sœur et que je dois vraiment couper le cordon. En même temps, je ne peux lui en vouloir de ne pas m'employer après les horreurs que je lui ai débitées. Et puis elle m'a pardonné. Cependant, je suis encore fâché contre elle, mais encore plus contre moi-même.

Le 14 octobre 1996, Caresse, l'assistante de Madonna, m'appelle et me dit que ma sœur va bientôt accoucher de Lola. Je saute dans la Mercedes 560SEL noire que j'ai fini par réussir à m'acheter, et je fonce au Good Samaritan Hospital. Devant, des centaines de journalistes crient mon nom.

La sécurité vérifie que je fais bien partie des cinq personnes – Caresse, Melanie, Liz, Carlos et moi – autorisées aux visites. Je monte dans sa suite, la 808, au huitième étage – salon, chambre, chintz fleuri partout, marron et roses, hideux et pas du tout du goût de Madonna ni du mien, mais peu importe. Je suis heureux qu'elle soit sur le point d'accoucher de l'enfant qu'elle désirait tant. Je mets de côté ma colère et ma peine devant la dégradation de nos relations.

Elle est allongée dans le lit, vêtue d'une chemise de nuit en flanelle blanche, cheveux lavés et tirés. Pas de maquillage. Elle paraît faible et pâle.

— J'adore le décor, dis-je avec ironie.

Elle me sourit faiblement.

Elle est entre deux phases du travail.

Elle m'annonce qu'elle va peut-être devoir subir une césarienne.

Je lui demande :

— C'est ce que tu veux ?

— Eh bien ! les médecins pensent que cela vaut mieux. Comme ils veulent simplement que tout se passe bien pour le bébé, je crois que je vais accepter.

Je lui dis de faire ce qu'elle juge convenir le mieux.

Elle n'a pas du tout l'air d'avoir peur et me dit qu'elle a hâte d'accoucher.

— J'ai hâte que ce truc sorte de moi.

Puis l'humeur change.

— Si seulement Maman était là.

— J'aimerais bien aussi, dis-je. Elle serait heureuse de te voir mère et de connaître sa petite-fille.

Dans le couloir, Carlos fait les cent pas. Liz, Caresse et Melanie sont là aussi. Vers midi, on emmène Madonna en salle d'accouchement. Melanie me suggère de rentrer chez moi et d'attendre les nouvelles.

Juste après 16 heures, elle m'appelle et m'annonce qu'à 16 heures 01, le 14 octobre 1996, Madonna a donné naissance à un bébé de trois kilos, Lourdes (« Lola ») par césarienne et que mère et enfant se reposent confortablement. Je déborde à la fois de soulagement et de joie.

Le lendemain, je vais rendre visite à Madonna chez elle. Je lui apporte des gardénias et un tricycle à offrir à Lola quand elle aura l'âge.

Mes sentiments sont partagés. Je suis enthousiaste à l'idée de voir ma nièce, mais cela me fait bizarre d'entrer pour la première fois à Cockerham – seule de toutes les maisons de Madonna que je n'aie pas décorée. J'avais adoré aménager les résidences de ma sœur, mais, là, je me sens écarté.

La maison est de plain-pied, de style espagnol. Un bref coup d'œil à l'aménagement intérieur me suffit pour voir que Madonna s'est contentée d'y apporter les meubles que j'avais achetés pour Castillo. Cela me peine de voir ce mobilier réarrangé par quelqu'un d'autre. Pour la première fois depuis toujours, la maison de Madonna est un territoire étranger pour moi. Mais je suis heureux de voir que mon tableau d'Ève est accroché dans le salon, indiquant peut-être qu'elle a toujours l'intention de me laisser faire partie de sa vie.

Je me rends dans la chambre de Madonna pour la voir et faire la connaissance de Lola.

Madonna, l'air fatigué, me la dépose dans les bras.

— Lola, je te présente ton oncle Christopher.

— Bonjour Lola, tu es très jolie, dis-je, terrifié à l'idée de la laisser tomber.

Je lui rends l'enfant et lui demande comment elle se sent.

— Je suis épuisée, j'ai l'impression d'avoir accouché d'une pastèque.

Elle me montre l'incision. Je n'en reviens pas qu'elle soit si petite. À peine une douzaine de centimètres. Je suis fasciné qu'un bébé ait pu passer par une si étroite ouverture.

Comme je vois que ma sœur a sommeil, je m'en vais discrètement.

Je me rappelle avoir pensé en rentrant que j'étais ravi pour elle, que Lola était toute mignonne, mais que sa naissance signifiait que nos relations allaient changer encore plus.

La distance est maintenant de plus en plus grande entre Madonna et moi. Je ne me sens plus aussi proche d'elle qu'avant. Pour la première fois de ma vie, je n'ai aucun lien avec sa maison et je n'y ai plus ma chambre non plus. Elle a toujours été pour moi plus proche que les autres membres de la famille, mais je sens que ce lien s'affaiblit considérablement. Je suis heureux qu'elle fonde sa propre famille, comme elle le voulait ; pourtant, je regrette la disparition de celle que nous formions. Danny aussi me manque et je pense constamment à lui. Je me sens seul et triste.

Thanksgiving 1996. Mes parents viennent voir Lola pour la première fois. Toute la famille se réunit chez Madonna, y compris mes frères aînés. Melanie et moi faisons la cuisine. Madonna passe la tête de temps en temps pour vérifier que tout va bien. Bien que ce soit nous qui cuisinions, elle est tout de même un peu sur les dents.

Je mets la table. Madonna me frôle. Je sens quelque chose de bizarre chez elle, ce soir. Je rapporte de la cuisine un beurrier. Madonna y jette un regard et explose.

— Qu'est-ce que tu fous à apporter du beurre sur la table, Christopher ? hurle-t-elle.

Je suis complètement désarçonné par ce ton qui rappelle le message laissé sur mon répondeur quelques mois plus tôt.

— Mais Madonna, nous mangeons du pain : il faut du beurre sur la table.

— Mais nous avons assez de beurre comme ça dans les plats. Pas besoin d'en avoir aussi sur la table.

Elle enlève le beurrier.

Je le lui prends des mains.

— Je veux du beurre sur mon pain, comme tout le monde.

— Eh bien ! pas moi.

Et elle s'empare du beurrier et sort à grands pas.

Pendant qu'elle a le dos tourné, je le remets sur la table. Je me rends compte qu'elle ne m'a pas pardonné du tout pour le fax. Son pardon était tout aussi feint que mes excuses. Je croyais l'avoir manipulée, mais je me rends compte qu'en réalité c'est elle qui m'a – plus qu'habilement – manipulé. En fait nous nous manipulons mutuellement. Elle est toujours fâchée contre moi et notre relation a changé du tout au tout.

Cependant, après l'incident du beurre, Thanksgiving se déroule sans encombres. Je vais voir Lola dans son berceau – dans la chambre de Madonna – la plus féminine que je lui aie jamais vue : rose, crème, avec de jolies et délicates tentures en soie. Après le dîner, Melanie et moi passons quelques instants à pester sur Madonna dans la cuisine. Puis tout le monde rentre.

Malgré les tensions entre nous ce jour-là, Madonna m'invite tout de même à Noël, qui se déroule également sans incident.

Elle passe le reste de l'année 1996 à faire la promotion d'*Evita* à la moindre occasion et partout où elle peut. Pour moi, le film mérite le succès et elle devrait être satisfaite de sa prestation, mais le public ne se bouscule pas dans les salles. Elle m'invite à l'accompagner le 24 mars 1997 au Shrine Auditorium pour les Oscars. Elle a déjà remporté un Golden Globe de Meilleure Actrice dans un Film Musical pour *Evita*, et je suis déçu qu'elle n'ait pas celui-ci.

À la cérémonie, elle chante « You Must Love Me », écrit par Tim Rice et Andrew Lloyd Webber, qu'elle interprète dans *Evita*. Elle remporte l'Oscar de la Meilleure Chanson Originale, ce qui lui va bien et me ravit.

Quand *Madonna: The Girlie Show – Live Down Under* sort en DVD, je suis transporté de nouveau dans les agréables souvenirs de notre collaboration passée. Mais, à présent, je me défonce deux fois par semaine et Madonna l'apprend. Elle m'appelle et me déclare :

— J'ai entendu des horreurs te concernant. Tu es accro à la cocaïne ?

Pour moi, je ne le suis pas, et c'est ce que je lui réponds. Elle raccroche, pas convaincue.

10

Big Sister vous regarde.

Variation sur *1984* de George Orwell

En mai 1997, je réalise mon septième clip, « Peace Train », de Dolly Parton. Je la trouve charmante dès notre première rencontre. Comme chaque fois que nous nous verrons, elle porte une robe moulante, mais qui couvre les bras. Elle me dit qu'elle ne veut pas de danseurs derrière elle. Je lui demande ce qu'elle envisage de faire elle-même comme chorégraphie.

— Je suis du genre qui bouge, pas qui danse. Et je suis un peu lourde du haut…

Avant le début du tournage, elle demande qu'on envoie une voiture chercher sa perruquière à l'aéroport et une autre pour prendre ses perruques.

Comme dans une partie de la vidéo, elle doit se trouver sur une dolly devant un mur qui ne doit pas être beaucoup plus haut qu'elle, j'appelle son manager, Sandy Gallen, pour lui demander combien elle mesure. Il doit me rappeler.

Quelques heures plus tard, il me téléphone :

— Dolly fait un mètre soixante-quinze, cheveux et talons compris.

273

Elle doit probablement faire un mètre soixante sans. Le jour du tournage, j'arrive à 5 heures du matin. La perruquière arrive à 6 heures dans une voiture et les perruques dans une autre. Dolly est là à 7 heures, totalement maquillée, perruquée et habillée. Elle disparaît pendant deux heures dans sa caravane, où le maquilleur la remaquille, suivi de la perruquière qui s'occupe des cheveux.

Dolly ne porte jamais deux fois la même robe en public. Elle a fait faire trois robes pour le clip, toutes de coupe semblable : manches longues, décolleté.

Sur le plateau, elle est simple, facile à gérer. Elle sort deux ou trois blagues salaces et ajoute :

— Je ne suis pas que des nichons. J'ai un peu de cervelle aussi.

Elle a du mal à bouger à cause de ses hauts talons et de sa perruque en équilibre. Elle finit par faire une espèce de mouvement façon locomotive que j'appelle le Dolly Tchou-Tchou et cela la fait rire.

À la pause déjeuner, elle s'assoit entre moi et ma productrice Michelle Abbott. Dolly est mince, avec une taille minuscule, mais elle commande du poulet et du chou. Michelle s'étonne qu'elle puisse manger des trucs pareils et rester svelte.

— Ah, j'en laisse toujours un peu dans l'assiette pour les anges, répond-elle.

Dans une partie du clip, nous utilisons des colombes fournies par un éleveur. Dolly est censée en tenir une puis la laisser s'échapper, mais l'oiseau refuse de s'envoler. Chaque fois que l'éleveur la lui place dans la main, au lieu de s'envoler, il saute par terre. Même lorsqu'elle le lance en l'air, il retombe.

— Je lui ai mis un doigt dans le trou du cul, mais je crois que ça lui plaît, blague-t-elle.

C'est très agréable et amusant de travailler avec elle et tout se passe bien. Le lendemain matin, elle me laisse un message sur mon répondeur :

— Salut, Chris, je voulais juste te dire que je m'étais bien amusée hier.

Je suis totalement stupéfait. De tous les clips que j'ai tournés, c'est la première fois qu'un artiste prend cette peine.

Peu après, je suggère à Dolly qu'elle enregistre un album avec Madonna, chacune interprétant cinq des succès de l'autre. Dolly me dit que c'est une bonne idée, mais Madonna répond simplement : « Je vais y songer », ce qui veut dire non. Carlos et elle sont maintenant séparés pour de bon et cela ne m'étonne pas.

J'ajoute une nouvelle corde à mon arc : je suis devenu scénariste. Avant de commencer, je lis un ouvrage sur les règles du métier, puis je me mets à écrire. Je sais que je pourrais prendre des cours, mais je n'ai pas envie. Comme d'habitude, me lancer tête baissée dans une nouvelle entreprise sans aucune formation est un défi pour ma créativité.

Mon scénario, « Nothing North », s'inspire d'un documentaire que j'ai vu sur une torera appelée Christina. Au début, j'écris une nouvelle qui se passe à Séville, en Espagne, et je l'envoie à Madonna.

— C'est une très belle histoire, me dit-elle au téléphone. Tu es déjà allé à Séville ?

— Non, jamais.

— Eh bien, moi si, et tu as parfaitement décrit la ville. Qu'est-ce que tu comptes faire de ton texte ?

Je lui explique que je compte l'adapter en scénario.

Elle m'encourage à le faire et me propose un bureau à son label Maverick Records à West Hollywood, ce dont je lui suis reconnaissant.

J'écris pendant quatre mois et, une fois le scénario achevé, je le lui envoie en lui demandant si elle aimerait le financer. Elle répond que non. Naturellement, je suis déçu. Sa présence comme productrice exécutive aurait pu faciliter le financement, mais elle n'a pas envie de s'y impliquer. Je suis à la fois déçu et déconcerté par son refus. Mais, une fois ma déception dissipée, je comprends : je voulais tellement qu'elle apprécie le scénario que j'ai eu la sottise de conclure que son enthousiasme et ses encouragements signifiaient qu'elle voulait aussi le produire.

En mai 1997, Naomi, Kate et Johnny Depp – dont le film *The Brave* est présenté au Festival – louent une maison à Cannes. Naomi m'invite à les rejoindre et propose généreusement de me payer le billet. Je m'envole donc pour la France et, le temps que j'arrive à Cannes, les frères Gallagher (Oasis) et Marc Jacobs me rejoignent sur place. Après une journée ou deux – sauf Johnny qui ne fume que de l'herbe – nous nous défonçons, nous sortons et nous nous amusons beaucoup.

Plus tard, le 11 mai, je fais la connaissance de Demi Moore à l'inauguration de Planet Hollywood et nous nous entendons immédiatement. Iggy Pop est sur scène et postillonne sur Kate par inadvertance durant la chanson. J'évite. Kate boit du champagne au goulot et ne remarque même pas.

Kate, Naomi, Demi, Harvey Weinstein, Johnny Depp et moi retournons à la chambre de Demi à l'hôtel du Cap. Naomi nous fait une imitation parfaite de Tina Turner, pendant que Johnny discute très sérieusement avec Harvey qui refuse de distribuer son film.

— Parce qu'il est mauvais, finit-il par lui dire.

Plus tard dans la soirée, Demi m'invite à partir à Paris avec elle le lendemain matin. Je lui dis que toutes mes affaires sont chez Kate et Naomi. Elle envoie quelqu'un faire mes bagages et les rapporter à l'hôtel. Je suis extrêmement impressionné.

Nous ne dormons pas de la nuit. Tout le monde s'amuse. Vers 4 heures du matin, je ne sais pas pourquoi, mais je décide de prendre un bain. J'ouvre les robinets et j'oublie aussitôt. L'instant d'après, les bagages Louis Vuitton de Demi flottent dans la pièce. Je me sens idiot, mais elle est morte de rire. Le personnel de l'hôtel entreprend rapidement de tout nettoyer. Et le matin, je pars dans un jet privé pour Paris avec Demi.

À partir de ce moment, Demi et moi sommes de plus en plus proches. Le 5 juin 1997, je l'accompagne à la soirée Gucci pour AIDS Project L.A. et nous nous voyons au moins une fois par semaine. Je l'apprécie énormément mais je suis un petit peu rebuté par ses tendances prononcées pour le spiritisme. Elle trimballe des cartes qui ressemblent à des tarots, mais elle me dit que ce n'en sont pas, les étale devant moi et m'annonce qu'elles prédiront mon avenir, mais cela ne m'intéresse pas. C'est le présent qui compte.

Autrefois, Demi a eu des problèmes d'alcool et de drogue. Elle a cessé depuis des années, mais elle a toujours des comportements obsessionnels. Elle se nourrit de café, Red Bull et pommes vertes séchées. Un soir, nous allons dîner au Benvenuto sur Santa Monica. Elle a apporté deux cannettes de Red Bull. Elle commande des pâtes, qu'elle ne mange pas, boit son Red Bull et du café et enchaîne cigarette sur cigarette.

Certains soirs, elle passe me prendre avec des copines et nous allons dans un club de drag-queens de La Brea, où elle monte sur scène pour danser avec elles. Nous faisons également un couple parfait sur la piste. À Noël, elle m'envoie une carte en noir et blanc représentant un petit garçon en costume et nœud papillon qui danse avec une poupée. « Quelqu'un avec qui danser quand je ne suis pas là », a-t-elle écrit au dos. Nous sommes vraiment très proches, désormais. Parfois un peu trop à mon goût.

— Tu es sûr d'être vraiment gay, Christopher ? me demande-t-elle constamment. Tu ne voudrais pas devenir hétéro pour moi ?

Plus tard, quand je fais la connaissance de Farah Fawcett et que je sors avec elle, elle me posera elle aussi constamment la même question.

Je ne sais pas si elles sont sérieuses, mais j'ai quelque expérience des femmes qui en pincent pour moi. Depuis l'université, je suis poursuivi par des femmes qui cherchent à me mettre dans leur lit. Évidemment, rares sont celles qui ont réussi.

Mais, à cause de Demi, les médias vont commencer à s'interroger sur mes préférences sexuelles.

Un samedi soir, alors que je suis l'organisateur d'une soirée à l'Atlantic, Demi et trois ou quatre de ses copines arrivent. Comme toujours, à 23 heures, nous débarrassons le centre du restaurant, un DJ commence à jouer et tout le monde, nous et les clients, passons la soirée à danser. C'est très amusant.

Ce soir-là, vers 3 heures, Demi – qui ne boit plus, mais qui adore toujours autant faire la fête – me convainc de monter sur le bar en granit noir et de danser avec elle.

L'instant d'après, je suis perché là-haut et je danse. Demi m'enlève ma chemise, se glisse derrière moi et commence à se frotter contre moi.

Normalement, à cette heure, les portes du restaurant sont closes, et les stores baissés pour donner l'impression que nous sommes fermés. Mais comme le veut la Loi de Murphy, sans que je m'en rende compte sur le moment, l'un des stores est resté suffisamment entrouvert pour qu'un paparazzo entreprenant passe son objectif et prenne une photo de nos ébats.

Le lundi suivant, je traverse l'aéroport de Los Angeles pour prendre le vol de New York et du coin de l'œil, j'aperçois une photo de moi en une du *National Enquirer*. Je m'approche et découvre que je figure aussi sur celle du *Star*.

Ce sont l'un et l'autre des clichés flous de Demi et moi torse nu en train de danser juchés sur le bar de l'Atlantic. À l'intérieur de l'un s'étale en gros titre : « Il est 3 heures. Pas de Bruce. Pas de soutif. Pas de problème ». L'autre annonce : « La grande soirée de Demi avec le frère de Madonna ».

Je suis un peu inquiet que Demi puisse s'imaginer en voyant les deux articles que j'ai tout monté pour faire de la publicité pour l'Atlantic, ce qui n'est absolument pas le cas. Je crains qu'elle ne me croie pas et se méfie de moi. Mais je suis innocent et, au final, Demi me croit.

En dehors de cela, je suis ravi de cette attention inattendue. Je fais la couverture de l'*Enquirer* et du *Star* la même semaine. Pendant quelques jours, je me sens comme une star et j'aime ça. Après tout, je suis le frère de ma sœur.

Le 15 juillet 1997, sur le trottoir de sa maison d'Ocean Drive, à South Beach, Gianni Versace est abattu à bout portant par le tueur fou Andrew Cunanan. Madonna et moi sommes profondément choqués par ce meurtre absurde. Quelques semaines plus tard, nous sommes de nouveau ébranlés par la mort de la princesse Diana à Paris. Nous repensons que nous avons nous aussi été poursuivis par les paparazzi dans Paris et nous rendons compte que seule la grâce de Dieu…

Le 8 septembre 1997, Madonna et moi assistons à la cérémonie en mémoire de Gianni Versace au Metropolitan Museum. Madonna et Gianni avaient toujours eu des relations d'affaires, sans jamais être amis, mais, par respect pour sa mémoire, Madonna et moi y assistons tout de même.

Nous nous rassemblons dans le temple de Dendur du musée, décoré de magnifiques fleurs blanches. Madonna lit un poème qu'elle a écrit en hommage à Gianni ; Elton John et Whitney Houston chantent. De nombreux top-models

– Stephanie Seymour, Christy Turlington, Helena Christensen, Cindy Crawford, Naomi Campbell et Amber Valetta – sont là. Tout comme Donna Karan, Calvin Klein, Tom Ford, Ralph Lauren et Marc Jacobs.

Donatella, qui fait sa première déclaration publique depuis le meurtre de Gianni, prononce en son honneur un discours où elle exprime la profonde influence qu'il avait sur elle et leur frère Santo. « Avant qu'il ne nous appelle Santo et moi pour prendre part à son rêve, nous y participions déjà. Il m'a laissée faire des choses qui faisaient blêmir ma mère... Je ris en me rappelant les aventures que j'ai vécues... Chaque fois que Gianni me demandait de faire ce qui à l'époque me semblait impossible, je lui disais que j'en étais incapable, il m'assurait du contraire, et je le faisais. Il a toujours été la personne la plus passionnante que j'aie jamais connu et toujours mon meilleur ami. »

Son discours, qui me fait monter les larmes aux yeux, rappelle ce que j'aurais pu dire concernant Madonna, sauf la dernière phrase : « Malgré sa personnalité immense, il était impossible de se sentir éclipsé par lui, car il avait le talent particulier d'inonder les autres de lumière. » Le discours est extrêmement émouvant et j'ai beaucoup de peine pour Donatella.

Après cela, elle nous invite dans sa résidence de la Cinquième Avenue. Comme la maison Versace de Miami, celle de Manhattan est entièrement dans un style néoclassique chargé, beaucoup de dorures, de marbres et de sols dallés et des Picasso un peu partout. Difficile pour se détendre, extrêmement compassé.

Madonna et moi retrouvons dans le petit jardin quelques invités assis sur des chaises pliantes en plastique transparent disposées en cercle. Madonna s'assoit à ma droite et une femme qui a l'air d'une clocharde à ma gauche. Madonna me chuchote que la clocharde est Lisa Marie Presley. Je reste incrédule, mais, à bien l'observer, je me rends compte que c'est bien elle.

Pavarotti fait alors son entrée et, bien que tout le monde le connaisse, se présente à chacun.

— Bonjour, je suis Pavarotti, répète-t-il.

Courtney Love est là également, mais Madonna évite de lui parler parce qu'elle la considère comme une folle. Courtney et moi avons une petite conversation durant laquelle elle me dit :

— Je considère Madonna et moi comme Joan Crawford et Bette Davis, mais je n'arrive pas à savoir laquelle est qui.

Je souris et hausse les épaules.

Vers 22 h 30, Madonna, qui va toujours se coucher à 23 heures pile, s'en va. Moi, je reste.

Entre-temps, Donatella a quitté sa robe noire pour un jean et un chemisier blancs. Elle n'a pas le visage ruisselant de larmes, mais elle semble pensive. Elle s'assoit un instant à côté de moi, puis elle s'excuse et disparaît.

Je monte aux toilettes.

En passant devant une chambre d'amis, je vois Courtney – vêtue d'une minijupe beige à fines bretelles, les cheveux hirsutes comme toujours – assise sur le lit, l'air triste.

Comme elle est toute seule, je m'assois avec elle et nous bavardons. Puis elle sort un sachet de coke qui doit bien faire une quinzaine de grammes.

— J'ai ça, mais je n'en ai jamais pris. Tu en veux un peu ?

Je me retiens d'éclater de rire.

— Tu n'en as jamais pris ?

— Non, jamais.

— Tu veux que je te montre ?

Courtney acquiesce et j'entreprends de lui montrer comment couper des lignes. Je crois que nous savons l'un comme l'autre qu'elle sait très bien s'y prendre, mais je joue le jeu.

Nous sniffons.

Puis Donatella nous fait signe de l'autre côté du couloir depuis son salon – meublé de canapés en cuir noir, un tapis de vison par terre – et nous la rejoignons. J'enfreins ma règle – ne pas sniffer de lignes – et nous prenons tous les trois de la coke. Il est évident que la drogue est un symptôme chronique de son chagrin devant la mort de Gianni.

Chaque fois qu'elle sniffe une ligne, Courtney annonce :

— Ça y est, c'est ma deuxième fois. C'est ma troisième fois. C'est ma quatrième fois.

— Courtney, arrête de compter, dis-je au bout d'un moment.

Pendant ce temps, Donatella ne cesse de me demander :

— Christopher, Christopher, passe-nous « Candle in the Wind ».

Je mets le CD sur la chaîne et à peine la chanson est terminée qu'elle me demande de recommencer.

— Christopher, Christopher, repasse-la encore une fois, Christopher.

Je la repasse. Encore et encore.

Pendant ce temps, Courtney continue de compter.

— C'est ma cinquantième. C'est ma cinquante et unième.

C'est alors qu'on sonne. C'est Ed Norton, avec qui sort Courtney en ce moment.

— Christopher, va lui dire que je dors, dit-elle.

Je refuse. Puis je juge que le moment est venu pour moi de fuir ce scénario irréel et de revenir à la réalité. Je prends congé.

Le 14 octobre 1997, Demi m'invite à l'accompagner à la première d'*À armes égales*. Je suis un peu inquiet que le souvenir des photographies de nos ébats à l'Atlantic en couverture du *Star* et de l'*Enquirer* irrite encore Bruce Willis, dont elle est séparée, et qui assistera à la première lui aussi.

Christopher Ciccone

Comme je ne veux pas qu'il y ait méprise sur mes relations avec Demi ou ma sexualité, quand on me présente
Bruce, je lui dis :

— Je tiens à ce que vous sachiez que je n'ai pas une
liaison avec votre femme et que je suis homo.

— Ne vous inquiétez pas, me dit-il.

Juste avant que Demi fasse la connaissance d'Ashton, je
suis à Manhattan tout comme elle et Bruce. Elle m'invite à
son appartement au San Remo. Quand je lui dis que je pars
pour Los Angeles le lendemain, elle m'annonce qu'elle va
dans l'Idaho avec Bruce. Elle s'y arrête avec les enfants,
mais il continue sur Los Angeles. Est-ce que je veux en profiter ? J'accepte la proposition.

Leur jet privé est confortable, avec un canapé, une salle à
manger, une banquette avec des bonbons et des magazines,
et une grande salle de bains, et tout le monde peut fumer où
bon lui semble, ce qui me convient très bien.

Je suggère à Madonna qu'elle s'achète un avion pour pouvoir aller où elle veut quand elle veut. Mais elle me répond :

— C'est trop cher. Je ne dépenserai pas mon argent
dans un jet. Et je ne suis pas obligée ! J'utiliserai celui de
la Warner.

C'est le cas et nous le prenons ensemble assez souvent.

Demi et moi bavardons durant le vol, puis nous jouons
aux cartes, mais Bruce et moi n'avons pas grand-chose à
nous dire. Nous atterrissons à Sun Valley. Demi et Bruce
sont séparés et y habitent deux maisons différentes. Elle se
rend seule chez elle. Pendant que l'avion fait le plein, Bruce
et moi allons chez lui dans son 4 x 4 chercher quelque chose
dont il a besoin à Los Angeles. Il me montre le petit théâtre
qu'il a restauré et toute la propriété qu'il possède. Il a l'air
d'un type bien, mais il donne l'impression d'être malheureux
d'avoir rompu avec Demi. Nous nous arrêtons chez lui. Je
reste dans la voiture et je me rends compte que sa maison
est de l'autre côté de la rue, en face de celle de Demi.

Durant le bref vol vers Los Angeles, un silence gêné s'installe entre nous. Nous fumons tout en lisant des magazines, mais le vol me paraît durer une éternité. Quand nous atterrissons, la Bentley de Bruce l'attend. Une voiture vient me prendre, nous nous séparons.

Je revois Bruce et Demi un jour qu'ils amènent leur fille dans une école de musique de Traverse City, dans le Michigan, alors que je suis en visite dans ma famille. Ils m'appellent et me demandent s'ils peuvent venir pour que je leur fasse visiter le vignoble. Là, Bruce fait la connaissance d'une des blondes qui travaille dans la salle de dégustation et commence à flirter avec elle. Demi se promène quelque part de son côté et je lui dis d'arrêter de flirter avec le personnel.

Trois semaines plus tard, il me téléphone.

— Tu te rappelles la blonde avec qui je parlais ? J'aimerais bien sortir avec elle. Tu peux l'appeler et lui demander ?

— Bien sûr, pas de problème, dis-je, amusé.

J'appelle mon père pour avoir son nom et je lui téléphone.

— Écoutez, lui dis-je, cela va vous paraître bizarre, mais Bruce Willis voudrait vous inviter. Sa fille est à l'école à Traverse City et il vient souvent par ici. Vous avez envie de sortir avec lui ?

Elle répond qu'elle ne peut pas parce qu'elle a un petit ami.

Je lui dis de le plaquer, mais elle éclate de rire.

J'annonce la nouvelle à Bruce.

— Dommage, dit-il.

Mais je n'ai pas beaucoup de peine pour lui : après tout, c'est Bruce Willis et il n'a que l'embarras du choix.

Un an plus tard, il me rappelle et me demande si elle est toujours avec son petit ami et si elle accepte de sortir avec lui.

Elle est toujours avec et elle ne veut pas.

Il recommence l'année suivante.

Elle est toujours avec son petit ami. Bruce renonce.

*
* *

Je continue de peindre. À Miami, durant un déjeuner avec Ingrid, je fais la connaissance d'un lycéen colombien de quatorze ans, Esteban Cortazar, dont les parents sont peintres. Il me dit qu'il veut devenir couturier plus tard. Je sens en lui le feu d'une passion intense qui me rappelle la jeune Madonna. Suivant mon instinct, je l'invite à dîner ce soir-là avec elle et Bruce Weber.

Lorsque j'examine le cahier de croquis d'Esteban, je me rends compte que j'avais vu juste : il a un talent bien à lui. Je lui dis qu'un brillant avenir l'attend et que j'ai envie de faire un documentaire sur lui en le filmant pendant au moins dix ans. Une fois que ses parents ont donné leur accord au projet, j'organise un dîner pour dix des personnes les plus proches d'Esteban et je les interviewe devant l'objectif. Durant les dix ans à venir, chaque année, je ferai la même chose, tout en le filmant dans les moments importants de sa vie.

À l'heure où j'écris ces lignes, Esteban vient d'être nommé à la tête de la collection femme chez Ungaro. Je déborde de fierté pour lui et je suis ravi que ma foi en son talent ait été justifiée.

Pour Thanksgiving 1997, Madonna m'annonce que je peux inviter quelques amis à Coconut Grove, qu'elle ne fréquente plus guère maintenant qu'elle a Lola. Naomi, Kate et Demi viennent, tout comme Barry Diller. Je me rends compte que je suis beaucoup trop plongé dans le milieu des célébrités. C'est amusant, mais je suis également assez seul.

Au début de 1998, Madonna m'appelle et me dit qu'elle envisage une tournée. Elle me demande de venir à Cockerham pour discuter des possibilités avec elle. Je suis ravi de repartir en tournée. J'apporte mon carnet d'idées où, depuis *Girlie*, je réunis photos, peintures, tout ce qui peut être source d'inspiration.

Madonna et moi discutons en détails de la tournée. Je propose que sur scène se dresse un grand arbre dont les feuilles changent de couleur – pour symboliser les saisons – et que les chansons illustrent ce changement. L'idée lui plaît. Elle garde le dossier détaillant ce concept. Je suis tout excité à l'idée d'éprouver une fois de plus l'euphorie d'une collaboration artistique avec ma sœur et de la suivre en tournée – j'ai hâte que les répétitions commencent. Quelques semaines plus tard, elle m'appelle pour me dire qu'elle retarde la tournée et je suis amèrement déçu.

Cependant, je ne lui en dis rien. Et je suis ravi quand, le 1er juillet 1998, elle m'invite au concert des Spice Girls à Madison Garden avec Lola.

Nous arrivons à la dernière minute. Quand la foule aperçoit Madonna, c'est un concert de cris. Lola est assise entre nous deux, puis nous sommes invités backstage pour faire la connaissance du groupe, lors de l'entracte, trois quarts d'heure après le début du spectacle.

Nous entrons dans l'ancienne loge de Madonna, qui a pris des allures de dortoir de filles. Il y a des vêtements partout et les Spice Girls, assises sur le sofa, mangent des hot-dogs.

Madonna n'en croit pas ses yeux.

— Qu'est-ce que vous faites ? Comment pouvez-vous manger un hot-dog aux oignons au milieu du concert et retourner chanter ?

Elles nous répondent que cela ne les gêne pas et quand Madonna et moi retournons à nos places, il semble que les hot-dogs n'ont pas beaucoup d'effet sur leur manière de chanter ou danser.

— Elles ne savent pas vraiment ni danser ni chanter. Et qui irait manger des hot-dogs à l'entracte ? dit-elle en secouant la tête, incrédule.

Juste pour Lola, nous supportons encore un quart d'heure du concert, puis nous filons.

Madonna et moi allons voir *Cabaret* sur Broadway, avec Alan Cumming et Natasha Richardson. Les spectateurs sont assis devant la scène comme dans un café, ce qui donne l'illusion de participer au spectacle. Madonna adore, même si elle n'est pas très portée sur les comédies musicales.

Entre-temps, j'ai rédigé un autre scénario intitulé « Fashion Victims », basé sur un tueur en série genre Cunanan, qui se met en tête d'assassiner tous les grands couturiers du monde. Je le montre à Madonna. Pour elle, je risque des ennuis avec ce texte, étant donné que c'est un regard amusant mais insolent sur le monde de la mode. Je continue et j'essaie d'y intéresser des producteurs, mais pas moyen.

Donatella Versace et moi sommes maintenant de très bons amis. Un an seulement a passé depuis la mort de Gianni, et elle est encore fragile. C'était sa sœur, sa muse, mais jamais elle n'avait prévu de devoir diriger un empire.

Cependant, en juillet 1998, elle lance sa première collection et m'invite au défilé de Paris. Elle est encore éprouvée par la mort de son frère et je perçois la tristesse dans son regard. Elle me dit qu'elle est terrifiée de faire le défilé toute seule. Je sais que tout le monde attend qu'elle échoue, et je compatis.

Je lui propose de tourner un documentaire en commençant en Calabre, où elle est née, jusqu'à la mort de son frère, et de conclure sur sa première collection en solo. Elle adore l'idée. Elle m'offre un billet d'avion et une chambre au Meurice. J'arrive là-bas à 7 heures du matin un dimanche, fais une sieste, puis appelle Donatella, qui me dit de venir au Ritz en apportant ma caméra. Liv Tyler, Billy Zane et Catherine Zeta-Jones y séjournent également.

Je salue Donatella, puis je me mets dans un coin et je filme les modèles. Soudain, je me rends compte qu'aucun des vêtements n'est terminé. Je ne comprends pas comment Donatella va pouvoir défiler dans cinq jours. Elle m'entraîne alors dans la salle de bal du Ritz, où cinquante Italiennes, devant autant de machines à coudre, sont en train de finir la collection. Dans une autre grande salle, attendent les mannequins d'essayage drapés dans des étoffes.

Durant les trois jours suivants, je vais tourner au Ritz. Toutes les demi-heures, quelqu'un apporte à manger à Donatella qui refuse d'y toucher. Toutes les deux heures, elle m'entraîne dans sa suite où nous sniffons ensemble. Cela dure pendant trois jours, pratiquement vingt-quatre heures sur vingt-quatre et je dors à peine deux heures par jour.

Les mannequins du défilé arrivent le jeudi. Le vendredi, une heure avant le coup d'envoi, Kate vient me voir :

— Christopher, je voudrais de la coke et du champagne.

— Kate, tu es folle ? Tu viens de sortir de désintox'. N'imagine pas que je vais t'en donner.

Le lendemain du défilé, Donatella et moi sommes censés nous envoler pour Londres ensemble, mais, quand je rentre au Ritz, j'apprends qu'elle est malade. Ses assistantes me disent qu'elle reste à Paris et que je vais partir pour Londres sans elle.

Je lui rends visite, la remercie de m'avoir invité à Paris, et lui souhaite de se rétablir rapidement.

Au moment où je pars, un type me rattrape et me tend une boîte à pellicule remplie de cocaïne.

— Prenez ça, il faut que ça sorte de la chambre.

Je lui réponds que je ne peux pas la garder parce que je prends l'avion.

Il me la colle dans la main en disant d'en faire ce que je veux du moment que je l'en débarrasse.

Je rapporte la boîte au Meurice et je la contemple avec regret en me demandant comment la garder, parce que je n'ai jamais pris meilleure cocaïne que celle de Donatella. Je soupire et je jette les dix grammes de la meilleure poudre du monde dans les toilettes. Cela vaut mieux. Cette semaine, j'en ai pris beaucoup trop et je commence à apprécier cela plus qu'il ne faudrait.

Je prends le train pour Londres et de là, un avion pour Los Angeles. Là-bas, je regarde mes rushes et c'est fascinant. Quelques jours plus tard, Donatella écrit pour me dire que la famille ne veut finalement pas qu'elle fasse le documentaire. Je suis déçu, mais je comprends. J'ai encore d'autres possibilités : réaliser des clips, peindre, dessiner des meubles, travailler sur la prochaine tournée de Madonna. Bien que je ne m'attarde pas là-dessus, je suis bien conscient que la plupart des gens ne voient que Madonna quand ils ont affaire à moi.

Exemple type : je fais la connaissance d'un grand blond mince et enjoué à une fête à Los Angeles. Nous discutons longuement et je lui demande s'il veut venir dîner avec moi le vendredi. Il accepte. Je passe le prendre, nous allons au Benvenuto sur Santa Monica. Ensuite, nous prenons un verre à l'Abbey, puis il m'invite chez lui à West Los Angeles.

Quand nous arrivons, nous filons droit dans sa chambre. Une simple bougie l'éclaire. Nous nous jetons sur le lit et commençons à nous embrasser. Un instant plus tard, soudain, il allume la lumière. Et là, au-dessus de son lit, je vois un poster de ma sœur, à demi nue, enveloppée d'un drap. L'espace d'une seconde, j'ai le souffle coupé. Puis je balaie la pièce du regard. Des photos de ma sœur partout, du sol au plafond. Le genre qui vous coupe vos effets.

Je me rhabille sur-le-champ et je file. L'expérience m'a complètement fait flipper. Plus tard, nous deviendrons d'excellents amis, simplement parce que maintenant, je sais exactement ce qu'il en est : c'est un fan de Madonna, pas le genre de tordu qui la harcèle et je sens que je peux lui faire confiance.

*
* *

Le 9 décembre 1998, Donatella donne le Fire and Ice Ball aux Studios Universal d'Hollywood et me demande de concevoir et aménager à cette occasion une Diva Room pour elle au 360, le restaurant penthouse avec vue panoramique sur Los Angeles. Je dessine donc un boudoir de courtisane française : lourdes tentures en brocart rose, fleurs roses, bougies partout, un énorme lustre, et un landau baroque rempli de champagne Cristal.

Le soir de la manifestation, Goldie Hawn arrive dans une robe décolletée ; elle est splendide. Je danse avec elle, et elle a l'air un peu éméchée. Ben Affleck et Gwyneth Paltrow arrivent. Madonna me présente à Gwyneth. C'est le coup de foudre.

Avant que nous ayons le temps de faire connaissance, on me présente à Jack Nicholson, venu avec Dennis Hopper. Jack, Dennis, Donatella et moi allons dans la Diva Room. Donatella sort de la cocaïne et me tend une clé.

En me voyant plonger la clé dans le sachet de coke, Jack déclare :

— Je vais faire pareil. Je n'ai jamais essayé comme ça.

Tu parles, me dis-je. Les gens célèbres comme Jack ou Courtney ne veulent jamais avouer à personne qu'ils se défoncent. Je prépare une petite dose pour Jack. Il la sniffe et tout le monde en fait autant. Ensuite, nous bavardons un peu, puis Jack s'en va. Je ne le reverrai jamais. Mais je viens de sniffer de la coke avec Jack Nicholson !

Le 24 février 1999, Madonna et *Ray of Light* sont nommés pour six Grammy Awards : Album de l'Année, Disque de l'Année, Meilleur Album Pop, Meilleur Disque Dance, Meilleur Packaging et Meilleur Clip. Bien que Madonna ait remporté en 1992 le Grammy du Meilleur Long-Métrage

Musical pour *Madonna: Blond Ambition Tour Live*, aucun de ses albums ou chanson n'a eu de Grammy : il est sacrément temps et je suis ravi pour elle. Elle me demande de concevoir et réaliser son numéro d'ouverture.

Depuis un certain temps, j'ai un nouveau petit ami que nous appellerons Mike. Nous nous voyons depuis trois mois, il est charmant et de tempérament artiste. Il me dit qu'il n'est pas fan de Madonna, alors que je ne les ai pas encore présentés.

Le soir des Grammy, Madonna est dans sa caravane derrière le Shrine Auditorium. Je vérifie la scène et m'assure que le cameraman ne doit pas la filmer de plus près qu'en plan américain, car elle refuse les gros plans. Je passe en revue le conducteur avec le réalisateur, pour ne rien laisser au hasard.

Je retourne voir Madonna dans sa caravane en emmenant Mike. Elle est pressée. Je lui présente Mike.

— Ravie de faire votre connaissance, dit-elle.

— De même, répond-il.

Puis, quand nous ressortons, il me demande :

— Elle fait vieille. Ce sont vraiment ses cheveux ?

Je suis abasourdi, mais trop occupé pour répondre quoi que ce soit. Je l'ai déjà invité à la soirée d'après cérémonie au Le Deux et je n'ai pas le temps d'annuler. Après réflexion, je lui annonce que je vais être occupé durant la soirée et qu'il devrait venir avec un ami. Ce qu'il fait.

Je suis ravi quand Madonna remporte quatre Grammy, dont ceux de Meilleur Album Pop et Meilleur Disque Dance. Elle reçoit les récompenses avec les larmes aux yeux.

— Je suis dans la musique depuis seize ans et c'est mon premier Grammy – en fait, j'en ai reçu quatre ce soir. Cela valait la peine d'attendre, déclare-t-elle.

Dans les faits, elle en avait déjà remporté un sept ans plus tôt, mais être récompensée pour l'album et le single *Ray of Light* est une satisfaction directement musicale.

Je lui dis qu'elle le mérite vraiment et elle rayonne.

Quand nous arrivons à la soirée, je retrouve Gloria Estefan et Lenny Kravitz dans le jardin. Madonna reste à l'intérieur et du coin de l'œil, je vois qu'elle danse à perdre haleine, transportée d'avoir gagné.

Au bout d'une heure, je l'entends m'appeler. Je me précipite à l'intérieur et je la trouve accroupie par terre en train d'enlever de la cire sur ses bras. Elle en a partout dans les cheveux aussi. Je me rends également compte qu'elle a bu quelques Lemon Drops de trop.

Ingrid et Liz sont à côté d'elle.

— Quelqu'un m'a renversé une bougie dessus, dit Madonna.

Liz chuchote qu'elle a bu deux Lemon Drops.

Ingrid et elle l'emmènent dans les toilettes pour l'aider à se nettoyer.

Un groupe de femmes la suit. Deux montent la garde devant la porte. J'entends parler à l'intérieur. Impatient, je jette un coup d'œil.

Devant le lavabo, Madonna tente d'enlever la cire de ses cheveux. Autour d'elle, tout le monde lui crie des conseils.

Je me fraie un chemin jusqu'à elle pour l'aider, puis je lui dis qu'il est temps de rentrer.

Ingrid, moi et Chris Paciello (à l'époque son associé) emmenons Madonna vers la sortie.

Alors que nous la faisons monter dans la voiture, Mike surgit, sort son appareil photo et déclare :

— Je veux prendre Madonna en photo.

— C'est hors de question, dis-je en lui prenant l'appareil.

Il se précipite sur Madonna, lui saute au cou et annonce :

— Je veux vous faire un baiser.

Nous dégageons Madonna et nous le jetons dehors. Terminé pour le petit copain artiste, que je ne reverrai jamais.

Madonna a maintenant un contrat de 6,5 millions de dollars avec Max Factor pour promouvoir plusieurs nouveaux cosmétiques et apparaître dans des publicités en Europe et au Japon. Je vois la pub et remarque le look de geisha : me rappelant la soirée que nous avons passée ensemble à la maison de geishas, j'applaudis qu'elle s'en soit souvenue et se soit servie de l'image.

Le 21 mars 1999, je l'accompagne aux Academy Awards. Ensuite, nous nous rendons à la soirée *Vanity Fair* chez Morton's, où joue un orchestre de quinze musiciens de salsa. C'est bondé. Fatboy Slim mixe. Sareen, Barry Diller, Ricky Martin, David Geffen et tout Hollywood sont là. Mais seul un couple danse sur la piste. L'orchestre entame un grand classique salsa.

Je demande à Madonna si elle a envie de danser.

— Allons-y, répond-elle.

Je lui tends la main et nous allons sur la piste.

Un instant plus tard, tout le monde recule et nous regarde. Nous sommes parfaits ensemble. Elle réagit à mes moindres gestes et moi aux siens. Nous sommes parfaitement synchro. Ma sœur et moi, génétiquement si proches, formés par le même professeur, sommes des partenaires de danse idéaux.

Des caméras nous filment et diffusent les images sur des écrans dans tout le restaurant comme dans la rue. La musique s'arrête, nous terminons sur une pirouette parfaite et tout le monde applaudit. C'est un précieux souvenir et, bien que je l'ignore sur le moment, c'est ma dernière danse avec ma sœur.

On continue de raconter à Madonna que je me défonce – ce qui m'arrive généralement le vendredi ou samedi soir et pas davantage – et elle continue de me le reprocher. Elle n'a pas tout à fait tort. Après mes excès en France, finalement forcé de reconnaître que je risque manifestement de me laisser aller sur une pente trop glissante, je prends la décision d'arrêter une bonne fois pour toutes.

Néanmoins, sans doute parce qu'elle me soupçonne de me droguer, Madonna choisit de faire appel à un décorateur londonien, l'Irlandais David Collins – qui a travaillé pour Victoria's Secret ainsi que pour de nombreux restaurants très appréciés – pour rénover son appartement de New York au lieu de me le demander à moi. Quand je vois le résultat, c'est comme si on m'avait planté un couteau dans le ventre et qu'on le retourne dans la plaie. Il a conservé la décoration classique intemporelle, mais tous ses aménagements la font paraître vulgaire.

Il a changé l'éclairage du salon, installé un lustre beaucoup trop grand pour la pièce, remplacé les meubles que j'avais achetés par des coussins immenses qui ne vont pas du tout avec l'appartement. Il a peint les murs et le plafond de la salle de projection en vert Véronèse et, à mon avis, totalement anéanti l'atmosphère du lieu. Je suis soulagé qu'il n'ait pas touché à la chambre bleue que j'avais conçue pour Madonna. Mais j'ai de la peine de ne pas avoir été engagé. Je me répète de ne pas lui en vouloir. Après tout, c'est chez elle et elle peut modifier ce qui lui plaît. Je réprime mon angoisse.

Je me rends compte qu'elle ne m'a pas choisi parce qu'elle est convaincue que j'ai un problème de drogue. La drogue n'a jamais compromis mon travail. Bien que Madonna ait pris de l'ecstasy et fumé de l'herbe autrefois, elle ne tolère pas auprès d'elle quelqu'un qui prend régulièrement de la drogue, et en particulier de la cocaïne. Il n'y a pas de demi-mesure avec elle et, bien que j'en prenne juste un peu – et que comme la plupart des gens qui en font un usage récréatif, je ne laisse pas la drogue empiéter sur ma vie professionnelle –, Madonna a une vision manichéenne des choses : soit on se drogue, soit on ne se drogue pas.

C'est peut-être parce que je me sens écarté par Madonna que je fréquente de plus en plus Gwyneth Paltrow. D'une certaine façon, sans peut-être m'en rendre compte sur le moment, depuis que le rôle de Madonna dans ma vie a diminué et que notre relation a commencé à se dégrader, j'ai moi aussi instauré une Chaise à Papa – sauf qu'en l'occurrence, c'est une Chaise à Sœur. Kate, Naomi et Demi ont toutes été des candidates, mais je sens que Gwyneth y est plus à sa place que toutes les autres. Elle ne voit personne pour le moment et nous passons donc notre temps à compatir sur notre sort. Elle est plus authentique que toute autre actrice de ma connaissance. Par ailleurs, elle ne me parle jamais de Madonna, et c'est une grande qualité pour qui doit trôner dans la Chaise à Sœur.

À la même époque, je dessine une collection de mobilier pour Bernhardt Design, un fabricant de meubles, qui comprend un sofa à accoudoirs en volute, une table et un fauteuil que j'ai baptisé Léda.

La collection est lancée à la fin du mois de septembre 1999, avec une soirée à l'Oriont, le restaurant nouvellement ouvert sur la Quatorzième Rue que j'ai mis six mois à aménager. La décoration s'inspire de ma vision d'un bordel de Shanghai, avec sol en dalles noires, banquettes en velours vert olive et fauteuils tapissés d'une soie rouge sang que j'ai dénichée dans la Chinatown de New York.

Le restaurant reçoit des critiques enthousiastes pour sa cuisine et son décor. Mais juste un mois plus tard, un incendie se déclare au troisième étage, l'endroit est réduit en cendres, avant que j'aie pu être payé, et j'en suis affreusement malheureux.

Heureusement, ma collection de meubles est appréciée. En juillet 2001, plutôt que de dépenser des milliers de dollars pour un décorateur exorbitant, le président Clinton choisit personnellement ma collection de meubles

Prague pour son bureau de Harlem. Cela me fait un immense plaisir.

En mars 1999, Madonna me demande de travailler sur une aile qu'elle rajoute à Coconut Grove et je descends à Miami où je séjourne quelque temps pour cela.

Madonna vient pour mon anniversaire à Thanksgiving. Naomi et Kate décident de donner une fête pour moi au Delano.

Il faut parlementer un peu avec Madonna pour qu'elle accepte d'y aller.

— Je n'aime pas ces mannequins, dit-elle, et encore moins que tu les fréquentes.

— Écoute, Madonna, elles sont très gentilles avec moi. Je leur fais confiance. Ce sont juste des filles qui s'amusent.

— Oui, mais je n'ai pas envie de m'amuser avec elles.

— Bon, alors fais ce que tu veux, dis-je, exaspéré. Mais c'est mon anniversaire et j'aimerais vraiment que tu viennes.

Elle finit pas accepter et nous nous rendons au Delano dans des voitures séparées.

Au restaurant Blue Door du Delano, dont Madonna est copropriétaire, une grande table a été dressée.

Kate et Naomi ont fait le plan de table. Madonna, en Dolce & Gabbana, est à un bout avec Ingrid. Je suis à l'autre avec Kate d'un côté et Naomi de l'autre.

Je suis assis avec les hôtesses et je savoure cette occasion rare d'être dans la même pièce que ma sœur sans être éclipsé par elle. Je vois qu'elle regarde de haut Kate et Naomi en chuchotant avec Ingrid. Kate m'offre un jeu de cartes coquin des années cinquante. Même à cette distance, je sens la réprobation de Madonna, mais je m'en moque. Je suis en train de m'amuser.

Le gâteau est servi. Les filles portent des toasts. Madonna se joint à elles. Puis les filles commencent à faire du tapage. Madonna fait la tête, puis Ingrid et elle se lèvent brusquement et partent.

Kate, Naomi et moi allons danser après le dîner. Je rentre à la maison à 5 heures et je déclenche accidentellement l'alarme. Madonna entre dans une colère noire et m'accuse d'être défoncé. Elle n'a pas tort. Je ne peins pas beaucoup et je me contente de sortir, un peu perdu, et de m'amuser avec des top-models. Mon humeur est de plus en plus sombre.

Par contraste, Madonna s'occupe beaucoup de Lola, s'est plongée dans la Kabbale et a dans sa vie un nouvel homme qui a dix ans de mois qu'elle : le réalisateur anglais Guy Ritchie.

Ce sont Trudie et Sting qui le présentent à Madonna lors d'un déjeuner dans leur maison de Wiltshire. Comme Sean, Guy est issu d'une famille de la classe moyenne, dont les liens avec l'armée écossaise remontent au XIIe siècle. J'apprends plus tard que Guy doit son prénom à deux aïeux qui ont servi dans les Seaforth Highlanders, un régiment écossais au nom romantique. Son arrière-grand-père, Sir William Ritchie, était général de division d'artillerie dans l'armée des Indes et son grand-père, le major Stewart Ritchie, a été décoré à titre posthume de la Croix Militaire après avoir été tué durant l'évacuation de Dunkerque pendant la Seconde Guerre mondiale. Le père de Guy, John, était également dans les Seaforths, et son beau-père, Sir Michael Leighton, est un aristocrate anglais. Au final, le jeune Mr. Ritchie semble avoir une longue histoire derrière lui et un grand nombre d'ancêtres illustres dont l'ombre pèse sur lui.

Je me dis que l'on doit avoir beaucoup d'attentes à son égard. Du coup, d'une certaine façon, je comprends pourquoi – au lieu d'utiliser ses talents de cinéaste pour immortaliser l'histoire familiale – il s'en sert pour tourner un film que certains qualifient d'« homophobe » sur des gangsters londoniens, *Arnaque, crime et botanique*. J'ai hâte de faire la connaissance de cet Anglais qui semble avoir tant captivé ma sœur.

11

Assis sur une pierre, l'Invité des Noces
Ne peut faire autrement, certes que d'écouter ;

Samuel Taylor Coleridge
Le Dit du Vieux Marin

Le 31 décembre 1999, Donatella donne une soirée de réveillon à la Casa Casuarina, sa demeure de Miami, où je fais la connaissance de Guy Ritchie. Il est aimable avec moi et je me rappelle avoir trouvé qu'il faisait petit garçon et qu'il semblait sympathique. Il porte une chemise blanche et un costume bleu marine et je commence à l'apprécier. Il présente bien, il est respectueux et semble d'une fréquentation agréable. Cependant, je doute qu'il tienne plus de deux ans, l'habituelle durée des relations de Madonna.

Je sors dans le jardin avec mon ami Dan Sehres. Nous trouvons Donatella assise à une table, très glamour dans sa robe argentée. Elle est splendide, mais elle a l'air déprimée – sans doute pense-t-elle à Gianni et à l'époque plus heureuse qu'elle a connue dans cette maison. Elle fume cigarette sur cigarette qu'elle allume avec son briquet couvert de strass rose. À côté d'elle, ses paquets de Marlboro spécialement fabriqués pour elle dans l'atelier Versace de Milan, où la mention « FUMER TUE » est remplacée par ses initiales en lettres gothiques.

Nous prenons des cocktails à sa table, accompagnés de Madonna, Guy Ritchie, Rupert Everett et Gwyneth, assise à côté de Guy Oseary, qui dirige maintenant Maverick Records et avec qui elle flirte.

Juste avant minuit, Ingrid se précipite vers nous.

— J.Lo est là, annonce-t-elle. Et hors de question de lui parler.

Je me souviens alors que Gwyneth et Madonna sont fâchées avec J.Lo parce que dans un article récemment paru dans un journal, elle aurait déclaré que Madonna ne savait pas chanter et Gwyneth jouer. Très imprudent.

Tout le monde bat froid J.Lo, sauf Donatella et moi.

À minuit tapant, nous sommes momentanément distraits de cette dramatique tension avec J.Lo quand nous nous rassemblons devant la télévision pour voir les fêtes du Nouvel An dans le reste du monde. Le pape prononce sa bénédiction, puis l'image passe aux feux d'artifices. Cela donne l'impression que le pape vient d'exploser. Nous sommes pris de fou rire, puis nous levons un œil inquiet vers le ciel, au cas où.

Je danse avec Donatella sur la piste en acrylique qui recouvre la piscine incrustée de dorures. Puis quelqu'un, je ne me rappelle pas qui, vient me trouver et me chuchote que certains vont prendre une demi-ecstasy.

Vers 2 heures du matin, nous partons tous au carré VIP du Bar Room, le nouveau club d'Ingrid. Le carré est une pièce à l'éclairage tamisé d'environ quinze mètres de côté dont les grandes baies donnent sur la piste de danse principale.

Nous buvons tous du Veuve Cliquot et je vois que tout le monde est de bonne humeur.

Madonna, Gwyneth, Ingrid, les deux Guy et moi sommes assis dans une alcôve.

Par plaisanterie, Gwyneth me jette un regard lascif.

Je saute sur mes pieds et je l'entraîne sur la piste.

Il est maintenant 4 heures du matin. Madonna, qui ne souffre manifestement pas de l'heure tardive, danse sur la table. Gwyneth la rejoint et elles dansent ensemble. Au beau milieu, Madonna l'empoigne et l'embrasse à pleine bouche.

Voilà le genre de la soirée.

Mon ami Dan a amené un garçon de dix-neuf ans qui n'arrête pas de se tripoter l'entrejambe et que je surnomme Scratchy (« la Gratte »). Madonna, dans une robe Versace en mousseline rose qui descend jusqu'aux genoux, danse avec d'autres gens. Nous avons beaucoup d'allure et nous en sommes conscients. Soudain, Scratchy se glisse entre nous auprès de Madonna. Il passe les bras autour d'elle et ils dansent un slow ensemble.

Immédiatement, Guy Ritchie traverse la piste à grands pas. Il donne à Scratchy un coup de pied dans la jambe pour attirer son attention et l'écarte de Madonna. Puis il lui assène un coup de poing. Je repousse Guy et je fais sortir Scratchy de la salle.

Un moment passe. Tout le monde se remet à danser.

Je suis sur la piste avec Gwyneth.

Soudain, je sens que quelqu'un s'approche de moi par-derrière.

Guy m'empoigne et se met à me faire sauter dans ses bras comme une poupée de chiffons.

— Lâche-moi ! lui dis-je.

Je me dégage de sa poigne de fer.

Je le pousse contre le mur, me plaque contre lui et le coince avec mes hanches.

— Si tu veux danser avec moi, c'est comme ça qu'on s'y prend, ici, dis-je d'une voix sourde.

Il rougit et me repousse.

Je m'éloigne. Je ne pense plus à Guy. Rupert, en revanche, nous observe avec attention et n'oublie pas. Plus tard, dans son autobiographie, il écrit : « Guy et Chris venaient de deux planètes différentes, en ce que l'un ne pouvait exister qu'en l'absence de l'autre. » Cependant, sur le moment, je n'accorde pas d'attention aux faits et gestes de Guy parce que je suis distrait par l'agitation qui règne sur la piste : deux personnes prennent ouvertement de la drogue. Des vigiles les empoignent et les jettent dehors.

Nous continuons de danser.

La soirée se termine.

Je ne sais pas très bien comment, mais je rentre.

Le lendemain, Madonna organise un barbecue dans le jardin, mais nous sommes pour la plupart encore trop sonnés et nous nous contentons de sommeiller autour de la piscine en ne parlant pas trop fort.

Nous ne revenons à la vie que lorsque Lola se met à crier que Mo, le chiot de Rupert, est en train de se noyer. Nous plongeons dans la piscine et le sauvons, puis il s'évanouit et tout le monde est terrifié. Heureusement, grâce aux soins d'Elsa, la prêtresse new-age, il se remet.

L'après-midi se termine et tout le monde s'en va. De toute la journée, Guy et moi ne nous sommes pas dit un mot. Je le trouve un peu lourdaud, surtout sur la piste, ce qui n'est pas un bon point avec Madonna, qui aime que ses amants soient de bons danseurs.

Par-dessus tout, il est crucial depuis toujours pour Madonna que l'homme de sa vie soit capable de supporter les gays qui l'entourent. Je ne vois pas Guy tenir longtemps.

Évidemment, je me trompe. Peut-être que j'étais trop proche de ma sœur, trop absorbé par les péripéties de ce réveillon, pour comprendre le présage. Je ne me doute absolument pas que l'arrivée de Guy dans la vie de Madonna signe l'arrêt de mort de ma relation avec elle.

La décennie se termine avec le couronnement dans le *Guinness des Records* de Madonna comme l'artiste solo ayant eu le plus de succès avec cent vingt millions d'albums vendus dans le monde. La tournée *Blond Ambition* est qualifiée de Plus Grand Concert des Années Quatre-Vingt-Dix par *Rolling Stone*. *Entertainment Weekly* élit Madonna cinquième meilleure artiste du demi-siècle (1950-2000). Et elle est sacrée Artiste du Millénaire par MTV Asie.

Le dernier film de Madonna, *Un couple presque parfait*, qu'elle tourne avec Rupert Everett, sort le 29 février 2000. Elle m'invite à la première, où je me rends avec Billie Myers, une bonne amie et l'une de mes chanteuses préférées. Madonna est assise deux rangs devant moi. Le film est atroce. Je fais mine de devoir aller aux toilettes en espérant que personne ne remarquera que je ne reviens pas.

Je reste dans le hall et j'écoute, mais au moins je n'ai pas à regarder. Ensuite, je déclare à Madonna qu'elle était géniale et que le film était drôle, mais je n'en pense pas un mot. Je suis heureux de ne pas être seul avec elle, parce que si nous avions discuté du film, elle aurait vu que je mentais. Elle ne se rend absolument pas compte qu'elle est très mauvaise dans le film, mais sachant que cela ne me vaudrait rien de bon d'être sincère, je m'abstiens. Le film est sorti et je ne peux rien faire pour améliorer la prestation de ma sœur. La critiquer ou se montrer négatif serait inutile et destructeur et je ne veux pas me lancer là-dedans.

À la même période, quatre mois après l'achèvement de l'aile supplémentaire de Coconut Grove, Madonna décide de vendre la maison. La fin d'une époque. Elle ne m'a pas encore payé le solde dû pour mon chantier.

Elle habite maintenant à Londres, où elle commence l'année par tourner le clip d'« American Pie ». Aux États-Unis, *The Immaculate Collection* a connu des ventes certifiées de neuf millions d'exemplaires et, le 20 mars 2000,

Madonna annonce qu'elle est enceinte de l'enfant de Guy. Je ne suis toujours pas convaincu que Guy va rester dans sa vie, me disant qu'elle a eu Lola avec Carlos sans pour autant demeurer avec lui.

Le 11 août 2000, le fils de Madonna et Guy, Rocco, naît au Centre Médical Cedars-Sinai de Los Angeles. Je travaille à Miami et je ne suis pas là pour la naissance.

Cependant, Madonna n'a manifestement pas l'intention de rester en Californie, puisqu'elle est à présent installée pour de bon à Londres. Elle fait la connaissance du prince Charles lors d'un dîner de bienfaisance à la résidence princière dans le Gloucestershire et, plus tard dans l'année, donne son premier concert anglais depuis sept ans, à la Brixton Academy, vu par neuf millions de téléspectateurs dans le monde, la plus grande retransmission jamais faite par Internet, battant de trois millions le record de Sir Paul McCartney en 1999.

Elle va tellement bien s'intégrer dans sa nouvelle patrie, l'Angleterre – le pays que nous avions tant détesté durant notre premier séjour des années auparavant –, qu'il lui est même demandé de décerner le prestigieux prix Turner à la Tate Gallery. Ce faisant, elle démontre qu'elle n'a pas totalement perdu sa capacité très américaine à choquer : « À une époque où le politiquement correct est préféré à la sincérité, j'aimerais dire : putain de merde, tout le monde est un gagnant ! »

Cette déclaration scandalise tellement le public que Channel 4 est obligée de publier des excuses.

Un peu plus tard, elle m'annonce que Guy et elle vont se marier. Je lui réponds que je suis heureux pour elle. Je le suis, parce que je me rends compte qu'elle est fragile et qu'elle a besoin de lui. Hormis le fait que Guy doit lui rappeler Sean, elle vieillit et a besoin d'un père pour ses enfants. Elle est tellement immense que la plupart des hommes ne sont tout bonnement pas prêts à se soumettre à elle.

Je suppose que Guy non plus, mais, au moins, il est disposé à l'épouser.

Vers octobre 2000, mes finances sont au plus bas. J'ai travaillé au Central, un nouveau restaurant de Sunset Plaza, pendant la majeure partie de l'année et je n'ai pas été payé. Je n'ai pas le choix, je dois réduire mon train de vie. Je renonce à mon appartement à Hollywood et je loue dans Los Angeles même une maison de trois chambres dont j'en sous-loue deux. Madonna continue de différer le règlement du solde de Coconut Grove. Je proteste et nous nous disputons.

Le 9 octobre 2000, elle m'écrit qu'elle met « son indignation de côté » – allusion à notre dispute concernant le paiement – et m'invite à son mariage. Elle précise : « J'invite mes amis et les membres de la famille qui ne sont pas des malades mentaux. Nous serons mariés par un vicaire de l'Église anglicane parce que les catholiques sont pénibles et que GR ne veut pas se convertir. Sans compter que je suis divorcée ».

Je ne suis pas très chaud pour assister au mariage, étant donné que je n'ai pas les moyens d'y aller. En plus, je n'ai plus aucune sympathie pour Guy. Je l'appelle pour décliner.

Madonna n'est pas là, mais son assistante Caresse me rappelle :

— Madonna me demande de te dire que si tu veux le solde de Coconut Grove il faudra utiliser l'argent pour t'acheter un billet d'avion pour son mariage.

Mon estomac se noue.

— C'est une blague, n'est-ce pas ? Parce que, sinon, c'est du chantage.

Et je raccroche.

Caresse me rappelle :

— Nous allons acheter un billet sur l'argent qui t'est dû et t'envoyer ce qui reste.

Je lui demande de nouveau si c'est une blague, mais non : c'est bien comme cela que Madonna veut procéder.

Je passe quelques jours à ruminer la situation. Je ne reconnais plus cette femme qui essaie de me forcer à assister à son mariage. Cependant, je me console en songeant que ma sœur et moi ne pouvons pas être en si mauvais termes, puisqu'elle semble vraiment vouloir que je vienne au mariage. Et je capitule.

Caresse me détaille le déroulement du mariage. Je viendrai à Londres une semaine avant la cérémonie, essaierai mon queue-de-pie, puis je partirai le lendemain matin pour Inverness, à quarante-cinq minutes de route de Skibo Castle, à Dornoch, sur les rives de l'estuaire de la Dornoch, dans les Highlands. Le 21 décembre, Rocco sera baptisé et le mariage aura lieu le 22.

Plus tard, je découvre qu'avant le mariage, le personnel est contraint de signer un contrat de confidentialité de quatre pages, qu'aucun invité n'a le droit de venir avec un téléphone portable et que nous avons interdiction de quitter le château durant les cinq jours que dure la fête. En outre, soixante-dix vigiles ont été engagés pour garantir qu'aucun journaliste ne s'infiltre et qu'aucun invité ne s'enfuit. Forteresse de Coldtiz, nous voici !

Je reçois du bureau de Madonna un billet en classe affaires sur British Airways. En vérifiant le prix, je m'aperçois qu'il ne va me rester que quelques centaines de dollars à toucher.

Une fois à Londres, selon les instructions de Caresse, je me rends à Regent Street chez Moss Bros. louer mon queue-de-pie. On me donne le modèle gris que tous les invités sont censés porter. Il est 100 % polyester et je me brûle les doigts en enfilant la veste. Le vendeur me présente la facture de la location.

— Mettez ça sur le compte de Guy, dis-je avant de partir.

Ce soir-là, je vais dîner avec des amis. Nous nous défonçons et je finis au lit à 5 heures du matin. Du coup, je manque mon avion pour Inverness. À l'aéroport, un employé de British Airways me prend en pitié et me trouve un vol pour Inverness *via* Édimbourg. Je ne suis pas particulièrement ravi, mais curieux de l'Ecosse et de découvrir à quoi elle ressemble.

Une voiture m'attend à l'aéroport. Après une heure de route, nous arrivons à Dornach, remontons une petite allée bordée de hêtres et Skibo Castle se dresse devant nous, nimbé de brume, immense, splendide et mystérieux au milieu de trois mille hectares des plus belles terres des Highlands. Un pavillon aux couleurs de l'Angleterre d'un côté et des États-Unis de l'autre – tradition remontant à Andrew Carnegie, qui restaura le château au XIXe siècle – flotte sur l'une des tours.

Ce que je vois en entrant dans le grand hall semble tiré tout droit d'un film historique hollywoodien. Un feu de cheminée flambe dans l'âtre, les murs sont recouverts de lambris de chêne édouardiens, certains portent des trophées de chasse. Un escalier en chêne mène à un palier percé d'une fenêtre en vitraux, où doit se dérouler le mariage de Madonna.

Je m'attends à voir à tout moment Errol Flynn descendre le magnifique escalier et me défier de son épée. Je suis ramené à la réalité par le réceptionniste qui me demande de lui donner ma carte de crédit pour les dépenses annexes. Je lui réponds que je ne l'ai pas prise. Du coup, toutes mes dépenses seront facturées à Madonna et Guy. Je fais évidemment ce pieux mensonge en réaction au chantage de Madonna pour m'obliger à venir au mariage. Je n'aime pas éprouver de la rancune, mais je n'arrive pas à oublier ce comportement brutal et autoritaire.

Je suis le groom en kilt écossais jusqu'à ma chambre, me disant qu'elle sera splendide, si j'en juge par la magnificence du hall. Nous montons deux étages, puis trois. Quatre, cinq. Nous en sommes au sixième. En chemin, nous passons devant plusieurs suites, toutes magnifiques, avec des lits à baldaquins et du mobilier ancien.

Ma chambre est au dernier étage dans le grenier d'une tour. Je passe une petite porte, un étroit couloir et arrive dans une pièce de deux mètres sur deux avec une baignoire victorienne à pattes de lion au milieu et des toilettes dans un coin. Par une autre porte, j'arrive dans une autre pièce à plafond bas, où se trouve mon lit.

On me téléphone pour m'informer que le dîner sera à 20 heures. En plus, c'est en tenue de soirée. Madonna ne m'a jamais indiqué qu'il y aurait ce genre de choses. Je n'ai apporté qu'un seul costume, un Prada, que je vais être obligé de porter tous les soirs.

Je descends mes six étages. Je passe devant une bibliothèque et un billard. Je vais faire un tour dehors, vois la petite salle de sport, un spa reposant et la piscine intérieure historique de style édouardien. Skibo est imposant, mais magnifique, et je me dis que je peux supporter cela pendant une semaine.

Une jolie fille arrive à cheval. Elle se présente comme Stella. Je réalise : Stella McCartney. La demoiselle d'honneur de Madonna. Pour autant que je sache, Madonna et elle viennent seulement de faire connaissance, mais c'est elle et non Gwyneth ou Ingrid qu'elle a choisie comme demoiselle d'honneur. Stella, créatrice de mode, a dessiné gratuitement une robe de trente mille dollars pour Madonna. C'est Ingrid qui ne doit pas être contente.

Stella m'explique comment les choses se passent ici. Chaque matin, les hommes partent chasser et les femmes se retrouvent pour un déjeuner à thème. Elle est au courant par Madonna.

— Donc, je suis obligé d'aller chasser ou de déjeuner avec les femmes ? demandé-je.

J'apprends alors que les hommes ne sont pas autorisés à ces déjeuners.

Pour moi, chasser est hors de question.

Je m'habille pour le dîner, puis je me rends dans la bibliothèque, où sont réunis les amis de Guy. Je n'en connais aucun, mais un ou deux me semblent familiers : j'ai dû les voir dans un film. Ils sont relativement aimables et se connaissent manifestement depuis longtemps.

Nous prenons des cocktails et j'essaie de lier conversation. Je leur demande comment s'est passée la chasse et ils me disent qu'ils ont tiré trois cents oiseaux.

Je leur demande s'ils blaguent.

Ils m'assurent que non. Ils vont être accrochés pour faisander. Je me souviens brusquement des têtes de moutons que j'avais vues suspendues dans ce village marocain rustique des années plus tôt. Guy et ses amis sont peut-être des Anglais civilisés et non des paysans du Maghreb, mais leurs occupations sont les mêmes.

— Et c'est ce que nous avons au dîner ?

Ils éclatent de rire et me disent que non.

Je vais au dîner. Madonna entre et me souhaite la bienvenue en Écosse en me serrant contre elle. Guy me serre la main.

Trudie et Sting arrivent. J'ai fait sa connaissance quand il a joué au Pacific Amphitheatre en 1993 et je l'aime bien.

Melanie et son mari Joe font leur entrée et je suis heureux de les voir.

La grande table est dressée pour dix. Madonna a fait le placement et, le premier soir, je suis assis à côté de Melanie et Joe, ce qui me convient. On nous sert de la cuisine écossaise. Je chipote un peu dans mon assiette, puis je demande qu'on m'apporte du poulet.

Ce soir comme tous les suivants, les invités portent un toast aux futurs mariés. Cette fois, c'est l'un des amis de

Guy qui s'en charge en concluant par une blague qui sous-entend : « Est-ce que ce ne serait pas amusant si Guy était gay ? »

Cela ne me fait pas rire. Non, ce ne serait pas amusant.

Après le dîner, je décide de me renseigner sur l'histoire de Skibo. J'apprends que le château est construit sur le site d'une bâtisse viking. Tombant en ruines avec les années, Skibo a été ressuscité en 1898, quand il a été acheté par le philanthrope Andrew Carnegie, d'origine écossaise, qui avait émigré aux États-Unis à douze ans et accumulé par la suite dix milliards de dollars dans la sidérurgie. Avec une fortune bien au-delà de ses espérances les plus folles, il est revenu en Écosse, décidé à acheter le château de ses rêves, et a dépensé deux millions de dollars pour restaurer et aménager Skibo.

Depuis lors, le roi Edouard VII, Edward Elgar, Lloyd George, Helen Keller, Rudyard Kipling et les Rockefeller ont tous séjourné à Skibo. Paderewski a même joué sur l'énorme orgue du Grand Hall. J'apprécie l'histoire illustre de Skibo, mais je me sens bien esseulé ici.

Le matin, je suis réveillé par un joueur de cornemuse sous ma fenêtre – apparemment une tradition des lieux depuis Carnegie.

Quand je descends au petit déjeuner, où toutes sortes de spécialités écossaises sont proposées, je découvre que je suis condamné à passer ma journée tout seul. Les hommes doivent partir à la chasse, les femmes passant la journée derrière des portes closes à diverses distractions féminines. Madonna ne me propose rien d'autre en remplacement. En général, une future mariée n'est pas chargée de divertir ses invités, mais je ne peux m'empêcher de me demander à quoi cela sert d'inviter quelqu'un à un mariage au milieu de nulle part et de le laisser seul.

Je vais donc faire du sport et bouquiner. Je suis cependant curieux de ce qui se passe dans la salle des femmes.

On en fait beaucoup de mystères. Au bout d'un moment, Stella sort et me dit :

— J'en ai assez des filles, je vais faire du cheval.

Le soir, je consulte le placement et découvre que je suis assis entre Trudie et Sting. Au début, ils parlent du château et du temps qu'il fait.

Puis Trudie se penche vers moi et me demande :

— Christopher, est-ce que je sens ?

— Pardon ?

— Est-ce que je sens ? Est-ce que j'ai une odeur corporelle ?

— Il ne me semble pas.

— Ce n'est pas un truc qui te branche ? (Et avant que j'aie pu répondre, elle ajoute :) Ça ne te dirait pas ?

— Vous ne trouvez pas le saumon fumé délicieux ? dis-je.

La fierté que Guy tire de son hétérosexualité enfle particulièrement quand il est en présence d'homosexuels, comme moi. Et, durant cette semaine, quand ses amis portent après dîner des toasts – dont la majorité sont destinés à souligner sa virilité – il est dans son élément. Moi, c'est loin de m'amuser quand nombre des discours qui trompettent l'hétérosexualité de Guy sont émaillés du mot *tarlouze*.

Ignorant tous les autres invités – Sting, Trudie, Stella, ma sœur Melanie et son mari Joe –, Madonna, qui est en bout de table, se lève et donne la consigne :

— Christopher, c'est ton tour de porter le toast de ce soir.

Je m'appuie à la table et, en insistant bien, réponds :

— Madonna, je t'assure qu'il ne vaut mieux pas.

Elle me regarde sans comprendre.

— Je crois que tu devrais demander à quelqu'un d'autre, lui dis-je gentiment.

— Mais non, Christopher, c'est *ton* tour ! aboie-t-elle d'un ton qui rappelle celui qu'elle utilisait dans notre enfance quand nous jouions au Monopoly.

Quand elle n'arrivait pas à acheter la rue la plus chère, elle tapait du pied et déclarait : « Mais c'est à *moi* ! »

À l'époque, devant sa volonté inébranlable, je capitulais toujours et je lui cédais la rue que je venais d'acheter.

Apparemment, rien n'a changé.

Je me lève.

Les autres invités se taisent respectueusement : le frère de la mariée va prononcer un discours.

Je lève mon verre.

— J'aimerais porter un toast à ce moment heureux qui n'arrive que *deux fois* dans une vie. (Puis, sans perdre un instant, je poursuis :) Et si quelqu'un a envie de baiser avec Guy, il pourra le trouver dans ma chambre tout à l'heure.

Tout le monde explose de rire. Tout le monde, sauf évidemment Madonna qui répète : « Mais qu'est-ce qu'il a voulu dire ? Mais qu'est-ce qu'il a voulu dire ? ». Guy, que je soupçonne d'avoir parfaitement compris ce que je voulais dire, ne pipe pas un mot.

Après cela, il évite mon regard. Peu après, je monte dans ma chambre. Je descends le couloir en me disant qu'au moins j'ai porté un coup, quand Trudie surgit derrière moi.

— C'était hystérique, dit-elle. Ta sœur n'a pas compris, mais j'ai entendu toutes ces blagues homophobes et si tu n'avais pas été vexé, j'aurais été inquiète pour toi. Je voulais juste te dire que nous comprenons tous ce que tu dois éprouver.

Dès cet instant, je tombe amoureux de Trudie, et elle le sait.

Le lendemain, mes parents arrivent avec Paula. Au départ, Madonna ne l'avait pas invitée. Paula m'apprend qu'elle a appelé Madonna pour lui dire qu'elle tenait vraiment à assister au mariage et que celle-ci lui a répondu qu'elle pouvait venir du moment qu'elle payait son billet et ses dépenses personnelles. Je suis vraiment fâché que Madonna ait traité ainsi

Paula. Elle est graphiste et ne gagne pas beaucoup d'argent. Pourtant, Madonna s'attend à ce qu'elle paie son billet pour venir dans un endroit aussi lointain.

Je suis de meilleure humeur quand Rupert, Alek, Gwyneth et Donatella arrivent. Nous faisons une promenade dans des voitures de golf, je leur raconte les toasts homophobes et leur dis combien c'était horrible jusqu'à leur arrivée. Cela les fait rire et ils me consolent.

— Pauvre Christopher, conclut Gwyneth. Nous allons nous occuper de toi.

Nous passons le reste de la journée ensemble.

Le baptême a lieu dans la soirée. Une longue file de Range Rovers s'arrêtent devant le château pour nous emmener à la cathédrale de Dornoch. Une meute de cinq cents photographes et encore plus de journalistes nous guettent devant les grilles du château. Nous passons devant eux, mais ils nous suivent jusqu'à Dornoch.

Plus d'un millier de fans sont rassemblés devant la petite cathédrale vieille de près de huit siècles, célèbre pour ses magnifiques vitraux. L'intérieur est éclairé de bougies et décoré de guirlandes de lierre et de fleurs.

Je m'assois avec Gwyneth et Rupert et ne peux voir que de loin Rocco – enveloppé dans sa robe de baptême Versace blanche et or à quarante-cinq mille dollars. J'apprends plus tard qu'un journaliste est resté caché dans l'immense orgue pendant trois jours. Le temps qu'on le découvre, il s'est évanoui de froid.

Guy Oseary a eu le privilège d'être choisi comme parrain de l'enfant. J'essaie de ne pas m'en froisser et d'écouter l'émouvante interprétation de l'*Ave Maria* par Sting. Au bout d'une demi-heure, la cérémonie est terminée. On nous reconduit au château, toujours suivis de la presse.

Le dîner est servi, les toasts portés. J'ai une brusque envie de fumer, mais je sais que je ne peux pas, puisque Madonna l'a interdit.

Gwyneth et moi quittons la table en même temps. Sur le chemin de ma chambre, nous nous arrêtons à sa suite, qui est immense et magnifique. Je me rends compte que moi – qui ai parfois signé pour l'agacer « Ton humble serviteur » les lettres que je lui envoyais – je me trouve relégué dans ce qui doit être l'une des plus petites chambres du château, peut-être même dans les quartiers des domestiques. Une plaisanterie ? Ou bien une manière pour ma sœur de me forcer à tenir mon rang ?

Le lendemain soir, date du mariage, j'enfile mon queue-de-pie de location, mais dans un moment de rébellion qui rappelle Madonna faisant des trous dans ses tenues de danse il y a des années, je l'assortis du gilet Vivienne Westwood que j'ai apporté.

Juste avant 18 h 30, nous nous rassemblons dans le grand Hall, à présent éclairé de bougies, et nous nous asseyons au pied de l'escalier dont les balustrades ont été décorées de guirlandes de lierre et d'orchidées blanches. C'est très beau.

Je suis assis sur le côté, au cinquième rang. Les accents à la cornemuse de l'hymne « Highland Cathedral » remplissent la salle. C'est ensuite une pianiste, Katia Labèque, qui joue tandis que Lola, dans une robe longue ivoire à col haut, descend l'escalier jusqu'au palier au-dessus de nous en répandant des pétales de roses rouges devant elle.

Lola est charmante, séduisante et adorable. Je suis attristé que pendant toute la semaine, elle ait été soit avec sa nourrice ou sa bonne, soit séquestrée dans la salle fermée avec Madonna et les autres femmes, car j'aurais voulu avoir l'occasion de mieux la connaître.

Puis Madonna, splendide dans une robe en soie ivoire moulante, entre au bras de notre père. Dans son queue-de-pie, il est bel homme, distingué et en tout point un aristocrate. L'espace d'une seconde, je me demande ce que son père, Gaetano – arrivé en Amérique avec seulement les trois cents dollars de sa dot il y a si longtemps – penserait de son fils aujourd'hui. Sans parler de sa petite-fille.

Sur le palier devant le vitrail, Madonna rejoint Guy, qui porte une veste en tweed vert des Shetland, une cravate verte, des boutons de manchettes anciens en diamants et pierres vertes qui, m'apprendra-t-on, sont un cadeau de Madonna, une chemise en coton blanc et un kilt qu'on me dit au motif du clan Mackintosh. Rocco, blotti dans les bras de sa nourrice, porte un kilt coupé dans le même tissu.

Guy et Madonna échangent leurs alliances en diamants. Puis, devant une femme pasteur, ils prononcent les vœux qu'ils ont eux-mêmes écrits. J'aimerais bien les entendre, mais toute l'assistance est tellement loin que, même si nous entendons Katia jouer « Nessun Dorma » et la « Toccata et Fugue » de Bach, personne ne distingue un mot des vœux. Sentiment de déjà-vu : c'est le mariage de Sean et Madonna à nouveau. Sauf que Sean ne me paraît plus un mauvais choix comme beau-frère.

Quinze minutes plus tard, la cérémonie est terminée. Les mariés descendent les marches et tout le monde les félicite. Nous buvons du champagne, puis Madonna et Guy montent se changer dans leurs chambres. Elle revient plus tard dans une robe Gaultier et lui en costume bleu.

À 20 heures, nous revenons tous dans le grand hall, où un joueur de cornemuse nous précède au dîner. Ce soir, pas de longue table, mais sept tables rondes. Madonna, Guy et Gwyneth sont à celle du devant, avec Donatella, Sting et Trudie. Mes parents sont sur le côté avec Joe, Paula et Melanie.

Peut-être directement à cause de mon toast, je suis relégué au fond de la salle, assis dos à la table des mariés. Je ne suis pas surpris, car, après tout, je me suis mal tenu. Alek Keshishian, assis à ma droite, passe presque tout le dîner – saumon et moules, bœuf écossais, pommes rôties, chou et haggis, le plat national écossais – à se plaindre qu'il n'est pas à la table de Madonna, ce qui m'irrite au plus haut point.

Le garçon d'honneur, le propriétaire de club Piers Adam, se lève pour porter un toast. Derrière lui, sur un écran, passent des images de Guy bébé, écolier, et même Guy portant une robe. L'une d'elles le montre enfant, vautré sur un chien noir, la main près du sexe de l'animal. Piers Adam la désigne :

— Vous voyez, Guy était une *tarlouze*, avant, glousse-t-il, vraiment tout content de lui.

Je me retiens de me lever et de lui balancer une assiette.

Je jette un coup d'œil à ma sœur, espérant voir une expression scandalisée sur son visage, mais non. Et je suis triste que Madonna, dont les premiers succès se sont bâtis sur des légions de fans gays, puisse écouter ces commentaires homophobes sans protester. Je le suis encore plus qu'elle ait épousé un homme apparemment si peu sûr de sa virilité qu'il déborde d'homophobie – et ses amis le savent.

Je quitte la table, monte et m'endors. Je me réveille vers 2 heures du matin et redescends manger quelque chose. J'entends de la musique s'échapper des caves et je jette un coup d'œil. Une grande fête a lieu et tout le monde danse. Parmi les gens, la bonne américaine de Madonna. Si c'est très gentil à Madonna d'avoir payé le billet de sa bonne, je n'arrive pas à comprendre pourquoi elle a catégoriquement refusé d'en faire autant pour sa propre sœur Paula. Le matin, nous nous entassons tous dans un car qui nous ramène à l'aéroport pour prendre l'avion de Londres. Je pousse un soupir de soulagement. J'ai fait acte de présence à Skibo et c'est terminé.

Madonna au moins a apprécié son mariage. Plus tard, elle déclarera :

— C'était un moment vraiment magique. Très personnel et intime.

Et elle fait un geste de conciliation envers moi en me proposant de séjourner dans sa maison de Holland Park le soir de Noël, puis de me joindre à Guy et elle dans la grande propriété de vingt et un hectares de Sting et Trudy dans le Wiltshire, où les nouveaux mariés passent leur lune de miel.

Le couple reste naturellement à l'écart et je passe le temps avec Sting et Trudie. Après la déception du mariage, c'est agréable d'être avec des amis, si nouveaux soient-ils.

Au crépuscule, Sting et moi faisons ensemble le tour de la propriété. Trudie et lui élèvent des moutons qui batifolent partout. Il y a aussi un petit lac avec au milieu une île où pousse un gros arbre. Sting me raconte qu'une fille y est morte. Selon lui, à certaines époques de l'année, on peut voir son fantôme, vêtu d'une robe blanche, assis sur une chaise, qui contemple le lac. La propriété n'a pas été modernisée, elle est magnifique et, pendant cette soirée, j'ai l'impression d'être remonté dans le passé.

Mais même ce décor serein et la gentillesse que me témoignent Trudie et Sting ne suffisent pas à effacer les souvenirs déplaisants de ma semaine en Écosse. Et quand je rentre en Amérique, ouvre mon courrier et trouve une invitation pour faire partie du club très privé de Skibo, je n'envisage même pas une seconde d'accepter.

12

Tout ce que tu fais a une influence sur l'avenir.

Enseignement de la Kabbale

Je commence 2001 dans un esprit heureux et positif. Mais, en mars, je découvre avec horreur que Madonna lance sa tournée *Drowned World* avec quarante-huit dates, mais ne m'engage pas pour la mettre en scène. Peut-être en représailles pour mon toast à son mariage et le dédain que j'ai témoigné à son nouveau mari, j'appends par Caresse qu'elle a engagé un autre directeur artistique à ma place, Jamie King. À mon e-mail, Madonna répond qu'elle juge que je ne suis plus fiable à cause de mes problèmes de drogue. Je lui rétorque immédiatement dans des termes sans équivoque que je fais un usage récréatif de la drogue et que je ne l'ai jamais laissée compromettre mon professionnalisme.

Bien qu'elle ne retire pas son accusation et croie toujours les rumeurs courant sur mon compte, quelques semaines plus tard, elle m'écrit pour m'inviter à venir assister à l'une des répétitions. Dans la même lettre, elle m'annonce que Guy, elle et les enfants suivent désormais un régime macrobiotique – ni viande rouge ou blanche, ni pain, sucre, produits laitiers ou alcool – préparé par un cuisinier macrobiotique français. Elle m'invite également à assister à un cours de Kabbale.

Bien que la Kabbale m'intrigue un peu, je décline. Mais j'accepte d'assister à la répétition. Ironie que je trouve particulièrement amère, elle a lieu dans les Studios Sony de Culver city, là où huit ans plus tôt se déroulaient celles du *Girlie Show*.

Dès l'entrée des artistes, la première chose que je vois est la Mercedes noire toute neuve de Jamie King. Jusqu'à présent, il conduisait une voiture américaine. Je ne peux qu'en déduire que Madonna le paie une fortune pour mettre en scène *Drowned World,* certainement bien plus qu'elle ne m'accordait, et cela m'irrite.

J'entre et regarde la partie « Ray of Light » durant laquelle Madonna chante trois chansons. Elle porte un kimono avec des manches de quinze mètres. Malgré son engagement dans la Kabbale, l'atmosphère générale est violente, agressive et pas du tout agréable à regarder.

Ne voulant pas me montrer négatif, je lui fais quelques observations constructives. Puis, faisant référence à une scène où elle est censée être soumise, je suggère à Jamie qu'elle baisse d'abord les yeux, ce qui sera plus théâtral lorsqu'elle les relèvera.

— Nous voulons faire comme nous l'entendons, rétorque-t-il.

Je ne réagis pas.

Plus tard, je parle de cette suggestion à Madonna. Elle ne me répond pas. Mais ensuite, quand j'irai à la répétition en costumes, je constaterai qu'elle a suivi mon conseil.

Maintenant que Madonna et Guy sont mariés, elle met en vente les maisons de Los Feliz et de Coconut Grove et fait une offre pour une nouvelle maison sur Roxbury Drive à Beverly Hills, qui appartient à Diane Keaton.

À l'époque, je suis encore en train de concevoir le nouveau restaurant Central de Los Angeles et je suis fauché. Je demande donc à Madonna si je peux décorer sa nouvelle maison.

Caresse m'a récemment dit que Madonna avait été choquée en recevant la facture de David Collins. Jusque-là, elle n'avait pas la moindre notion des honoraires que les décorateurs demandent d'ordinaire. À présent, cependant, elle peut constater combien mes tarifs sont bas. Elle est disposée à me laisser retravailler pour elle, mais, connaissant ma situation, elle marchande. Je n'ai pas le choix, j'accepte un tarif bas et elle m'engage.

Elle achète six millions et demi de dollars la maison, dessinée par l'architecte Wallace Neff. Avant la conclusion de la vente, nous allons la voir ensemble. Elle est au nord de Sunset et c'est une étrange demeure de style espagnol méditerranéen sans mur d'enceinte ni grille. Le jardin est rempli de lavandes, d'énormes agaves et de cactus avec des épines de quinze centimètres.

Diane n'a pas encore quitté les lieux, mais elle n'est pas chez elle ce jour-là. Près de la piscine, les jouets de ses enfants sont rangés par ordre croissant de taille.

Madonna et moi échangeons un regard.

— Pourquoi sont-ils rangés comme ça ? Comment des gosses peuvent jouer dans le jardin sans s'embrocher sur les cactus ? demande-t-elle.

La première chose que je fais, c'est arracher les cactus. Le jardin est creusé et, sous la lavande, nous découvrons des quantités de rats que nous faisons immédiatement éliminer.

Avant que je commence les travaux d'intérieur, Madonna me prend à part :

— Tu sais, Christopher, maintenant que j'ai des enfants et un mari, tu vas devoir concevoir une maison pour des enfants et tu traiteras avec mon mari.

Je lui réponds que ce n'est pas grand-chose, mais je me trompe.

En théorie, décorer Roxbury devrait être facile. Les seuls travaux nécessaires sont la modification de la salle de bains à l'étage selon le goût de Madonna, la construction d'un dressing pour Guy et l'agrandissement de la piscine. Le reste consiste surtout à apporter le mobilier de Castillo del Lago.

Cependant, le dressing de Guy ne va pas être une mince affaire, surtout que cela m'oblige à traiter directement avec lui.

Nous nous retrouvons à la maison et il m'annonce ce qu'il veut.

— Rien de chichiteux, mec. Pas de fanfreluches, me dit-il.

Je me retiens de lui casser les dents.

Il me dit que le dressing doit faire deux mètres de long sur un mètre cinquante de large, avec une penderie, des tiroirs identiques et – plus important que tout – une vitrine pour ses boutons de manchettes et ses montres. Elle doit être tapissée de velours rouge et pourvue d'un éclairage afin de laisser voir ce qui est exposé à l'intérieur.

Le tout doit être en bois sombre, grain assorti et orienté de gauche à droite.

Pendant toute la conversation, il m'appelle « Chris » alors qu'il sait que je préfère Christopher. Il est hautain, pas du tout amical, comme si j'étais un employé comme un autre et non son beau-frère.

Madonna me traite elle aussi comme si je n'étais rien de plus qu'un serf payé pour décorer sa maison. Naguère, je cherchais pour elle tissus et mobilier, je faisais un choix de trois tissus ou de modèles de sièges et je lui apportais les échantillons et les photos pour qu'elle prenne la décision.

Mais maintenant, elle trouve que trois échantillons ne suffisent pas. Elle me demande de lui en apporter au moins dix, la même chose pour les sièges, etc. Et ensuite, elle fera le choix après en avoir discuté avec Guy.

À cette date, j'ai déjà décoré huit de ses maisons et elle m'a toujours fait implicitement confiance. C'est terminé. Je lui montre cinq échantillons de peinture et en suggère une pour la maison, mais elle ne relève pas la remarque et demande à en voir d'autres.

Si elle accepte une couleur, le lendemain matin, elle revient m'annoncer que Guy ne l'aime pas et qu'il faut en choisir une autre.

Je sens que cette obstination est due à un profond désir de faire plaisir à Guy – lequel fait tout ce qu'il peut de son côté pour m'évincer de la vie de ma sœur.

Quand il est question de choisir le bois pour son dressing, il est sur la brèche. Je lui montre douze échantillons et il me dit qu'il les trouve tous trop « chichiteux ». Il utilise le terme constamment et je comprends le message : je suis gay et il ne veut pas que la maison reflète cela.

Afin peut-être d'empêcher tout l'intérieur de la maison d'être contaminé par mon homosexualité, il fait aménager son bureau par son assistant, au fond du jardin. Au-dessus de son bureau est accroché un immense portrait de la reine, face à un énorme sofa en cuir blanc et des classeurs à tiroirs.

Pendant ce temps, Madonna et moi nous querellons sur les tissus et les textures. Nous nous disputons sur le plus infime détail – une poignée de porte, un interrupteur. Jamais cela n'était encore arrivé et j'ai l'impression de tomber dans un gouffre obscur. Je suis fâché et amer.

Finalement, ce chantier apparemment interminable touche à sa fin et je vais dans la maison retrouver Madonna pour que nous évaluions le résultat ensemble.

Quand j'arrive, elle est seule, mais Guy est censé venir la chercher. Nous restons sur l'allée et discutons de la maison pendant quelques heures. Elle est devant moi et je fais face à la grille.

Laquelle s'ouvre. Guy arrive au volant de la Mercedes noire de Madonna. Elle ne se retourne pas. Guy roule vers moi, et à moins de trente centimètres, donne un coup de volant, me frôlant le pied de justesse.

Je n'ai ni frémi ni bougé.

Il arrête la voiture, baisse la vitre et fait :

— Tu essaies de prouver quelque chose ?

— Non, réponds-je. Mais je crois que toi, si.

Il remonte la vitre et roule jusqu'au garage.

— Qu'est-ce qui s'est passé ? me demande Madonna.

— Je n'ai pas envie d'en parler, dis-je avant de m'en aller.

En avril 2001, Madonna et Guy Ritchie sont à la sixième place au classement des plus riches personnes d'Angleterre, selon le *Sunday Times* de Londres, qui mentionne une fortune de deux cent soixante millions de dollars. Quand les billets pour la tournée *Drowned World* sont mis en vente à Earl's Court, il s'en écoule seize mille en un quart d'heure et quatre-vingt mille en six heures pour les cinq dates supplémentaires, qui seront complètes. Aux États-Unis, cent mille billets seront vendus en quelques heures.

La tournée *Drowned World* deviendra dans *Billboard* le N° 1 au Top Ten des chiffres d'affaires de concerts, avec cinq dates complètes à Madison Square Garden, soit 79 401 spectateurs et un chiffre d'affaires de 9 297 105 dollars. Quand *Madonna Live! Drowned World Tour* est diffusé en direct sur HBO depuis le palace d'Auburn Hills, l'émission est vue par 5,7 millions de téléspectateurs et c'est la troisième meilleure audience d'émission musicale spéciale en prime-time de la chaîne depuis 1997.

Microsoft annonce qu'il a pris sous licence pour quinze millions de dollars « Ray of Light » comme musique officielle de sa campagne pour Windows XP.

The Immaculate Collection déclare des ventes certifiées de dix millions d'exemplaires et deviendra la meilleure vente de compilation d'une chanteuse de tous les temps.

La tournée *Drowned World* recueille soixante-quatorze millions de dollars.

Madonna est nommée artiste la mieux payée de Grande-Bretagne avec un revenu annuel de trente millions de livres (43,8 millions de dollars).

Mon travail sur la maison de Roxbury est maintenant terminé. J'attends le solde de mes honoraires, soit environ dix mille dollars. J'ai vraiment besoin de l'argent et, comme je ne le vois pas venir, j'appelle Caresse pour lui demander où elle en est.

Elle me demande un instant.

Puis elle me rappelle et m'annonce :

— OK, Madonna te versera le solde si tu acceptes d'aller à la Kabbale. La prochaine réunion est chez moi mercredi.

Je lui dis que je vais y réfléchir et je raccroche.

Le même après-midi, Caresse me fait porter par coursier *Le Pouvoir de la Kabbale – Technologie pour l'Âme*, de Yehuda Berg, une publication officielle du Centre International de la Kabbale. Sur la couverture figure une citation de Madonna : « Pas de supercherie, ici. Rien à voir avec un dogme religieux. Les idées de ce livre sont fracassantes, tout en étant simples. »

Je lis le livre et m'informe sur la Kabbale, un pouvoir qui existe depuis deux mille ans, qui a influencé les plus grands scientifiques, philosophes et esprits de l'histoire. Mélange de judaïsme, bouddhisme, catholicisme et un peu de bon sens commun rajouté pour faire bonne mesure, la Kabbale m'intéresse aussitôt. En étudiant le livre, je commence à songer à des questions spirituelles auxquelles j'avais renoncé depuis longtemps et ma curiosité est éveillée. Je me rends compte que je me suis jeté un peu trop à fond et depuis trop longtemps dans le milieu de la nuit de Los Angeles. Par ailleurs, je suis conscient que mes liens avec ma sœur se sont relâchés et qu'ils pourraient se renforcer si je m'engage dans la Kabbale.

Le mercredi suivant, j'assiste à une réunion chez Caresse, au Sunset Plaza. C'est une maison de briques de style colonial sur deux étages, joliment paysagée, dans une rue huppée. Caresse n'est pourtant que l'assistante de Madonna. J'arrive à peine à payer mon loyer. Je balaie toute amertume et j'entre.

À l'intérieur se trouvent Madonna, son agent immobilier, sa masseuse, son créateur de costumes, son chorégraphe, deux assistantes, son acupunctrice et ses deux danseuses. Manifestement, elle a embarqué tout son entourage dans la Kabbale. La loi selon laquelle il faut y appartenir si on veut travailler pour elle n'a pas encore été édictée, mais je soupçonne que cela ne va pas tarder. Je sais également que, depuis que la Kabbale occupe toute son existence, elle voit moins de gens qui n'en font pas partie.

Nous nous asseyons tous en cercle. Cette réunion – comme toutes celles qui vont suivre – a un sujet particulier, qu'Eitan, notre professeur, nous enseigne et que nous discutons tous. La réunion dure deux heures. Caresse sert des crackers et des en-cas.

La plupart du temps, je vais aux réunions chez Demi, Caresse ou Madonna et, certains vendredis soirs, je me rends au Centre de la Kabbale de Los Angeles pour le Shabbat. Là, je ne suis pas surpris de découvrir que Madonna et Guy sont traités comme les roi et reine sans couronne de la Kabbale. L'un des fondamentaux de la Kabbale est qu'aucun individu n'a le droit de faire plus que ce qu'il ou elle a mérité ; pourtant, chaque fois que j'assiste au Shabbat au centre, Madonna et Guy sont assis de part et d'autre des Berg, qui ont fondé le mouvement moderne de la Kabbale.

— Je viens ici depuis quinze ans, et je n'ai jamais eu le droit de m'asseoir à côté d'eux, entend-on une femme se plaindre.

La Kabbale enseigne l'antithèse de l'envie, mais je sens l'envie qui parcourt le centre, en particulier lorsque Guy, vêtu d'une aube blanche, reçoit régulièrement l'honneur de porter la Torah sur l'autel.

Madonna a donné des millions de dollars à la Kabbale et le mouvement occupe une place de plus en plus importante dans la vie du couple.

Je participe avec eux et Caresse à un séminaire de vingt-quatre heures à Anaheim. C'est la première grande manifestation de la Kabbale auquel j'assiste. La séance commence à 19 h 30 dans une salle de réunion d'un hôtel. Tous les hommes ont pour consigne de porter du blanc. Madonna et Guy sont assis à la table principale sur le podium, mais de part et d'autre de la table, car conformément à la tradition, les hommes sont d'un côté et les femmes de l'autre. À mesure que la nuit avance, on lit la Torah. Je suis comme je peux, mais je n'ai pas la moindre idée de ce qui se passe. Même dans cet environnement, pendant la plus grande partie de la nuit, tous les yeux sont sur Madonna et elle est encore la star du spectacle.

La presse a beau prétendre que Guy ne fait pas partie de la Kabbale comme Madonna, ce n'est pas vrai. En fait, en ce moment, l'univers et les conversations de Guy tournent autour de la Kabbale. Selon Melanie, qui voit encore régulièrement le couple, ils viennent souvent dîner chez elle, mais parlent uniquement de la Kabbale. Si la conversation dévie sur un autre sujet, ils s'en désintéressent totalement.

Pour Madonna, je pense que la Kabbale a donné forme à son monde nébuleux et je crois que cela lui a donné un but. Comme elle est traitée différemment de tous les autres, elle a l'impression que l'on cautionne son existence. Après tout, elle a tout un mouvement spirituel qui soutient ses décisions. Convaincue désormais qu'elle a Dieu à ses côtés, elle semble souvent utiliser la Kabbale comme une arme.

Cependant, pendant la période où je fréquente la branche de Los Angeles, je découvre que Madonna n'est pas la seule star impliquée. Dans l'un des cours auxquels Demi et moi assistons, on nous enseigne qu'il ne faut pas avoir peur de demander de l'aide. J'en déduis que lorsqu'on est perdu sur une route, on demande son chemin et que lorsqu'on souffre, on demande des soins.

Le lendemain matin, Demi, qui séjourne au Peninsula, m'appelle et me dit :

— C'était vraiment un cours génial, hier soir, non ?

— Vraiment intéressant, dis-je.

— Je vais commencer le tournage de *Charlie's Angels II* ici et j'ai décidé de louer une autre maison parce que je fais venir mes filles.

— Super.

— Eh bien, Christopher, j'ai besoin d'aide pour décorer la nouvelle maison. Tu veux bien m'aider ?

— Bien sûr que oui.

Le lendemain matin, nous nous retrouvons pour discuter de la maison, mais Demi n'aborde pas un instant la question de mes honoraires. Mais comme je me suis engagé à faire le travail, je suis obligé de continuer.

Mais, au fond de moi, je suis ennuyé.

Peut-être est-ce juste un oubli de Demi et que j'aurais pu soulever la question moi-même, mais, au final, je me dis que Demi a peut-être pris le cours de la Kabbale sur la question de l'aide un peu trop au pied de la lettre. C'est comme si un producteur lui demandait de l'aider en jouant gratuitement le premier rôle dans son film. Utiliser la Kabbale ainsi, ce n'est pas ma vision des enseignements du mouvement. Du coup, je vais chez Ikea, choisis tout le mobilier de la maison, du sol au plafond – en kit – et je fais envoyer la facture chez Demi.

J'ai de la peine pour son assistante, qui se retrouve à devoir gérer un plein camion de meubles en kit. Mais, au final, je ne crois pas que Demi comprend le message ou la blague. Elle est toujours aussi gentille et doit probablement penser qu'Ikea est mon designer préféré.

Demi n'est pas la seule actrice avec qui je me lie d'amitié. Je fais la connaissance de Farrah Fawcett à la soirée du vendredi après les Oscars que donne chaque année le super-agent Ed Limato pour les nominés des Academy Awards et leurs amis. Le déclic se fait aussitôt et nous passons presque toute la soirée à discuter entre nous. Je l'accompagne jusqu'à sa voiture quand nous partons.

Quelques mois plus tard, Farrah m'invite dans son appartement dans un immeuble de Wilshire Boulevard. Elle peint et sculpte et me demande de jeter un coup d'œil à son travail. Je repense à Lauren, mais les peintures de Farrah, abstraites, sont pour la plupart très bonnes. Nous prenons quelques tequilas ensemble, je lui passe du Mary J. Bilge et elle me dit que son rêve serait d'avoir sa propre exposition. Au final, le rêve sera réalisé. Elle en fait une au musée d'Art du comté de Los Angeles. J'y vais et je suis heureux de voir qu'elle a réalisé l'ambition de toute une vie.

Je suis invité aux Academy Awards de 2002, mais je n'ai eu qu'une seule place pour la soirée de *Vanity Fair*. L'assistante de Farrah me téléphone : elle voudrait venir avec moi. J'appelle *Vanity Fair*, qui accepte qu'elle m'accompagne.

Le soir dit, j'arrive chez elle en voiture, une Cadillac Escalade noire d'occasion qui a quatre-vingt mille kilomètres au compteur. Je monte ; elle est encore dans sa salle de bains. J'attends une demi-heure. Puis je crie à travers la porte que nous devons nous dépêcher parce que personne ne peut entrer dans la soirée après minuit.

Farrah sort. Elle porte une simple petite robe noire à fines bretelles. Elle est sublime. Je remarque qu'elle est maculée de poudre sur le devant car elle s'est appuyée contre le lavabo pour se maquiller. Je l'époussette. Puis elle vérifie de nouveau son maquillage et se remet de la poudre sur la robe. J'époussette de nouveau. Et elle recommence. J'époussette encore. Elle remet cela. J'époussette une dernière fois, puis je l'entraîne et nous pouvons enfin partir.

Nous nous garons devant chez Morton's, où s'étire une longue haie de journalistes. Je demande à Farrah si elle veut passer devant seule. Elle préfère que je l'accompagne.

Le premier à nous arrêter est celui de la chaîne E !, qui demande à Farrah comment elle va.

— Hé, vous avez mal écrit mon nom la dernière fois que vous avez fait un truc sur moi, dit-elle. Vous avez fait une faute.

Elle continue sur le sujet pendant un quart d'heure devant le reporter, abasourdi. Je finis par l'entraîner et nous continuons notre chemin.

Finalement, nous entrons. La première personne que nous croisons est Ryan O'Neal. Elle est visiblement troublée, mais elle me dit qu'elle va lui parler. Je la laisse pour aller danser avec Helen Hunt.

Quand je reviens, Farrah est assise avec Ryan.

Elle me dit qu'ils vont à la soirée d'Harvey Weinstein, mais que je peux venir aussi si j'ai envie. Comme je lui réponds que je ne suis pas sur la liste et que je n'ai pas envie d'être refusé, elle réfléchit un peu, puis décide de partir avec moi.

Nous finissons chez mon ami Andy Will à une fête remplie de gays qui tombent tous amoureux d'elle et elle est ravie.

En août 2002, Madonna m'invite à sa soirée d'anniversaire à Roxbury. L'invitation adressée à cinquante invités triés sur le volet est signée de « Mrs. Ritchie ». Je suis frappé parce qu'à l'époque où elle était mariée à Sean, elle ne se faisait jamais appeler Mrs. Penn. Elle n'a encore jamais abandonné le nom à présent le plus célèbre du monde, mais là, elle vient de le faire, juste pour faire plaisir à Guy. C'est peut-être un geste affectueux et gentil, mais j'ai aussi l'impression qu'elle joue la comédie.

L'invitation indique que la tenue de rigueur est uniquement le kimono. Quiconque n'en porte pas ne sera pas admis. Je mets donc un très joli kimono en coton rouge avec des inscriptions blanches acheté à Tokyo durant le *Girlie Show*.

Toutes les allées sont bordées de bougies votives et le jardin a très belle allure.

Gwyneth et moi commençons à bavarder.

Soudain, elle hurle :

— Christopher, tu es en feu !

Je baisse le nez. Des flammes montent le long de mon kimono. Je l'enlève aussitôt et jette de l'eau dessus. Gwyneth et moi sautons dessus à pieds joints pour éteindre le feu.

Dessous, je porte un pantalon et une chemise noirs. Je reste à la soirée vêtu ainsi.

Madonna passe. Je lui montre le kimono brûlé qui a maintenant un trou gros comme une assiette.

— Remets-le, dit-elle en haussant les épaules. Personne n'a le droit de rester dans la soirée s'il ne porte pas de kimono.

Ne me demande pas si ça va, si je me suis brûlé. Continue d'observer tes conneries de règles.

Je l'ignore et je retourne danser avec Gwyneth.

Malgré ma désobéissance à sa soirée, Madonna m'invite à assister à la répétition en costumes de *Drowned World*. Avec des sentiments mitigés, je me rends aux Studios Sony de Culver City. La scène est plongée dans le noir. Puis les lumières s'allument et là, au milieu, se dresse mon arbre. Mon concept. Sauf qu'on le dirait sorti de chez Caligula – noir, menaçant et inquiétant. Tout comme le spectacle.

Je suis attristé en le regardant. J'ai de la peine de voir Madonna ne donner que la moitié de son potentiel. Elle me semble dans un état d'esprit très noir que le spectacle reflète. Je ne lui dis rien malgré tout, car je sais tout ce que signifient pour elle ses tournées et que je veux la soutenir.

En rentrant chez moi tout seul après la répétition, j'ai envie de pleurer. Je sais que j'aurais pu faire nettement mieux et que Madonna est bien meilleure quand elle est convenablement mise en scène. Et je regrette beaucoup que notre relation se soit dégradée à ce point.

Ma sœur et moi exprimons rarement nos sentiments quand nous sommes en tête-à-tête, mais nous le faisons parfois dans nos lettres. Au début de l'année 2002, notre correspondance me donne un aperçu des problèmes qu'elle connaît dans son couple et de leurs conséquences sur elle. Ma sœur me dit qu'elle se repose beaucoup sur la Kabbale et qu'elle voit fréquemment son conseiller.

Son amour pour Guy rayonne. Malgré toute l'acrimonie entre nous, je me rends compte qu'elle est très éprise de lui. Je souhaite que le mariage dure. Je lui envoie une lettre positive où, me mettant à la place de Guy, j'essaie d'aider Madonna à comprendre les points faibles de son mari. Je lui dis qu'il vit dans un univers incroyable avec elle, qu'il a un ego à lui et une notion précise de ce qu'il est, et qu'elle a peut-être fracassé cette illusion, mais qu'il essaie clairement à présent de trouver sa voie. Sans doute que, dans une certaine mesure, je parle aussi de moi.

Elle répond aussitôt qu'elle se sent parfois seule à Londres, mais qu'elle a bon espoir de trouver sa voie. J'espère qu'elle y parviendra. J'ai beau ne pas aimer Guy, c'est son mari et je veux qu'elle soit heureuse avec lui.

Malgré tout, je m'inquiète pour elle. Guy a dix ans de moins qu'elle et Madonna lui a laissé toute latitude de poursuivre sa propre carrière. Mais ce sont des gens différents, avec des approches différentes, et je me demande s'ils vont être capables de combler le fossé entre eux. Peut-être que la Kabbale pourra les aider dans les moments difficiles. Et je ne peux qu'espérer que la sincérité dont elle fait montre avec moi dans ses lettres indique une nouvelle phase dans notre relation et que nous serons de nouveau proches.

En mai 2002, elle m'invite à Londres à la première de la pièce *Up for Grabs*. Je prends l'avion avec mon ami David Cooley, nous séjournons au Home House et le 23 mai, nous assistons à la première avec Rupert et Gwyneth. La pièce est déconcertante ; Madonna y joue une marchande d'art qui sort avec une femme. Dans une scène, elle brandit un godemiché noir et tout le scénario m'échappe complètement.

Guy est dans la salle, mais nous ne nous adressons pas la parole. Le lendemain, Madonna m'invite à déjeuner chez elle à Marylebone. Elle a manifestement surmonté la crise dans son mariage et je suis soulagé.

La maison de style géorgien restaurée, non loin de Hyde Park, est dotée d'un escalier théâtral, cinq réceptions, une vaste bibliothèque, huit chambres, un grand salon, le tout avec une hauteur sous plafond de cinq mètres. Mais je suis loin d'être heureux de la manière dont David Collins l'a décorée. Cependant, son bureau est semblable à ce que j'avais conçu dans l'appartement de New York.

Nous sortons nous promener. Soudain, elle me dit :

— Guy m'a parlé de ce pub. Allons voir.

— Mais tu ne bois pas de bière, Madonna.

— Maintenant, si.

Nous allons au pub et elle commande une bière. Je la dévisage pendant qu'elle la boit. Elle fait celle qui apprécie, mais d'après son expression, elle n'aime visiblement pas.

— Mon mari est un buveur de bière et je veux partager les sensations qu'il connaît, dit-elle en guise d'explication.

Je me rends compte que ce n'est pas seulement la Kabbale qui a sauvé le mariage de Guy et Madonna. Madonna se donne beaucoup de mal pour lui faire plaisir et continuera probablement toujours.

*
* *

Revenu à Los Angeles, je continue de travailler à la décoration du Central Restaurant de Sunset Plaza. Mes honoraires me sont payés au lance-pierres, mais j'ai des parts dans le restaurant et je suis forcé d'attendre son ouverture pour toucher mon argent. Madonna investit quarante-cinq mille dollars dans l'établissement, ce qui est gentil de sa part et indique qu'il y a de l'espoir pour notre relation.

En juin, *Forbes* classe Madonna quatrième sur sa liste des artistes du show-business les mieux payés de 2002, avec un revenu de quarante-trois millions de dollars. Peu après, elle commence à tourner un petit rôle de professeur d'escrime dans *Die Another Day*, le nouveau James Bond, pour lequel elle enregistre la chanson-titre, « Die Another Day ».

Je vais voir le film et souris à l'ironie que, adolescent, j'aie étudié l'escrime en caressant le rêve d'imiter Errol Flynn dans ce domaine. Mais faites confiance à Madonna pour avoir comme toujours de l'avance sur moi !

En dehors de mon travail sur le chantier interminable du Central, qui ne rapporte rien pour l'instant, j'écris pour les magazines *Interview*, *Instinct*, *Icon* et *Genre* et, avec la sortie prochaine de *À la dérive*, j'obtiens une interview avec Madonna pour ces magazines. Je me plais à croire qu'elle me laisse l'interviewer parce qu'elle veut m'aider, mais la promotion d'*À la dérive* est probablement sa motivation première.

L'interview a lieu chez elle à Roxbury. Pour la première fois depuis sa naissance, je parviens à passer quelques moments tranquilles avec ma nièce Lola. Je l'assois sur le tricycle que je lui ai offert et la pousse dans le jardin. Elle rit et s'amuse manifestement. Elle apprend le français et l'espagnol et nous échangeons quelques mots dans ces deux langues. C'est un moment de bonheur.

À bien des égards, Lola me rappelle Madonna : ses grands yeux observent et absorbent tout ce qui se passe autour d'elle. Elle a maintenant exactement le même âge que Madonna quand nous avons perdu notre mère. En voyant Lola, je regrette que notre mère ne soit pas là pour voir sa petite-fille. J'ai aussi un peu de tristesse pour Lola. Mais, même si elle ne connaît pas sa grand-mère maternelle, le monde lui appartient.

Après l'interview, nous déjeunons ensemble tous les trois. Madonna qui, je crois, est probablement plus stricte pour m'impressionner, oblige Lola à s'asseoir au comptoir de la cuisine. Elle lui sert des pâtes à la sauce tomate.

— Je ne veux pas manger ça, déclare Lola en jetant ses couverts.

Madonna lui répond qu'elle le doit.

— Mais je ne veux pas.

Madonna commence à la supplier.

Lola ne plie pas.

Madonna essaie de négocier :

— Écoute, Lola, si tu manges ton déjeuner, je te laisserai porter ta nouvelle tenue spéciale ce soir.

Les yeux de Lola s'éclairent. Puis elle secoue la tête.

Au bout du compte, Madonna accepte de la laisser porter la tenue à condition qu'elle mange la moitié de son déjeuner.

Lola rayonne. Elle a victorieusement manipulé Madonna.

Même si dans toutes les cuisines du monde des mères tentent de convaincre leurs enfants de manger, je suis fasciné par la dynamique entre Madonna et Lola. Le pouvoir de persuasion de Lola sur sa mère a éveillé mon intérêt. Elle a réussi à agir avec sa mère comme ni moi ni peut-être personne d'autre dans la vie de Madonna n'est capable.

Le 8 octobre 2002, *À la dérive*, remake du film de Lina Wertmuller de 1975, réalisé par Guy avec Madonna dans le premier rôle, sort à Los Angeles. Je l'adore dans la séquence du rêve, mais comme pour la plupart de ses prestations au cinéma, je suis gêné par le reste du film. *À la dérive* est massacré par les critiques et remporte cinq Golden Raspberry Awards[1]. Après le fiasco de *Shanghai Surprise,* j'estime que Madonna aurait dû avoir la sagesse de ne pas travailler avec son mari. Mais tout comme Sean avait tourné *Shanghai Surprise* en cadeau d'amour pour elle, je suis sûr qu'elle a suivi son exemple et tourné *À la dérive* comme un cadeau pour prouver son amour à Guy.

---

1. Parodie des Oscars récompensant les pires prestations cinématographiques.

13

N'oublie pas que tout dans ta vie est là
pour une raison et une seule :
t'offrir la possibilité de te transformer.

Yehuda Berg, *Le Pouvoir de la Kabbale*

À la fin de l'année 2002, le journal londonien *Mail on Sunday* nomme Madonna deuxième femme aux revenus les plus élevés d'Angleterre avec cinquante-six millions de dollars annuels. « Die Another Day » est son trente-cinquième single dans le Top 10 et elle devient la deuxième artiste en nombre de singles classés, derrière Elvis, qui en a eu trente-huit. Elle a désormais dépassé Aretha Franklin comme chanteuse ayant eu le plus de singles dans le Top 40 de toute l'histoire. Le 13 janvier 2003, elle remporte le Michael Jackson International Artist of the Year Award au Shrine Auditorium. Plus tard dans l'année, elle signe un contrat de dix millions de dollars avec Gap pour figurer dans les publicités à la télévision et dans la presse pour la campagne d'automne.

J'approche la fin du chantier du Central, mais, pour le moment, je n'ai gagné que très peu d'argent. Je suis forcé de réduire encore mon train de vie déjà spartiate en vendant quelques-unes des antiquités qui me restent encore de mes années new-yorkaises.

*
* *

Madonna m'annonce qu'elle vend Roxbury et s'est acheté une nouvelle maison sur Sunset Boulevard. À sa suggestion, je vais voir cette étrange reproduction d'un château français avec vaste piscine, court de tennis et salle de théâtre.

Je la déteste aussitôt, mais quand Madonna me demande de l'aménager et la décorer en trois mois pile, j'accepte. Si je n'avais pas eu autant besoin de liquidités, j'aurais refusé parce que le délai qu'elle m'accorde est trop court. Une fois le chantier accepté, ce sont des allers-retours d'e-mails concernant les travaux. Madonna a senti ce que je pensais de la maison et la querelle fait rage par e-mail interposé.

Le 19 mai 2003, je lui réponds : « M... Une fois de plus tu as lu dans ma lettre de la colère où il n'y en a pas... je suis pleinement conscient que tu m'as aidé dans le passé et que cela a contribué autant à mon développement artistique qu'à mes progrès financiers et maintenant spirituels, puisque tu m'as fait connaître la Kabbale... Je t'ai demandé de venir voir mes nouvelles œuvres il y a une éternité... mais quant aux... photos, ce ne sont pas simplement des clichés de fesses pris au hasard... c'est un développement de mes besoins créatifs d'artiste et franchement ce sont de bonnes photos que j'ai l'intention d'exposer dans une galerie de Los Angeles...

Je ne vois pas l'utilité de dénigrer mon art simplement parce que tu ne le comprends pas ou ne l'as pas vu... surtout toi... c'est vrai, je n'ai pas assisté à diverses cérémonies familiales et projections de vidéos parce que des choses plus importantes m'occupaient... Je consacre du temps à la Kabbale parce que le peu que j'ai appris a déjà changé des choses dans ma vie… et je continuerai pour cette raison… pas parce que je veux te faire plaisir… Quant aux rumeurs qui te reviennent… là encore, tu devrais mieux que quiconque savoir qu'il ne faut pas croire ce genre de conneries… Je n'ai jamais été jeté d'un club… et, la plupart du temps, je suis très sociable en public…

Cependant, il est arrivé que lorsque je sors, mes réactions envers certaines personnes, amies ou inconnues, soient un peu vives… mais réfléchis à ceci… après avoir passé quinze ans à être assailli de questions sur toi, tes films et tes chansons par des gens que je n'intéresse absolument pas… et cela pendant des années et des années où que j'aille… il est forcé que je finisse par réagir d'une manière peu aimable de temps à autre… Cependant, la plupart du temps, je m'en accommode comme je peux… vois-tu, ce genre de choses donne parfois l'impression de n'exister que comme un vague reflet de toi… et si je ne t'ai pas accompagnée à certains événements et réceptions, c'est peut-être pour exprimer cette frustration…

Ce n'est évidemment pas ta faute et j'ai appris à vivre avec comme je peux… et je continuerai… mais, s'il te plaît, comprends… que ce n'est pas facile de supporter que les gens ne voient en moi que toi… comprends cela… Quoi qu'il en soit… je ne suis ni un alcoolique ni un drogué et cela fait longtemps que je m'efforce de sortir de l'ombre immense que tu projettes… le problème est que tu m'as donné de très nombreuses occasions d'être créatif et de travailler avec toi… À présent, cette époque semble être révolue et j'essaie de trouver ma voie… en trébuchant, parfois, oui… en prenant parfois de mauvaises décisions, oui aussi… mais en faisant toujours de mon mieux… Prends soin de toi… affectueusement… Christopher. »

Notre relation se normalise une fois de plus. Puis je lui envoie un autre e-mail lui demandant de tourner un discours de réception pour le festival du Film Gay, et, le 19 juin 2003, elle répond en commençant brutalement par : « Je ne veux pas tourner un discours de réception pour le festival du Film Gay, mais merci de la proposition. Je refuse à chaque fois ce genre de demande que je reçois constamment. »

Je repense à notre vie à Manhattan, à Martin Burgoyne et à Christopher Flynn, tous les deux morts du sida et à qui Madonna doit tant, et je pense à ses fans gays. Je pense également aux bons moments que nous avons partagés avec ses danseurs gays, quand nous sortions au Catch One, au Club Louis, avec les drag-queens qui l'adoraient toutes. Et je n'en reviens pas que ma sœur se soit à ce point éloignée de la communauté gay et des fans qui ont fait d'elle ce qu'elle est devenue.

Elle ne semble plus se rendre compte qu'elle doit à la communauté gay beaucoup de sa carrière et que la dette ne sera jamais payée, puisqu'elle pense manifestement l'avoir déjà réglée. Ou peut-être qu'elle a simplement effacé totalement de sa mémoire cet événement de son passé.

Quand je lui demande de l'aide pour monter une production du *Girlie Show* à Las Vegas, où elle n'aura à participer qu'en me permettant d'ouvrir le spectacle avec un hologramme d'elle, elle me répond avec mépris : « Cela ne m'intéresse vraiment pas de participer à un spectacle en donnant mon nom, mon concept et mes chansons... Si je retourne chanter à Las Vegas, ce sera parce qu'on me paiera des millions et des millions d'avance. »

Sujet clos. J'ai l'impression qu'elle m'envoie jouer aux billes au milieu de l'autoroute.

Puis elle passe au sujet de la maison et me propose des honoraires de quarante-cinq mille dollars pour l'aménagement et la décoration en trois mois, payés comme suit : dix mille d'avance, cinq mille à la fin du premier mois, quinze mille à la fin du deuxième, quinze mille à la fin du troisième, et cinq mille de plus si le chantier prend plus longtemps que prévu.

C'est la même somme que celle qu'elle m'a versée pour aménager et décorer la deuxième version de son appartement de New York il y a des années. À côté de ce que touchent les autres décorateurs, c'est tellement peu que c'est une insulte, mais ce n'est pas tout : « Ceci sous condition de te rendre totalement disponible pour moi et consacrer la majeure partie de ton temps à ce chantier. »

Elle sait pertinemment que je travaille sur le Central, mais exige mes services en permanence.

Je n'ai d'autre choix que d'accepter toutes ses conditions. Je suis à court d'argent et personne ne fait le pied de grue devant ma porte pour m'embaucher. Je suis mon propre représentant et je n'ai jamais recouru à un avocat pour négocier mes honoraires ou contrats pour mes chantiers de décoration. C'est alors que je parle à un de mes amis décorateur, qui est choqué par la mesquinerie de mes honoraires. Selon lui, je reçois le quart de ce que toucherait n'importe quel autre décorateur pour la même prestation.

Il m'explique que, pour chaque chantier, tous les décorateurs facturent le mobilier et les fournitures 30 % de plus que le prix public. Il me suggère d'en faire autant : ainsi je serai au moins convenablement rétribué pour mon travail. Je décide que non seulement je vais le faire, mais également l'engager pour travailler avec moi sur ce chantier, puisque le restaurant continue de prendre beaucoup de mon temps.

Je commence à travailler sur la maison. Heureusement, comme elle possède exactement le genre d'atmosphère masculine qu'exige Guy, je n'ai pas besoin de faire des travaux trop importants. Il me suffit de changer la robinetterie en bronze de sa salle de bains en marbre vert pour la même en chrome. Par chance, il décrète que son dressing doit être une réplique de celui de Roxbury. Un problème en moins. Quand Madonna m'annonce qu'il n'assistera à aucune de nos réunions, je suis soulagé de ne pas avoir à traiter avec lui. Je me dis que ce chantier est destiné à bien se passer.

Cependant, la première fois que je ne peux pas assister à une réunion avec Madonna parce que je dois aller au Central et que j'envoie mon ami décorateur à ma place, elle pique une crise.

Elle m'appelle en hurlant :

— Putain, je t'ai dit que si tu prenais ce boulot, tu devais être disponible vingt-quatre heures sur vingt-quatre et sept jours sur sept !

Je commence à protester.

— Je m'en fous, répond-elle. Rapplique ici.

J'obéis.

Durant les trois mois entiers nécessaires pour achever la maison, Madonna pose des problèmes à chaque occasion. Je suis à la fois dépité et stupéfait que ma sœur, qui naguère faisait implicitement confiance à mon jugement de décorateur, ne se fie plus du tout à moi. Je n'arrive pas à comprendre pourquoi elle ne voit pas que mon talent n'a pas diminué mais plutôt mûri. Elle exige que je lui fournisse des planches de croquis accompagnés des échantillons de tissus et peintures et peu importe le nombre que je lui soumets, elle en demande toujours plus. Et quand je dois aller acheter tissus ou meubles, elle m'annonce qu'elle vient avec moi. C'est une première et cela ne m'amuse pas.

Généralement, quand ce genre de magasin traite avec un décorateur, on n'apprécie pas la présence du client. Sauf que cette fois, il s'agit de Madonna.

Dès notre arrivée au magasin de tissus, tout le monde se pâme, du directeur aux vendeurs.

— C'est Madonna ! C'est Madonna !

Je grince des dents et j'essaie de faire mon travail. Mais je sais que l'après-midi va être long.

Je lui montre des tissus, mais je sais qu'elle ne m'écoute pas. Ma colère monte.

Je lui en montre d'autres. Elle répond qu'elle n'aime pas, mais sans expliquer pourquoi.

J'essaie de rester patient, de lui expliquer pourquoi telle couleur convient pour telle pièce. Et que nous ne décorons pas seulement un petit coin mais toute une maison et qu'il faut coordonner.

Mais elle persiste à vouloir envisager la maison comme des morceaux, et non une unité.

Elle pinaille pour tout.

Cet interrupteur ne devrait pas être là.

Cette prise ne devrait pas être à cet endroit.

Soudain, la voilà devenue une décoratrice et styliste qui sait tout mieux que tout le monde. Nous sommes constamment en désaccord.

Je repense à l'époque où elle avait tellement de confiance dans mon goût qu'elle avait déclaré dans une interview à *Architectural Digest* : « Nous appelons Christopher le pape parce que tout doit être revêtu de son approbation. Avec qui pourrais-je avoir plus de points communs qu'avec celui avec qui j'ai grandi ? Nous aimons les mêmes choses, depuis la musique jusqu'à ce que nous mangeons. »

Seulement, maintenant ma sœur n'est plus un soutien, mais une inconnue amnésique et pointilleuse déterminée à me déstabiliser dès qu'elle peut. Le 26 août 2003, elle m'envoie un mémo impérieux avec une liste sèche des questions sur lesquelles elle veut un rapport d'avancement. Ai-je commandé le tissu pour la méridienne du salon ? Acheté un cadre en bois pour faire un paravent dans le salon de maquillage ? Le petit tapis qui doit être placé dans l'entrée ? Une tringle à rideaux de sa chambre devrait-elle être raccourcie pour aller dans une autre pièce ? Et cela continue :

il faut que j'envoie des photos des différentes tringles que je dois poser dans la salle de yoga et dans ce qu'elle appelle le « Bureau de GR ».

Je réponds aussi poliment que je peux. Je me rends compte que c'est en partie parce qu'elle croit que je continue de travailler sur le Central au lieu de lui consacrer tout mon temps qu'elle éprouve le besoin obsessionnel de contrôler tous les aspects de mon travail sur la maison.

Son refus d'écouter ou même d'essayer de comprendre mes idées de décoration pour la maison me frustre encore plus. Le meilleur trait architectural de la maison est une véranda sur deux étages entièrement vitrée du sol au plafond. Je prévois de la transformer en salon de musique botanique avec un mobilier en métal laqué blanc, des plantes suspendues aux poutres, afin que l'on se croie dans un jardin inondé de soleil – un endroit idéal pour faire de la musique.

J'essaie de lui expliquer le concept.

— Je ne pige pas, dit-elle.

— Essaie de te l'imaginer.

— Je n'arrive pas. Tu ne peux pas me le dessiner ?

— Mais je viens de te le décrire en détail.

— Je veux le voir avant que tu le fasses.

Je pousse un long soupir. Elle me fusille du regard.

— Tu veux garder ce boulot ?

J'acquiesce piteusement.

— Alors épargne-moi tes insolences.

Elle tient également à accrocher dans le hall une bizarre et immense photo d'elle de deux mètres cinquante sur quatre dans le style d'Helmut Newton, mais prise par Steven Klein.

Je trouve triste que ces pauvres Rocco et Lola aient à se réveiller tous les matins pour tomber sur cette immense photo de leur mère en tenue SM, allongée sur un lit avec des cadavres d'animaux. Le truc le plus flippant que j'aie jamais vu. C'est une Madonna que je ne reconnais plus.

Peu après, Madonna part pour New York. Nous sommes maintenant au milieu de l'été et Los Angeles est en proie à une vague de chaleur.

Un après-midi, j'appelle Caresse pour savoir si je peux utiliser la piscine de Madonna avec des amis. Madonna fait savoir que nous avons l'autorisation.

Nous nous prélassons donc tous les quatre au bord de la piscine, buvons de la bière et prenons le soleil.

Nous ne mettons pas un pied dans la maison et nous repartons à la fin de la journée.

Dans la soirée, Madonna m'appelle, fulminante.

Elle me dit qu'un vigile lui a signalé que nous avions passé l'après-midi à nous défoncer et partouzer.

Rien n'est plus éloigné de la vérité.

Mais l'affaire est entendue.

Désormais, Madonna est convaincue que je suis un drogué fini et que je fume du crack quotidiennement, alors que je n'ai même pas imaginé une seule fois d'essayer.

Elle propose que nous suivions des séances hebdomadaires au Centre de la Kabbale avec notre professeur, Rabbi Eitan Yardeni.

J'accepte, car je m'intéresse de plus en plus à la Kabbale.

Je le vois une fois par semaine pendant quelques mois et, à chaque séance, je fais une donation de cinquante dollars au centre. Je commence à voir les séances comme une thérapie, je les apprécie et je confie à Eitan mes pensées les plus intimes.

À présent, les réunions de la Kabbale ont lieu soit chez Madonna, soit chez Demi, chez Lucy Liu ou Caresse.

Quand elle a lieu chez Madonna, elle sert des amuse-gueules végétariens. De toutes, c'est Demi Moore qui propose les meilleurs plats : des crevettes et autres mets raffinés.

Chaque réunion commence par un sermon d'Eitan sur le sujet du jour selon le point de vue de la Kabbale, comme « trouver son âme sœur », « gagner de l'argent », « dire du mal d'autrui ». Ensuite, nous discutons de ce thème. À mesure que les réunions changent de lieu, je remarque que l'hôtesse de la semaine monopolise la conversation et concentre tout sur elle.

Aux alentours de cette époque, Demi m'appelle :

— Il est arrivé quelque chose de vraiment bizarre hier soir. Ta sœur nous a invités Ashton et moi chez elle à dîner dimanche. Nous nous sommes habillés exprès, mais quand nous sommes arrivés, ta sœur et Guy étaient en tenue de sport. Nous nous sommes mis à table, nous avons mangé le plat principal, puis ta sœur s'est levée. « Guy et moi allons voir un film, mais Ashton et toi vous pouvez rester pour le dessert. » Ashton et moi avons échangé un regard et nous sommes rentrés chez nous.

Voilà qui montre une fois de plus que ma sœur semble avoir perdu le contact avec la réalité des autres gens.

En septembre 2003, Madonna publie son premier livre pour enfants, *Les Roses anglaises*, quarante-huit pages. Il sort dans une centaine de pays, traduit en trente langues, mais cela ne m'impressionne pas. Elle n'a guère d'expérience des enfants, en dehors des siens, pas plus qu'elle ne comprend les gens en dehors des contextes pratiques ou professionnels. En outre, les intrigues de ce livre et des suivants destinés aux enfants sont plus faites pour des adultes et pas particulièrement plaisantes pour des enfants.

Pendant ce temps, notre conflit concernant la maison monte d'un cran le 23 septembre 2003 lorsque, dans un fax incendiaire, elle m'accuse de ne pas avoir abordé ce chantier avec « enthousiasme, entrain, empressement et gratitude » et déclare : « Tu détestes devoir travailler pour moi. Je ne sens ni empressement ni reconnaissance et franchement, j'en ai assez. » Avant de conclure en ces termes : « Ce n'est pas une relation saine et il faudra attendre que je ne représente plus un problème pour toi avant de peut-être pouvoir à nouveau travailler ensemble. »

Le message est clair : pour ma sœur, notre relation professionnelle est terminée.

Je lui réponds immédiatement.

« M… Je n'ai pas la moindre idée de ce dont tu me parles. Je t'ai donné toutes les informations que je pouvais… je suis à la maison tous les jours… et je fais ce que tu me demandes… j'ai parlé à Angela ce matin… ta réaction est pour le moins bizarre… manifestement c'est quelque chose d'autre qui te tracasse et tu as besoin de te soulager… très bien… vire-moi… je considère que c'est ma dernière journée de travail pour toi. Je connais parfaitement le concept de « Pain de la Honte[1] » et crois-moi, j'ai travaillé cette fois comme toujours en méritant le moindre sou que tu m'as donné – et généralement, c'est effectivement en sous que cela se comptait… Rob et moi nous sommes pressés pour que le chantier soit terminé dans les délais demandés… mais apparemment, cela ne compte pas… il faut vraiment que tu réfléchisses à la manière dont tu réagis à tout et que tu envisages de choisir une approche intelligente et calme vis-à-vis de la maison et de la vie… tes réactions excessives ne feront que rendre tout encore plus insupportable… il faut vraiment que tu te replonges dans la Kabbale et ses enseignements, M., et que tu songes à te les appliquer au lieu de les utiliser comme une arme contre les autres…

---

1. Concept juif selon lequel on ne peut savourer quelque chose que l'on n'a pas mérité.

affectueusement... va en paix... et si tu veux que Rob continue à ma place, fais-le-moi savoir... évidemment, il faudra
que tu le paies pour continuer... je t'aime quand même,
même si tu es folle... C.

Le lendemain matin, à 6 heures, par un autre fax, elle met
un terme à notre relation de travail. En même temps, elle
admet : « Peut-être que j'attends trop de toi à cause de notre
passé, de tout ce que nous avons vécu et parce que tu es
mon frère. Qui sait, mais en tout cas ce n'est pas la bonne
alchimie. » Elle conclut : « Je suis calme et je t'aime aussi. »

Je suis toujours en colère, mais attristé, en plus.

Je passe toute la matinée à ruminer ma réponse, puis
j'écris : « C'est drôle comme tout se résume à l'argent...
hum... et pour ton information, je suis la dernière personne
au monde à t'avoir toujours défendue... et bien que tu vives
dans un conte de fées... je te défendrai toujours... je t'aime
trop et trop profondément pour renoncer... va en paix... C. »

Pour moi, Guy n'est peut-être jamais venu à la maison
pendant que j'y travaillais, mais, quelque part dans l'ombre,
il tirait les ficelles. Ou bien il lui a dit qu'elle devait mieux
contrôler ce que je faisais. Dans un cas comme dans l'autre,
elle m'a mené une vie infernale sur ce chantier.

Finalement, la maison est terminée dans les délais.

Mais comme je ne reçois pas le solde de quinze mille dollars, j'appelle Caresse.

— Madonna te fait dire qu'elle estime que tu n'en as pas
fait assez pour mériter le dernier versement. Elle ne veut pas
le payer.

Il me faut un moment pour digérer le dernier coup que
ma sœur m'a mijoté.

— Dis-lui que, si elle veut voir le reste du mobilier que
je lui ai acheté et qu'elle attend, elle a intérêt à me verser le
solde.

Caresse déglutit et raccroche. Quelques heures plus tard, le dernier chèque m'est porté par coursier et je fais en sorte que Madonna reçoive le reste de ses meubles.

Désormais, Madonna et moi nous nous parlons à peine. Mais nous ne sommes pas complètement brouillés. À la fin d'octobre 2003, par un caprice du destin, elle décide de rendre l'une des lampes que j'ai achetées pour elle sur Sunset. Caresse la rapporte à la boutique et apprend alors que j'ai facturé l'article avec un pourcentage supplémentaire – la marge standard que prennent tous les décorateurs.

Le 24 octobre, Madonna m'appelle : elle n'en revient pas que j'aie agi ainsi, je suis un menteur et un voleur, la personne la moins fiable qu'elle ait jamais connue. Elle m'accuse de la trahir malgré tout l'amour et la loyauté qu'elle avait pour mon travail. Ce qui me blesse le plus, c'est lorsqu'elle hurle : « C'est moi qui t'ai fait. Tu ne serais rien sans moi. »

Je me défends comme je peux. Elle riposte par un fax rempli d'autres accusations et conclut par : « Merci de ne plus jamais me contacter. »

C'est comme si ma sœur avait pris un couteau, me l'avait planté dans le ventre et l'avait retourné vingt-cinq fois. Ou si elle m'avait arraché le cœur et l'avait réduit en mille morceaux.

J'ai passé les vingt dernières années de ma vie à l'aider à devenir une star, la soutenir et la protéger, sans être beaucoup récompensé financièrement. Et voilà où nous en sommes.

Furieux, je fixe l'écran de l'ordinateur pendant des heures en relisant et relisant ces paroles empoisonnées.

De dépit, je donne un grand coup de poing sur mon bureau.

Je me fracture un os de la main et pendant des semaines, je dois porter un plâtre, mais la douleur physique n'est rien à côté de la souffrance psychologique que m'a fait subir ma sœur. Toute la colère que j'ai éprouvée contre elle, toutes les déceptions qu'elle m'a causées, toute la fierté que j'ai ravalée à cause d'elle, tous les refus aigres que j'ai essuyés – tout cela remonte à la surface.

Je réponds à son e-mail.

« Pendant tout le temps que j'ai travaillé pour toi, tu ne m'as jamais donné quoi que ce soit qui équivaille de près ou de loin à ma valeur… j'ai renoncé à ma foutue vie pour t'aider à devenir la méchante reine que tu es aujourd'hui… quinze ans passés à écouter tes récriminations égoïstes, ton médiocre talent et ton manque de goût consternant… tout le talent que tu possèdes, tu l'as sucé comme un vampire à moi et aux gens qui t'entourent… je n'ai jamais travaillé pour toi pour l'argent… maintenant tu m'accuses de mentir et de te tromper… tu as un foutu culot… comme d'habitude… tu as perdu tout sens des réalités… j'ai toujours cru qu'un jour tu reconnaîtrais ce que je vaux et que tu agirais en conséquence… mais tu ne l'as jamais fait… un tout petit peu de foutu respect, c'est tout ce que j'attendais de toi et tu n'en as jamais été capable. »

Je termine le message par : « Et n'oublie pas de m'enlever de ton testament. » Puis j'appuie sur ENVOI.

Ce faisant, tout le poids du monde quitte mes épaules. Soudain, je suis libéré de Madonna. Je n'ai plus à la protéger. Je n'ai plus à m'inquiéter des conséquences sur elle de mon comportement en public. Je peux enfin être moi-même : Christopher, pas le frère de Madonna.

Puis je suis accablé par une immense tristesse. La femme que j'aimais plus que toute autre, celle que je voyais comme incroyablement créative et aimante s'est entourée de flatteurs qui ne font rien d'autre qu'opiner et qui l'ont montée contre moi. J'ai perdu pour toujours la Madonna que je connaissais. Et j'ai de la peine pour elle, et pour nous.

Elle ne répond pas à mon e-mail. Quand je contacte Demi pour lui demander où a lieu le cours de Kabbale du vendredi suivant, elle me répond qu'elle ne sait pas trop. Après cela, silence. Je lui renvoie un e-mail. Silence. Le message est clair : j'ai partagé mes sentiments et mes espoirs avec mes camarades du cours de Kabbale, mais, comme je suis brouillé avec ma sœur, je ne suis plus le bienvenu.

Bien qu'exclu des cours, je continue à observer les préceptes de la Kabbale tout seul. La Kabbale m'a enseigné beaucoup et continue de m'éclairer sur ma place dans le monde et les conséquences de mes actes. C'est sans prix pour moi.

La Kabbale fait maintenant partie intégrante de mon existence comme le catholicisme. Ma vision du monde a changé, elle est devenue plus positive, et mes réactions devant les autres sont devenues plus cérébrales et sereines. Grâce à la Kabbale, mes réactions naguère négatives et un peu sombres ont pris un tour bien plus positif.

Cependant, je reconnais que – étant donné mes faiblesses humaines et mes défauts – je dois poursuivre mon étude de la Kabbale si je désire modifier ce qui en moi s'est révélé contre-productif.

Mon engagement dans la Kabbale est et demeurera si profond que l'un des soixante et onze noms de Dieu – celui qui, dans la Kabbale, exprime le précepte « tout ce que tu fais affecte l'avenir » – est maintenant tatoué sur mon avant-bras gauche pour l'éternité.

Je m'engage également dans le programme Spiritualité pour les Enfants, que dirige Sarah, la femme d'Eitan.

Je développe un programme de dix semaines où l'on confie des appareils Kodak jetables à des enfants de huit à douze ans. Chacun reçoit un mot qu'il a ensuite une semaine pour illustrer par des photos.

J'aime travailler avec des enfants. Le projet finit par déboucher sur un livre. Je n'y participe pas, mais je suis heureux d'avoir été impliqué dans les premières étapes du programme.

Deux semaines après l'e-mail à Madonna, la chaîne VH1 me demande si je veux bien participer à une émission sur le design. J'en suis ravi et j'accepte. Une semaine passe. Je reçois un deuxième appel du même producteur qui me demande si j'ai récemment parlé à Madonna. Je lui réponds que non.

— Elle ne veut pas que l'émission se fasse, dit-il. Dois-je l'appeler ?

— Non, réponds-je. Si elle ne veut pas que l'émission se fasse, c'est qu'elle ne devrait sûrement pas se faire.

Et elle ne se fait pas.

*
* *

La nouvelle est connue et ma cote à Hollywood chute en conséquence. Partout où je vais, je suis hanté par ma sœur – sa voix et son image. Elle est à la radio, dans les sonneries de téléphones, à la télévision, et je ne peux lui échapper. Je parle avec un ami ? Il me demande des nouvelles de Madonna. Je vais dans un bar ? L'une de ses chansons passe, tout le monde se tourne vers moi et j'en ai la nausée.

Le restaurant Central ouvre. Le *Los Angeles Times* le qualifie de « l'un des plus beaux décors du pays ». Mais, au bout de trois mois, il ferme. J'ai passé trois ans à travailler dessus, étant donné que j'ai une part dans l'affaire et que je croyais que je serais récompensé quand ce serait un succès. Maintenant, évidemment, je n'aurai rien. Tous les investisseurs, Madonna y compris, perdent leur argent.

J'ai encore mes deux sous-locataires, mais ma voiture est saisie parce que je ne peux plus payer le crédit. Pour ne rien arranger, alors que je sors un soir, je me déchire un ligament du genou. Je dois me faire opérer et je suis contraint de passer les quatre mois suivants en convalescence.

Cette période de repos forcé n'arrange pas du tout ma situation financière, pas plus que les dix mille dollars de la note du chirurgien que je suis obligé de régler moi-même, étant donné que mes associés du Central n'ont pas payé la prime de mon assurance santé.

Je me console avec mon art. Et, le 26 juin 2004, à l'ouverture de la semaine de la Gay Pride, la Booty Collection (vingt-cinq Polaroid des fesses de mes amis, agrandis au format 28 x 36 cm) est exposée en grande pompe à San Francisco à la Phantom SF Gallery. Alan Cumming, Armistead Maupin et Graham Norton y viennent et se répandent en compliments sur mon travail.

Je continue à peindre et photographier et, le 15 août 2004, la Mummford Gallery de Provincetown, dans le Massachusetts, expose également la Booty Collection. Elle est bien accueillie, mais ma sœur fait bien comprendre qu'elle n'approuve pas ce qu'elle ne considère pas comme de l'art. Elle sous-entend que ces clichés sont le résultat de quelques soirées de défonce. Totalement faux.

Pendant ce temps, Madonna lance le *Re-invention Tour*. Je n'y vais pas, mais je regarde le DVD *I'm Going to Tell You a Secret*. Il s'ouvre sur un « Vogue », distant et glacial, qui donne le ton du reste du spectacle. Tout du long, elle tente de gaver de force son public. C'est agressif, sans subtilité. Cela m'amuse tout de même que, dans le documentaire, elle montre le vignoble de notre père et dise qu'elle y a grandi. Pas vraiment : elle y est allée tout au plus quelques fois. Les scènes où l'on voit Lola et Rocco sont touchantes et me font de la peine. Je suis triste, car je les ai très peu vus. Je suis touché que Lola me rappelle tant Madonna. Et ne pas les voir me manque.

Je suis quasiment démuni, en dehors de la générosité de quelques amis, notamment Daniel Hoff et Eugenio Lopez que je connais de longue date, ainsi que Dan Sehres, qui est assez aimable pour m'héberger. Sa gentillesse et son hospitalité me soutiendront pendant les deux années suivantes.

Cependant, un soir, à Los Angeles, le destin veut que je sois invité à un dîner où je fais la connaissance d'Andrea Greenberg, chef du marketing de Fortune International Properties. Elle me propose de décorer le hall du siège de Miami. Le chantier doit durer six mois et, extrêmement soulagé de fuir Los Angeles, je m'installe temporairement à Miami et commence les travaux.

Quelques jours après mon arrivée en ville, un ami m'invite à dîner au China Grill, où je vois Ingrid. Mon impression est que Guy a tenté de l'évincer de la vie de Madonna, sans y réussir complètement. Dès que nous nous retrouvons, elle me dit qu'elle sait que Madonna et moi ne nous parlons plus.

— Tu devrais vraiment lui envoyer un e-mail au plus vite, me dit-elle avec son regard insistant.

— Je n'ai rien à lui dire. Je ne lui parlerai pas tant qu'elle ne me traitera pas avec le respect que j'ai mérité.

Ingrid a l'air choquée. L'idée de ne pas parler à Madonna est clairement un blasphème pour elle.

— De toute façon, je ne fais plus partie de sa vie, maintenant. Et tout se passe bien, dis-je.

Ce n'est pas tout : le temps de rentrer chez moi, j'ai presque tout oublié, mais dans ma messagerie m'attend un e-mail de Madonna, reprenant la moindre parole prononcée devant Ingrid.

Je n'ai pas vu Ingrid depuis si longtemps que j'ai oublié que l'un de ses talents consiste à m'amener à parler de Madonna, baisser ma garde et vider mon sac. Avant d'aller tout répéter immédiatement à Madonna. Je me promets de ne plus me laisser avoir la prochaine fois que je la verrai.

Je mets un certain temps avant d'ouvrir l'e-mail de Madonna. Comme elle ne remplit jamais l'objet, j'ignore toujours si le message sera amical ou pas. L'e-mail est neutre. Elle soutient qu'elle me traite avec respect, mais elle ne dit pas qu'elle a eu tort et ne s'excuse pas pour les horreurs qu'elle a proférées dans son e-mail. Je lui réponds poliment.

Vers la fin du chantier Fortune, on me propose de diriger la décoration du Calypso at Caribbean, sur la Trente-Septième et Collins, une luxueuse résidence de l'architecte Kobi Karp.

Plus tard, un ami m'envoie un article sur Madonna qui parle de son installation sur les quatre cent quatre-vingt-cinq hectares d'Ashcombe House, dans la campagne anglaise, et la dépeint dans sa dernière incarnation : la châtelaine anglaise. Nous sommes loin de Madonna la danseuse, de Madonna la pop star punk et de tous les costumes que ma sœur caméléon a endossés jusqu'ici. Je regarde les photos de Madonna dans son manoir, pense à ma nouvelle vie à Miami, et je suis triste devant toute la distance qui nous sépare.

Je réussis bien à Miami et Los Angeles et je me construis une existence de peintre et décorateur grâce à mes propres mérites et non en profitant du nom de ma sœur. Pour mon anniversaire, en novembre 2005, je prends soin d'inviter Ingrid à la fête, pour qu'elle voie par elle-même que tout se passe bien et qu'elle le rapporte à Madonna.

Chez un ami, je fais la connaissance du coordinateur de la White Party, qui a lieu chaque année au profit de la recherche contre le sida. Est-ce que je connais quelqu'un qui pourrait présider un dîner de bienfaisance à la maison Versace ? Je propose la top-model et juge d'*America's Next Top Model*, Janice Dickinson, que j'ai connue au Central. Il adore l'idée. Je lance les négociations. Au départ, Janice exige cinq billets en première et des suites de luxe pour elle et les innombrables membres de son entourage. Du coup, mon expérience dans la gestion des divas m'est utile. Janice finit par revoir ses exigences à la baisse et vient à Miami présider le dîner. Je lui suis reconnaissant de sa participation.

Pendant que je travaille sur le Caribbean, je conçois et fabrique une collection de tee-shirts que je baptise Basura Boy. *Basura* est un mot espagnol que l'on peut traduire par « ordure ». Chaque tee-shirt est décoré d'un symbole de la Kabbale ou du bouddhisme. Le slogan de la marque est « La Spiritualité c'est notre Affaire ».

En juin 2006, j'enregistre deux épisodes de l'émission *Top Chef* sur Bravo, portant sur la décoration des restaurants. Avec l'accord du producteur, je donne libre cours à ma causticité et je fais une observation sur l'une des créations d'un des chefs :

— Si ça c'est un méli-mélo de légumes, alors je suis un singe.

Quand l'émission est diffusée plus tard dans l'année, les critiques sur ma prestation sont sans nuances et vont de l'amour à la haine, mais même les plus négatives ne gâchent pas le plaisir que j'ai eu à figurer dans l'émission. J'ai adoré.

Je manage également un jeune chanteur du nom de Julien. Il est un peu entre David Bowie et Freddie Mercury, mais en neuf et original. Mais, surtout, il me rappelle Madonna jeune, par sa passion et son obstination. Je perçois son potentiel et je sens que je peux l'aider dans sa carrière. Il accepte que je sois son manager et nous enregistrons une démo de neuf chansons que nous envoyons aux labels. Il donne également son premier concert au Roxy de Los Angeles, puis un autre au Crimson, à Hollywood. Il est très bien accueilli par la critique et je suis optimiste pour son avenir.

En mai 2006, l'assistante de Madonna m'invite à la première à Los Angeles de sa tournée *Confessions*, qui engrangera deux cent soixante millions de dollars dans soixante villes. Je ne l'ai pas vue ni eue au téléphone depuis deux ans. Je suis au premier rang.

Le show est léger et, pour la première fois depuis le *Girlie Show*, Madonna a l'air de s'amuser.

En la voyant, je suis submergé par une vague de nostalgie. Je me rappelle le passé, quand tout allait bien entre nous. La sœur que je connaissais si bien me manque, tout comme la proximité, le respect, la participation à quelque chose d'aussi génial. Soudain, j'ai envie de revenir en arrière, de retourner sur la route avec elle, de faire partie du spectacle, de sa vie.

Après le concert, je vais voir Madonna en coulisses. Quand j'arrive, un barbu me tape sur l'épaule. Je pense que c'est un rabbin.

— Bonjour, dis-je d'un ton poli mais distant.

— C'est Guy, andouille.

Je ne l'avais pas du tout reconnu. Je suis sur le seuil de la régie et j'attends de voir Madonna. En jean et tee-shirt blanc, maquillage léger, cheveux tirés, elle est assise sur le rebord d'un siège. Elle sait que le spectacle s'est bien passé et elle a l'air détendu.

Les gens font la queue pour lui serrer la main.

Nos regards se croisent.

Je double tout le monde.

Nous nous étreignons.

Je lui déclare que le concert était génial.

Elle me remercie d'être venu.

— Tu as bonne mine. Tu as l'air heureux, dit-elle.

Je lui réponds qu'elle aussi, et je suis sincère.

Nous avons enfin renoué, et j'en suis heureux.

En juin, je vais au soixante-quinzième anniversaire de mon père à Traverse City. Joan a organisé une grande fête pour lui dans une vaste grange de la propriété qui peut accueillir cinq cents personnes. Madonna ne vient pas. Cela vaut mieux, parce que, sinon, c'est elle qui aurait été la vedette de la fête et pas lui.

Durant la journée, mon père vient me voir et me demande comment cela se passe entre Madonna et moi. Je lui explique que nous avons eu un désaccord et qu'elle m'a fait beaucoup de mal, mais que nous sommes en train d'arranger enfin la situation.

— J'aimerais bien que vous vous réconciliiez, me dit-il. Cela m'attriste.

Je ne veux pas que mon père soit malheureux. Je l'aime et je le respecte bien trop. Et je suis heureux de lui annoncer que je pense que Madonna et moi avons réglé nos différends et qu'il y a de l'espoir pour que nous nous réconciliions enfin.

Quand *Confessions* arrive à Miami le 22 juillet, je demande des billets pour revoir le show.

L'atmosphère dans la salle est électrique, torride, étant donné que Madonna, à l'encontre de la réglementation, a exigé que la climatisation soit éteinte.

Je suis assis avec Gloria et Emilio à ma gauche, Dan Sehres à ma droite.

Alors que Madonna descend sur scène dans une boule disco, je me rappelle brièvement celle du Rubaiyat et je regrette cette soirée, cette époque et les moments passés ensemble. À cet instant, Madonna croise mon regard et me fait un petit signe de tête. Je lui souris.

Je remarque qu'Ingrid n'est pas bien placée et doit se dévisser le cou pour la voir. Ingrid arbore l'air de chien battu qu'elle prend quand elle se sent mise à l'écart. Elle essaie continuellement de croiser le regard de Madonna, qui l'ignore.

Bien que les paroles ne véhiculent aucun message particulier, je suis totalement abasourdi qu'elle m'ait dédié une chanson. Pour autant que je sache, elle ne l'a fait que deux fois : une pour mon père, l'autre pour Martin Burgoyne. Elle vient de me faire un compliment et j'en suis ravi.

Après le concert, je suis invité à la soirée dans le salon du Raleigh. Madonna est en noir, avec Ricky Martin d'un côté, Mickey Rourke de l'autre. Ingrid rôde derrière.

Je salue Madonna.

Nous avons la même conversation qu'à Los Angeles.

Au bout d'un moment, je jette un coup d'œil aux danseurs qui sont là. Ils sont tous hétéros. Aucun ne danse.

— Tu n'as pas un seul danseur gay ! dis-je à Madonna.

Elle réfléchit un instant, un peu perplexe.

— Tu as raison, c'est vrai. C'est bizarre, non ?

Ce n'est pas une question.

La soirée est morne. Je repense à toutes les soirées d'après-concert que nous avons connues naguère, quand tout le monde dansait et s'amusait dans une ambiance joyeuse.

Cette soirée est sans joie.

Je m'en vais au bout d'une heure.

Le 26 octobre 2006, Madonna et Guy Ritchie s'envolent pour Lilongwe, capitale du Malawi, l'un des pays les plus pauvres du monde, avec une population de douze millions d'habitants, dont un million d'orphelins de parents pour la plupart morts du sida. Comme le dit Madonna : « Ce n'est pas moi qui ai choisi le Malawi. C'est le Malawi qui m'a choisie. »

Ensuite, ils se rendent à l'orphelinat la Maison de l'Espoir, à cinquante kilomètres de la capitale, où ils verront douze enfants – parmi lesquels ils envisageront d'en adopter un. Il leur suffit d'un regard au petit David Banda, treize mois, pour prendre leur décision. Ce n'est pas difficile. Il est adorable, intelligent, en pleine santé. Et je suis surpris du raz-de-marée scandalisé des médias qui déferle sur elle et Guy après cette décision.

Je respecte Madonna qui essaie d'aider un petit enfant d'un pays misérable du tiers-monde. Mais le cynique en moi se réveille en apprenant que des attachés de presse et des équipes de télévision les ont accompagnés durant leur première visite à l'orphelinat : Me rappelant *In Bed with Madonna*, je ne peux m'empêcher de me dire : *Madonna est en compétition avec Angelina Jolie. Elle ne va donc pas s'arrêter à un enfant, elle va aider tout un pays et elle veut que le monde entier le sache.*

J'aimerais penser que ses motivations sont purement altruistes, mais je suis un peu gêné qu'elle n'ait pas adopté discrètement David, sans que les médias aient été alertés et qu'une équipe filme tout.

Pourtant, quelles que soient ses motivations, elle a également aidé à constituer l'organisation caritative Raising Malawi et a consacré plus de trois millions de dollars à l'aide aux orphelins du pays. Elle se démène également pour que le monde sache que le Malawi est peut-être un beau pays, mais qu'il est également accablé par le sida, la famine et les guerres.

Au bout du compte, je respecte sa générosité et je sais que, quoi qu'elle fasse, l'attention qu'attire son action au Malawi ne peut qu'aider ceux qui sont moins bien lotis qu'elle.

Mon anniversaire 2006 n'est pas encore arrivé, mais je suis installé et je suis plus heureux ; je voyage entre Los Angeles et Miami et je me dis que toute mon amertume concernant Madonna s'est dissipée. Je dîne chez

Kary & Y, puis je vais à une fête que donne Ingrid pour moi au Sagamore.

Comme elle y organise les soirées du samedi, elle fait cette fête plus tôt pour profiter des retombées de presse. Elle m'annonce que je peux inviter vingt personnes, que nous aurons trois tables et qu'on nous offrira de la vodka.

Quand j'arrive, quinze inconnus sont assis à mes tables. Je demande à Ingrid qui ils sont. Elle élude ma question en me disant qu'elle fera de la place pour mes amis quand ils arriveront. Je réponds que cela va les gêner. Puis je jette un coup d'œil à la vodka offerte : seulement deux bouteilles pour vingt personnes, et d'une marque bon marché, en plus.

Soudain, j'ai un déclic. Peut-être que je projette Madonna sur Ingrid, mais je pète un plomb. Je sors du restaurant en trombe, suivi de mes amis.

Le matin, je me suis calmé. Je me rends compte que c'était une réaction excessive. Même si je me suis façonné une nouvelle vie reposant sur mes propres compétences et non le talent de Madonna, je lui en veux encore. La Kabbale ne m'a pas aidé à exorciser mes démons et je ne lui ai pas non plus vraiment pardonné.

J'allume mon ordinateur et je trouve deux e-mails, l'un de Madonna, l'autre d'Ingrid. Celle-ci, indignée, me dit qu'elle m'a rendu un service et que j'ai osé la planter. Elle m'accuse de me croire tout permis. À un certain degré, elle a raison. Je me sentais en effet en droit d'agir ainsi – parce que j'étais bien conscient que ma présence permettrait au Sagamore d'avoir de la presse ce soir-là – mais j'ai eu tort d'exploser devant elle et de partir. Je réponds immédiatement par des excuses.

Puis je lis l'e-mail de Madonna. Elle me fait un compte rendu point par point de mon comportement de la veille, tel qu'Ingrid le lui a raconté, et c'est en grande partie exact. Mais elle ne me gronde pas. Le ton est relativement mesuré. Elle veut surtout me dire que, pour elle, je suis toujours un alcoolique et un drogué et que je dois me soigner. Elle me propose d'aller dans un centre de désintoxication où elle paiera le séjour.

Je songe à ce qu'elle a écrit, puis réfléchis longuement et sans indulgence à ma situation. Je ne pense pas être un alcoolique ni un drogué, mais je sais que – notamment à cause de ma relation avec Madonna – j'ai de gros problèmes à régler. J'accepte de suivre le Programme de Réhabilitation Transitions à North Miami Beach, et Madonna paie d'avance les frais de consultation du psychiatre.

Là-bas, on me prélève du sang et je passe des heures avec le psychiatre à décrire toute ma relation avec ma sœur. Je lui explique que je ne sais pas si cette cure va me faire du bien, étant donné que je ne suis pas disposé à exprimer mes problèmes avec Madonna devant un groupe. Il me dit de revenir au centre quand il aura reçu les résultats.

Quatre jours après, à la séance suivante, il me déclare que ni les analyses sanguines ni notre conversation n'indiquent que je souffre d'alcoolisme ou d'une dépendance à la drogue. Il me recommande une thérapie sur le long cours et me donne l'adresse d'un confrère à Miami. Avec mon accord, il envoie une copie de ses recommandations à Madonna.

Madonna réagit immédiatement par un e-mail cinglant disant au médecin qu'il ne sait pas de quoi il parle. Le médecin me le lit : « Mon frère doit suivre une cure de désintoxication, point barre. »

—Votre sœur a des problèmes d'autorité, me dit-il.

Ingrid a apparemment aussi appelé le psychiatre pour lui dire qu'elle était surprise qu'il ne me conseille pas de suivre une désintox'.

Il lui répète ses recommandations fondées sur les analyses sanguines et sa longue consultation avec moi sur ma situation.

Dans un e-mail, Madonna me dit qu'elle a reçu le diagnostic du médecin, qu'elle est totalement en désaccord avec lui, mais qu'elle est heureuse que je cherche à me faire soigner et qu'elle paiera un certain nombre de mes séances. Malgré ses problèmes d'autorité, je me rends compte qu'elle fait montre de générosité et de gentillesse en tentant de m'aider.

En janvier 2007, je commence à voir une psy deux fois par semaine. À condition de recevoir des rapports d'avancement, Madonna accepte de payer un nombre fixé au préalable de séances à cent cinquante dollars chaque. Avec mon consentement, la psy accepte de lui envoyer chaque semaine un rapport sur mes progrès, approuvé par moi et sans révéler le contenu de nos conversations, car je veux trouver le moyen de revenir en arrière et de forger à nouveau une vraie relation avec Madonna.

Ma psy écrit à Madonna en répétant le diagnostic du médecin concernant la cure de désintox'.

Madonna lui répond par e-mail qu'elle ne sait pas de quoi elle parle, qu'elle n'a aucune compétence et ne peut pas être une bonne psy. Elle lui déclare que je dois la manipuler.

Ma psy réagit en me disant qu'elle est contente d'avoir pu constater par elle-même ce qu'est ma sœur. Pour elle, Madonna ne disparaîtra jamais, il faut que j'apprenne à vivre avec, et elle va m'y aider. Pour la première fois de ma vie, j'ai quelqu'un à qui je peux parler franchement et honnêtement. Elle donne un sens à ce que je vis. J'attends chaque séance avec impatience et je sens que je fais des progrès. J'affronte mes démons, identifie mes forces et mes faiblesses et rassemble le courage de les examiner dans ce livre.

Au début de l'été 2007, comme je cherche d'autres chantiers de décoration, j'écris à Madonna pour lui demander une lettre de recommandation pour mon CV et mon press-book. Elle me répond qu'elle ne peut pas, en bonne conscience, me recommander, tant que je n'ai pas suivi de cure de désintoxication.

Je lui réponds en lui déclarant que, selon ma psy, je n'ai pas besoin de cette cure et que j'ai choisi de mener une vie saine à ma manière, pas à celle de Madonna. J'essaie de lui expliquer qu'une cure de désintoxication sert uniquement à purifier l'organisme. Et que c'est pour cela que les gens qui en suivent une sans suivre en même temps une thérapie sur le long cours finissent par y retourner régulièrement. Madonna me répond clairement qu'elle ne peut ou ne veut pas comprendre. Je renonce à essayer de lui faire entendre raison pour qu'elle passe à autre chose.

À la fin du mois de juin, je passe deux semaines avec mon père à Traverse City. Je l'aide au vignoble et, pour la première fois de ma vie, nous discutons comme des amis. Il aura fallu du temps.

Ce n'est pas tout : je suis inquiet pour lui. Il a soixante-seize ans désormais, mais il se lève à 6 heures du matin et travaille douze heures par jour à des tâches manuelles épuisantes. Il a créé plusieurs crus différents qui lui ont valu de nombreuses médailles. Madonna l'a financièrement aidé pour l'achat du vignoble, mais je sens qu'il aurait besoin d'un coup de pouce pour le promouvoir.

Il s'apprête à mettre aux enchères un magnum de son dolcetto à une foire aux vins de Saratoga Springs, dans l'État de New York. J'appelle le rédacteur en chef du magazine *Instinct* et lui propose d'écrire un article sur le vignoble et les enchères. Mon idée – destinée à aider mon père, son vin et l'association caritative de Madonna – est que mon père donne une partie des bénéfices de l'enchère à l'association d'aide au Malawi de ma sœur. Je lui écris pour qu'elle me fasse une déclaration. Elle répond qu'elle en a déjà fait beaucoup pour papa et qu'elle accepte éventuellement de me laisser la citer.

Au lieu d'exploser de colère, comme je l'aurais fait naguère, je lui demande de rédiger un petit texte sur son association que nous publierons tel quel.

Elle me dit d'aller voir sur son site web.

Je décide de ne pas lutter et réponds que c'est ce que je vais faire.

Cuisine de la maison de mon père à Traverse City, 19 heures, le 3 septembre 2007

Melanie et moi sommes en pleine préparation du dîner familial de Labor Day quand elle me dit que Madonna lui a offert pour son anniversaire un aller-retour pour Londres afin qu'elle puisse venir fêter celui de Madonna avec elle et sa famille.

Melanie me raconte qu'elle est allée en Angleterre et a séjourné à Ashcombe House. La veille de son anniversaire, Madonna a projeté *I Am Because We Are*, son documentaire sur le Malawi. Le Président Clinton, l'archevêque Desmond Tutu et le professeur Jeffrey Sachs figurent dans le film, qui raconte l'histoire déchirante de nombreux enfants orphelins abandonnés du Malawi.

Selon Melanie, on y voit une excision, un étalage de pauvreté révoltante et de scènes particulièrement sanglantes.

Le lendemain, pour fêter son anniversaire, Madonna a donné une fête à Ashcombe. Dans la propriété ont déambulé des gitans et des chevaux amenés d'Europe, des chevaliers en armure, et toutes sortes de plats luxueux ont été servis.

Melanie me dit qu'elle a du mal à comprendre le contraste entre ce que fait Madonna au Malawi et les excès d'opulence de sa fête.

Je lui explique que Madonna a beau se montrer altruiste dans ses œuvres pour le Malawi, cela génère tout de même de la publicité pour elle et embellit son image. Bien que je ne veuille pas minimiser le bien qu'elle fait au Malawi, parfois, toute cette entreprise me paraît un peu destinée à sa promotion personnelle.

Selon Melanie, la Kabbale est au cœur de la vie de Madonna et de Guy. Pendant qu'elle était à Ashcombe, l'atmosphère entre Madonna et Guy était très tendue et un rabbin de la Kabbale venait régulièrement de Londres jouer les médiateurs entre eux. Cela ne me surprend pas.

Je crois que la Kabbale aide Guy et Madonna à rester ensemble. J'ai beau ne pas l'aimer et le tenir responsable de ma brouille avec ma sœur, je leur souhaite du bien, à lui et à son mariage.

Ce qui m'attriste, c'est de ne jamais avoir fait la connaissance de mon neveu David ; je connais à peine Rocco et Lola seulement un peu. Mais j'espère sincèrement qu'un jour, je parviendrai à forger une relation avec eux. Je veux qu'ils sachent que leur oncle sera toujours là pour eux.

Épilogue

Le temps mûrit toute chose ; aucun homme ne naît sage.

Miguel de Cervantes

Cela fait maintenant un quart de siècle que Madonna est célèbre et c'est probablement la femme la plus adulée de la planète. On estime qu'elle a vendu deux cents millions d'albums dans le monde entier et elle figure dans le *Guinness des Records* comme la chanteuse qui gagne le plus d'argent chaque année. Son dernier album, *Hard Candy,* N° 1 dès sa sortie partout dans le monde, s'est vendu à plus d'un million d'exemplaires durant le premier mois ; sa tournée mondiale, *Sweet and Sticky,* commence le 23 août 2008. C'est à présent une icône planétaire, une légende, et son importance dans la culture populaire restera indéniable.

Mais quand tout a commencé pour elle, le rédacteur en chef de *Billboard* prédisait : « Madonna sera finie dans six mois ». Madonna, dans un moment de triomphe, a avoué un jour : « Les gens me sous-estimaient, hein ? » Comme moi, elle a la mémoire plus longue que quiconque. Elle n'a pas oublié le peu de foi que de nombreuses personnes ont eue en elle et je suis fier de ne jamais avoir été de ceux-là.

Cette année, ma sœur va avoir cinquante ans. J'espère et je suis certain qu'il lui reste encore de nombreuses années sur scène. Je serai là, jusqu'au bout, pour l'applaudir. Et je crois que Guy sera là aussi. Bien que de nombreux articles aient prétendu que le mariage de Guy et Madonna connaît de grosses difficultés – ce qui a bien entendu été accueilli par autant de démentis de sa part –, je sais que Guy et Madonna s'aiment et que, en plus de tout le reste, ils se sont engagés avec passion dans leur relation sous les auspices de la Kabbale.

L'été dernier, mon père et moi avons déballé des cartons de mon passé qu'il gardait pour moi depuis plus de quinze ans. J'ai examiné le contenu : des lettres de Danny, des factures, reçus, cartes postales, photos, souvenirs d'une autre vie – et je suis resté un instant paralysé.

Puis, sentant mon émotion, mon père, qui a fait de Madonna et moi exactement ce que nous sommes, m'a dit :

— Et si on faisait un bon feu de joie de tout ça ?

Sitôt dit, sitôt fait. Nous avons pris quinze cartons remplis des vingt ans de ma vie et nous avons regardé les flammes dévorer mon passé.

Je me suis tourné vers mon père :

— Tu sais, Papa, souvent dans ma vie, j'ai eu le sentiment d'être un *loser*.

— Tu n'es pas un loser, Christopher. Et je suis très fier de toi.

Ses paroles m'ont comblé, mais j'ai regretté de ne pas avoir entendu ma mère me les dire aussi.

Les vingt-cinq dernières années ont été une grande aventure et un processus d'apprentissage pour moi. Durant tout ce temps, j'ai souvent été agacé que mon nom, ma réputation et mon identité tout entière soient inextricablement liés à ceux de Madonna. Mais, à présent, avec le temps qui a passé, grâce à ma thérapie et à la rédaction de ce livre, j'ai accepté cette vérité : je ne peux pas fuir la réalité.

Pas plus que je ne peux revenir en arrière. Si je le pouvais, je n'aurais pas écrit à ma sœur ces choses affreuses. Même si je ne pense pas qu'elle en ait eu l'intention, elle m'a fait du mal et je lui ai fait du mal en représailles.

Pourtant ma vie avec Madonna m'a appris beaucoup de choses. Si bassement matériel que ce soit, je sais désormais que si on fait affaire avec un membre de sa famille, même un proche, il faut toujours signer un contrat.

Je ne sais pas si Madonna a retiré quelque chose de nos années ensemble, mais si c'est le cas, j'espère que c'est ce précepte de la Kabbale : elle n'est pas le centre de l'Univers et chacun de ses actes et de ses décisions a des conséquences, non seulement sur elle-même, mais sur ceux qui l'entourent.

Pourtant, si les actes de ma sœur ont jamais eu sur moi un effet négatif, je sais maintenant que je porte aussi une partie du fardeau et je reconnais que je suis responsable des choix que j'ai faits.

Même si nos contacts sont rares dernièrement, toute l'amertume que j'ai pu éprouver envers elle s'est envolée depuis longtemps. Je regarde nos années passées avec tendresse. Je considère comme un privilège d'avoir pu partager avec elle son succès.

Je n'ai aucune rancune envers elle et je ne lui veux aucun mal. Je l'aime beaucoup et je lui serai toujours reconnaissant de ce que nous avons partagé. Ma sœur a beaucoup fait pour moi et il me suffit de regarder ses affectueuses cartes d'anniversaire, si tendres dans leur expression de sentiments, pour savoir à quel point elle m'aime.

Je chéris tous les souvenirs de ces bons moments passés avec elle, qu'ils soient personnels, intimes ou professionnels. Quand je revois nos années de collaboration, il me semble que – pour des gens qui ont eu une enfance difficile – nous

nous étions créé pour tous les deux un petit monde que j'adorais. Il était sûr, protégé, immensément créatif, et je m'y sentais en sécurité. Ce n'était pas un monde intime et tactile, car ce n'est pas le genre de Madonna, ni le mien. Mais rétrospectivement, c'était mon utopie, l'endroit où, plus qu'ailleurs, je pouvais me réfugier, où Madonna et moi – deux enfants regrettant éternellement une mère disparue – pouvions aimer et être aimés.

Dans mon cœur, mon esprit et mon âme, Madonna et moi restons spirituellement inséparables. Nous sommes éternellement liés, par le sang et l'incroyable aventure qu'auront été nos vies.

Remerciements

De nombreuses personnes ont pris part à la rédaction de cette histoire. Je veux exprimer particulièrement ma sincère gratitude à mon agent, Fredrica Friedman, pour son savoir-faire et son soutien enthousiaste ; ma brillante correctrice, Tricia Boczkowski ; mon extraordinaire éditrice, Jennifer Bergstrom. Je remercie également tous ceux qui, chez Simon & Schuster, ont veillé à l'intégrité et à la précision, en particulier mon directeur artistique, Michael Nagin. Je désire également remercier mon coauteur, Wendy Leigh, qui m'a toujours protégé et sans qui rien n'aurait été possible.

Table

Introduction 9
Prologue 11
Chapitre 1 31
Chapitre 2 59
Chapitre 3 83
Chapitre 4 111
Chapitre 5 137
Chapitre 6 175
Chapitre 7 199
Chapitre 8 229
Chapitre 9 255
Chapitre 10 273
Chapitre 11 299
Chapitre 12 319
Chapitre 13 337
Épilogue 367
Remerciements 371

CET OUVRAGE A ÉTÉ COMPOSÉ
PAR NORD COMPO (VILLENEUVE-D'ASCQ)
ET ACHEVÉ D'IMPRIMER SUR ROTO-PAGE
PAR L'IMPRIMERIE FLOCH À MAYENNE
EN SEPTEMBRE 2008

Dépôt légal : septembre 2008
N° d'impression : 71927
Imprimé en France